La Gramática de la
Arquitectura

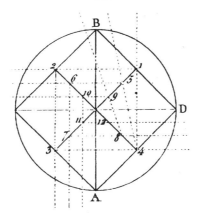

La Gramática de la
Arquitectura

Emily Cole Editora general

LISTA DE COLABORADORES

PHILIPPA BAKER (Paleocristianismo y Bizantinismo) estudió Historia del Arte y de la Arquitectura en la Universidad de Manchester, Inglaterra, y trabaja como editora *freelance* especializada en libros de arte y arquitectura.

SUSIE BARSON (Babilonia, Asiria, Persia/Islámico) M. A. en Historia de la Arquitectura en el Bartlett School of Architecture, Universidad de Londres. Actualmente trabaja como historiadora en English Heritage.

EMILY COLE (Preclásico/India temprana y clásica/Grecia Antigua) M. A. en el Courtauld Institute, Universidad de Londres, donde estudió Historia de la Arquitectura. Actualmente trabaja como historiadora para English Heritage.

MARIA FLEMINGTON (Neoclásico) M. A. en Historia de la Arquitectura en el Courtauld Institute, Universidad de Londres. En la actualidad trabaja como Collections Manager para el National Trust.

EMILY GEE (Japón Clásico) M. A. en Historia de la Arquitectura, Universidad de Virginia, trabaja como Inspectora de Edificios Históricos en English Heritage.

TESSA GIBSON (Románico) M. A. en Historia de la Arquitectura en el Courtauld Institute, Universidad de Londres y trabaja para el National Trust.

EMMA LAUZE (Atigua Roma) M. A. en Historia de la Arquitectura, en Planificación Urbana de Roma, en el Courtauld Institute, Universidad de Londres. Desde que finalizó sus estudios en 1994, ha trabajado en el Paul Mellon Centre for Studies in British Art, en diferentes publicaciones y proyectos de investigación.

MARY PESKETT-SMITH (Renecimiento) M. A. en Historia de la Arquitectura en el Courtauld Institute, Universidad de Londres. Actualmente participa en un proyecto de investigación en el Paul Mellon Centre for Studies in British Art.

EMILY RAWLINSON (Precolombino/Barroco y Rococó) M. A. en Historia de la Arquitectura en el Courtauld Institute, Universidad de Londres y ahora trabaja en Pevsner Architectural Guides.

JAMES ROTHWELL (Gótico) M. A. en Historia de la Arquitectura en el Courtauld Institute, Universidad de Londres y trabaja para el National Trust.

SARAH VIDLER (Antiguo Egipto) B. A. en Arqueología del Mediterráneo Oriental, Universidad de Liverpool. Trabaja para English Heritage.

ALICE YATES (Pintoresco) estudió Historia de la Arquitectura en la Universidad de Edimburgo y se especializó en Conservación Histórica en Oxford Brookes University. Actualmente es Projects Assistant en la Wordl Monuments Fund en Inglaterra.

XU YINONG (China temprana y China dinástica) Ph. D. en Historia de Urbanismo y de la Arquitectura en la Universidad de Edimburgo. Es Lector Senior en Arquitectura en la Facultad de Built Enviroment, Universidad de Nueva Gales del Sur, Australia.

La Gramática de la Arquitectura

ISBN: 84-95677-34-2

EAN: 9788495677341

Título original: *The Grammar of Architecture*

Copyright © The Ivy Press Limited

Traducción: Elena Azcoitia Wildpret

1.ª Edición en español: 2003 - 2.ª Edición en español marzo 2004

Coordinación editorial: Elena R. Orta

Text eXpert Treatment, S.L.

Contenido

Introducción

La Gramática de la Arquitectura hace accesible, tanto a investigadores como no investigadores, el amplio número de términos arquitectónicos usados para describir edificios a lo largo del mundo y de la historia.

Esta obra lo lleva acabo, no a través del método convencional —un glosario alfabético—, sino a través de una secuencia de capítulos ordenados cronológicamente, ofreciendo cada uno de ellos una serie de detalladas ilustraciones acompañadas de rigurosos textos.

La estructura cronológica de *La Gramática de la Arquitectura* permite al lector situar con exactitud elementos, formas, técnicas y estilos dentro de su contexto. Los pasajes introductorios proporcionan un soporte que cubre el fondo religioso, social, político o económico, asimismo, alude a aspectos como la situación, función, material y rol de la arquitectura.

Esta guía proporciona también un glosario de términos que ofrece un rápido punto de referencia, dando sucintas definiciones de las características mencionadas y explicadas en el interior. Además, consta de un glosario ilustrado que cubre diez elementos comunes en la arquitectura de la mayoría de periodos y pueblos —columnas, torres, arcos, entradas, ventanas, frontispicios y frontones, tejados, abovedados y escaleras.

La cronología de *La Gramática* comienza con la arquitectura egipcia y continúa con los principales estilos utilizados a lo largo de la historia.

Cada estilo está dividido en apartados, regidos por el tipo de construcción, país o desarrollo histórico. Cuando las construcciones son representativas de un estilo particular —como el Partenón de la arquitectura griega o Hagia Sofía de la bizantina— éstas aparecen detalladas. El abanico de vocabulario arquitectónico se refleja en la longitud de cada capítulo. Para aquellos estilos que han sido estudiados cuidadosamente, en particular los clásicos (griego y romano) y las variedades del gótico, la complicada terminología arquitectónica se ha desarrollado primero y discutido en profundidad después. Otros estilos —como el preclásico o precolombino— han permitido menos detalle por disponer de menos información especializada y fiable.

En cada capítulo, se utilizan las ilustraciones para visualizar elementos y características de los estilos, desde el plano de superficie hasta lo alto de la cubierta. Se ha dado especial énfasis a la ornamentación cuando forma parte de un efecto arquitectónico.

El último estilo que cubre *La Gramática de la Arquitectura* es el movimiento Pictoresco de finales del siglo XVIII y principios del XIX. El lenguaje arquitectónicos de finales del XIX y principios del XX era, aún más que sus predecesores, un movimiento de motivos recurrentes.

La terminología ha quedado mayormente para la parte tradicional y se ha prestado mayor atención a los materiales y métodos de construcción.

Salvo en la necesidad de entender, por ejemplo, los términos de arquitectura gótica, para poder codificar y describir los edificios góticos; o los términos de la arquitectura egipcia, para explicar sus detalles. Estas omisiones significan que este libro no pretende dar una cobertura completa a la historia de la arquitectura mundial, algo que ya se ha hecho, más notablemente por Sir Banister Fletcher en su *History or Architecture* (editado por primera vez en 1896 y de relevante valor aun en nuestros días). *La Gramática de la Arquitectura* sobrepasa los límites de un glosario convencional. La adición de un contexto histórico al vocabulario arquitectónico, que recuerda el primer enfoque del libro, contribuye al entendimiento de las construcciones en un nivel básico y elemental, evitando el complejo análisis arquitectónico de otros libros. Tal aproximación hace a esta obra accesible para aquellos que son nuevos en arquitectura, así como proporciona la información necesaria para aquellos interesados en aprender más.

La característica principal de *La Gramática de la Arquitectura* es su material ilustrativo, derivado de varios tratados arquitectónicos de los siglos XVIII y XIX, diccionarios y estudios arqueológicos y topográficos. El uso de estas ilustraciones —en planchas de cobre y acero— es apropiado por muchas razones. Su nivel de detalle y precisión se adapta perfectamente al principal objetivo de esta obra. En un sentido más general, las ilustraciones evocan el momento en que, por primera vez, surgió un profundo interés por el mundo de la arquitectura. Con el desarrollo de la imprenta y la técnica artística de principios del siglo XIX en adelante, los libros ilustrados se convirtieron en algo habitual y más demandado por un nuevo, más amplio y variado público. En una época en la que los viajes eran mucho más difíciles y caros de realizar que hoy, los trabajos topográficos proporcionaban una oportunidad de aprender acerca del escenario y edificaciones de tierras lejanas. Muchas de las ilustraciones reproducidas en este libro derivan de aquellos trabajos, desarrollados a su vez de una manera similar, con un texto casi basado en las imágenes. Las ilustraciones recuerdan la fascinación que las edificaciones debieron inspirar a arquitectos, entusiastas, aprendices y maestros, y aluden al ideal Victoriano de la lucha por el conocimiento tanto en arte como en ciencia. Por último, y no por eso menos importante, las ilustraciones de *La Gramática de la Arquitectura* hacen de la obra un hermoso y bello objeto para poseer.

La Gramática de la Arquitectura

Antiguo Egipto *3200–30 a. C.*

Mastabas

La arquitectura del antiguo Egipto floreció por primera vez con la unificación del Alto y Bajo Egipto, bajo el reinado del primer faraón, Menes. Las primeras evidencias de la arquitectura monumental egipcia, durante el transcurso del Imperio Antiguo (3200-2680 a. C.), aparecieron en forma de mastabas. La religión egipcia enseñaba que la vida física era temporal, mientras que la espiritual era eterna, por lo que esos monumentos para la eternidad tenían que perdurar. Los templos y tumbas se convirtieron en el centro de esta creencia: las tumbas proporcionando una puerta hacia la vida eterna y los templos como casas de los dioses. Esto aseguró su cuidadosa planificación, diseño y decoración, que combinaban la estética con la funcionalidad. Las ciudades y palacios del Antiguo Egipto se han perdido en el olvido, pero sus casas espirituales aún inspiran a la arquitectura moderna.

Mastaba

La mastaba se diseñaba siguiendo el patrón de las casas del Antiguo Egipto. Consistía en un túmulo con varias habitaciones pequeñas, que cubría una amplia fosa, proporcionando espacio tanto para el fallecido como para sus provisiones para la vida futura. La estructura consistía en pilares de madera o adobe tosco, cubiertos de cascotes y un muro de adobe.

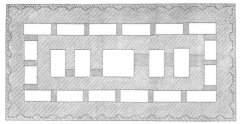

Fachada de palacio

La mastaba real solía contar con una fachada con salientes y entrantes alternativos, se supone que imitando los paneles de madera de los primeros palacios. Después de todo, la tumba era la residencia terrenal del espíritu del rey. En realidad, estaba hecha de adobe y su origen puede deberse a la influencia de la arquitectura mesopotámica. Con frecuencia se pintaban en vivos colores y restos de esa decoración exagerada han sobrevivido hasta nuestros días.

Cámara mortuoria

La seguridad de la tumba cobró mucha importancia durante las dinastías III y IV (2780–2565 a. C.), y por tanto, las innovaciones arquitectónicas se concentraron en el interior de la mastaba. Se simplificó el exterior, mientras que la cámara mortuoria en sí misma —el lugar de descanso eterno del propietario— se talló en roca y se protegió con medidas como rastrillos de piedra.

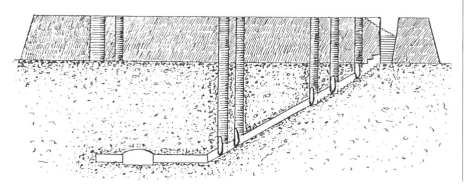

Cementerio - mastaba

La IV dinastía (2680–2565 a. C.) fue testigo de la aparición de cementerios de mastabas comunes junto con tumbas reales. Los ocupantes de las mastabas eran oficiales de alto rango —la tumba era, probablemente, una concesión honorífica por parte del faraón— y las tumbas incluían una pequeña capilla: frecuentemente un nicho simple con una mesa para depositar las ofrendas a los fallecidos.

Puerta falsa

La tumba alojaba al fallecido eternamente y una puerta falsa (una imitación en adobe o piedra de una puerta de madera, ubicada en la fachada) permitía a su espíritu, o *ka*, entrar y salir a voluntad. La "puerta", que generalmente se colocaba en la cara este, daba al Nilo, permitiendo al espíritu viajar por el río.

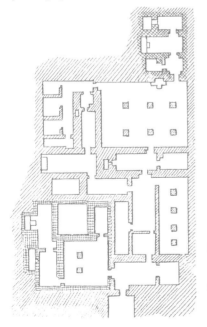

Plano

Las tumbas más sofisticadas tenían muchas cámaras, creando tanto una completa residencia para el fallecido como una puerta a la eternidad. Las habitaciones se decoraban en vivos relieves, con escenas de la vida cotidiana y motivos naturales, representando la vida futura como una idealización de la vida física. Incluían despensas, una capilla, lugares de descanso y comedores.

Mastaba de adobe

El adobe, una mezcla de barro y paja, era el material de construcción más común del antiguo Egipto. Reaccionaba muy bien a un clima árido y prueba de su aplicación en la construcción monumental eran los zigurats mesopotámicos. El uso del adobe permitió aplicar técnicas cotidianas a la arquitectura de monumentos.

Antiguo Egipto

Pirámides

La característica arquitectónica más comúnmente asociada al Antiguo Egipto es la pirámide, conocida en todo el mundo gracias a la única superviviente de las siete maravillas del antiguo mundo, La Gran Pirámide de Keops, en Giza. Las pirámides, inicialmente tumbas exclusivas de la realeza, aparecieron durante la III dinastía (2780–2680 a. C.) y se perfeccionaron durante la IV, hasta que fueron abandonadas como necrópolis reales favoritas, durante el Imperio Medio (2134–1786 a. C.) y pasaron a formar parte de la arquitectura de tumbas privadas. La pirámide real, muy bien decorada en su interior con inscripciones funerarias (conocidas como Textos Piramidales), proporcionaba tanto orientación como refugio al faraón muerto.

La superestructura debía acercarlo más al dios del sol Ra, con quien recorrería el cielo acompañado por sus altos oficiales, los cuales se enterraban en mastabas a su lado.

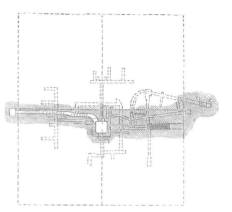

Pirámide escalonada de Saqqara (2778 a. C.)

Al borde del desierto, en Saqqara, el primer recinto piramidal del rey Zoser de la III dinastía incluía también un palacio falso, edificios para la celebración del jubileo y templos. La pirámide escalonada demostró ser la innovación arquitectónica más significativa del Antiguo Reino y su arquitecto, Imhotep, fue divinizado posteriormente.

Relleno de escombro, pirámide escalonada de Saqqara

Con una superestructura de seis mastabas formando los escalones, la pirámide se construyó con cascotes y tierra, con una cámara mortuoria excavada en roca sólida. Se revistió con roca labrada imitando estructuras de madera y junco: la primera aplicación de la roca a la construcción monumental.

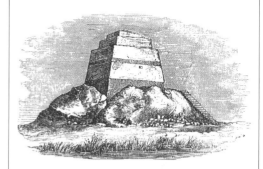

Pirámide de Meidum (III Dinastía)

Originalmente construida como una pirámide de siete escalones, la estructura superviviente de Meidum está hecha con gruesas capas de sillares. Su construcción empezó, probablemente, bajo el reinado de Huni y se completa como una verdadera pirámide de lados lisos durante el reinado de Snefru.

Corte transversal, Pirámide de Meidum

La técnica que permitió el paso de pirámide escalonada a verdadera (aunque ahora perdida) consistía en revestir la infraestructura escalonada con bloques de caliza, cortados en ángulo para crear una superficie lisa. Había un total de ocho capas de sillería encima de la cámara mortuoria.

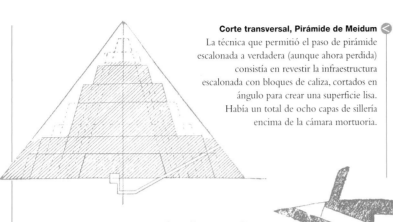

Pirámide de Unas, Saqqara (VI Dinastía)

Esta pirámide, tumba real adyacente a la pirámide escalonada, fue construida de un modo sencillo y pobre. La característica más notoria es la decoración con jeroglíficos e imágenes (Textos de las Pirámides), que proporcionaban instrucciones para el viaje del fallecido en la vida futura.

Complejo piramidal de Abusir (V Dinastía)

Este complejo piramidal al norte de Saqqara incluía las pirámides de tres faraones, templos en el valle para la recepción del fallecido después de su transporte por río y calzadas que unían las pirámides con los templos funerarios, donde se hacían las últimas ofrendas antes del entierro en la pirámide.

Pirámide encorvada, Dashur (2723 a. C.)

Fue construida durante el reinado de Snefru, pero nunca fue utilizada. Su apariencia encorvada se debe al cambio repentino del ángulo de inclinación, de 54 a 43 grados, presumiblemente necesario para soportar la estructura. Contenía una cámara acartelada y estaba revestida de caliza.

Rastrillo, pirámide de Unas

Colocados en el pasillo de acceso a la cámara mortuoria, los rastrillos se deben a la necesidad de proteger al fallecido de los ladrones de tumbas. Puntales de Madera sujetaban la losa hasta que la momia era colocada en su sitio. Al salir se retiraban y la losa caía, sellando la entrada.

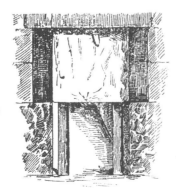

Pirámides privadas, Abidos

Del Imperio Medio en adelante, la pirámide se convirtió en un elemento de la arquitectura funeraria no real. Estructuras simples con los elementos básicos de una tumba real —una capilla y cámara coronadas por una pirámide de ladrillo— se conviertieron en un motivo funerario muy popular, incluso como fachada de los hipogeos (tumbas talladas directamente en la roca).

Antiguo Egipto

La Gran Pirámide, Guiza

El complejo piramidal de Guiza, perteneciente a la IV Dinastía, marcó el apogeo en la arquitectura del Antiguo Egipto. Construido durante tres generaciones de faraones —Keops (abuelo), Kefrén (padre) y Micerinos (hijo)— contenía todas las características arquitectónicas asociadas a una tumba real a gran escala. Se transportaron miles de bloques de roca, primero por río y luego arrastrándolas en trineo hasta el borde del desierto, para construir la pirámide perfecta. La magnitud y complejidad de la obra llevaron a leyendas sobre la crueldad tiránica de los reyes egipcios de ese periodo, aunque la verdadera naturaleza de su construcción y métodos de trabajo no han sido esclarecidos. La Gran Pirámide de Keops manifiesta la más pura arquitectura geométrica y aún inspira a la arquitectura moderna en edificios contemporáneos, de ciudades como París, que reflejan su forma.

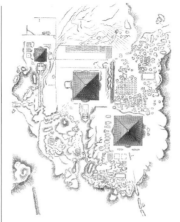

Necrópolis de Guiza
Los tres elementos principales de la necrópolis —las pirámides de Keops, Kefrén y Micerinos— se encuentran en un eje casi diagonal. Sus templos funerarios y calzadas están orientados al Nilo, mientras que al oeste, un cementerio de mastabas aloja a sus oficiales de alto rango.

Esfinge
Construida conjuntamente con la pirámide de Kefrén, la Esfinge está tallada en un afloramiento natural de caliza. Es el ejemplo superviviente más antiguo y representa a un león con cabeza de faraón, con tocado y barba falsa. Actuaba como un guardián de las tumbas reales.

Corredores, Gran Pirámide de Keops
A las cámaras del rey, de la reina y a una cámara subterránea, que se encontraban en el interior de la pirámide, se accedía a través de tres corredores de piedras alineadas (descendentes y ascendentes), el más largo de los cuales medía más de 100 m (328 pies). Estos corredores sin decoración creaban un solemne pasadizo para los fallecidos.

Gran Pirámide de Keops (2680–2565 a. C.)
Es la más grande de las tres pirámides, con una altura de 146 m (479 pies) y 231 m² (2.485 pies²), y cubre un área aproximada de 5,2 ha (13 acres). La piedra utilizada en su construcción incluye caliza importada. En cada lado había un foso con un barco real para permitir al espíritu del faraón viajar libremente.

Revestimiento exterior, Gran Pirámide de Keops

Las pirámides fueron revestidas originalmente en caliza, creando una superficie lisa y blanca y fueron coronadas con un piramidión, una piedra dorada en forma de pirámide, con plegarias inscritas. Que la luz del sol se reflejara en la pirámide, probablemente pensado para unir al rey muerto con el dios del sol Ra, habría dado a la necrópolis una apariencia deslumbradora.

Cámara mortuoria, Gran Pirámide de Keops

Separada de la galería por una antecámara protegida con un rastrillo, la cámara mortuoria estaba techada con cinco capas superpuestas, cada una de nueve losas de piedra. Una bóveda de descarga compuesta de dos piedras la coronaba. Dos estrechos pozos unían la cámara con el exterior, aunque su propósito exacto se desconoce.

Núcleo, Gran Pirámide de Keops

El núcleo de la pirámide estaba hecho de miles de bloques procedentes de canteras locales. Estos bloques pesaban una media de 2,5 toneladas y eran transportados por humanos, necesitando gran cantidad de mano de obra, y se colocaban en su posición con la ayuda de un lubricante de mortero de cal.

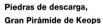

Piedras de descarga, Gran Pirámide de Keops

Gran parte del peso era soportado por cuatro piedras de descarga (apoyo) que coronaban la entrada a la pirámide. La entrada era sellada y cubierta con un revestimiento de piedra caliza, haciéndola invisible desde el exterior y aumentando la seguridad. El uso de estas piedras muestra los conocimientos sobre física aplicada a la arquitectura monumental que poseían los antiguos egipcios.

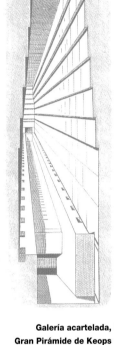

Galería acartelada, Gran Pirámide de Keops

La gran galería, que conduce a la cámara revestida de granito del rey y a la cámara de la reina, consiste en una falsa bóveda por aproximación de siete hiladas, cada una soportando a la de encima. Una galería ascendente sin decoración, que complementa el moderado monumentalismo de la pirámide con el uso a gran escala de sillería en el interior de la estructura.

Antiguo Egipto

Hipogeos

Mientras las pirámides proporcionaron las bases de la arquitectura funeraria real en el Imperio Antiguo, durante el Imperio Medio (2134–1786 a. C.) las tumbas privadas se trasladaron de la mastaba a hipogeos tallados directamente en las colinas a lo largo del Nilo. Los faraones no tardaron en adoptar esta práctica en un intento por proteger sus tumbas de ser violadas por los siempre presentes ladrones de tumbas, culminando en las espectaculares tumbas del Imperio Nuevo (1570–1085 a. C.) creadas por los artesanos del rey. La elección de la ribera oeste de Tebas como situación del Valle de los Reyes, puede haber sido debida a la semejanza de la Montaña de Occidente con una pirámide. Estas tumbas siguieron imitando la arquitectura doméstica, proporcionando múltiples cámaras para almacenar los bienes funerarios a la par que para el entierro del fallecido. La decoración, de colores brillantes, abarcaba desde escenas de la vida cotidiana hasta alto ritual, la mitología de los dioses e incluso los funerales mismos.

Pórtico de entrada de tumba, Beni Hasan (2130–1785 a. C.)
Construidas durante las Dinastías XI y XII, estas tumbas para oficiales de provincia estaban por completo talladas en roca. La entrada estaba orientada al sol naciente y simulaba el pórtico de las casas del Imperio Medio que eran incluidas entre los bienes funerarios.

Planta y alzado de una tumba, Beni Hasan
La planta muestra pórtico de entrada, flanqueado por dos pilares, que llevaba a una cámara rectangular soportada por cuatro columnas. Al fondo de la sala hay un nicho. El techo era plano o ligeramente abovedado y la única fuente de luz provenía de la entrada.

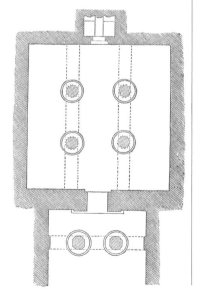

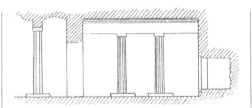

Pedestales, Beni Hasan

Las columnas se alzaban sobre grandes pedestales de piedra plana y circular, que, salvo ligeras modificaciones, se convirtieron en la base estándar de las columnas de la subsiguiente arquitectura egipcia.

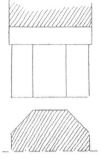

Entrada de la tumba,
Valle de los Reyes
(1570–1085 a. C.)

Tapada por la pirámide natural de la Montaña de Occidente, las tumbas de los faraones se tallaron en la roca del Valle de los Reyes en un intento de esconderlas de los ladrones de tumbas —en completo contraste con la visibilidad de las pirámides. La construcción de una tumba posterior enterró la tumba de Tutankamón, preservándola hasta el siglo XX.

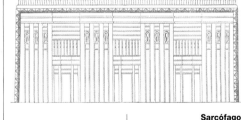

Columnas, Beni Hasan

Las columnas se cortaban en forma octagonal de lados lisos o bien en dieciséis lados estriados. Se ha sugerido que la razón era puramente estética, para suavizar el aspecto de la estructura cuadrada tradicional. Las columnas se estrechaban ligeramente de la base hacia arriba y no tenían capitel, salvo una losa cuadrada o ábaco.

Planta, tumba real del Imperio Nuevo, Tebas

Los hipogeos comenzaron siendo formas sencillas, pero en el periodo ramesida de la XIX Dinastía se habían transformado en series de sofisticadas cámaras, con decoración en relieve, unidas por corredores y escaleras construidas por mano de obra especializada del Valle de los Artesanos (Deir el-Medina).

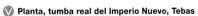

Sarcófago

La súmamente decorada cámara mortuoria alojaba el sarcófago, un amplio ataúd de piedra en el que la momia era enterrada. A menudo labrado en bloques sólidos de granito, el sarcófago era decorado con elaborados jeroglíficos, que proporcionan algunas de las muestras más bellas del arte egipcio.

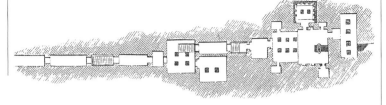

Puerta falsa

Se introdujeron elementos posteriores —incluyendo fosos, puertas y cámaras falsas para proteger la tumba de profanaciones. Una puerta falsa llevaba a cualquier intruso a una cámara vacía, mientras la cámara funeraria verdadera estaba oculta debajo.

Antiguo Egipto

Templos

Como las tumbas, los templos debían durar toda la eternidad y, por tanto, fueron construidos en piedra. Casa de un dios o del espíritu del fallecido, el templo continuó la práctica de imitar las viviendas en la arquitectura monumental. Esta práctica deriva de la creencia de que el mundo espiritual corría paralelo al mundo físico. Debido a la construcción de templos posteriores en los mismos sitios, apenas quedan evidencias de los primeros templos; sin embargo, templos de finales del Imperio Nuevo y del Greco-Romano aún dominan los modernos pueblos que los rodean. El templo declaraba públicamente el poder del faraón y su relación con los dioses —decorando sus espacios públicos con escenas de las victorias del rey y su piedad. Los templos también eran importantes centros sociales y políticos; en el Imperio Nuevo el sacerdocio ejercía un gran poder y los templos eran económicamente independientes, sirviendo sólo a los dioses.

Templo funerario

Los templos funerarios se construían adyacentes a la tumba y proporcionaban espacio para las ofrendas al fallecido y lugar de descanso para el ka. Tenían los mismos elementos básicos que la mayoría de los templos: vestíbulo, patio, santuario y nicho.

Templo de la Esfinge, Guiza

El templo adyacente a la Esfinge es un templo del valle asociado a la pirámide de Kefrén. Era puerto y punto de recepción para la momia, que era transportada por río, y permanecía allí hasta las ofrendas funerarias y la ceremonia de entierro.

Templo solar, Abu Gurab

Dedicados al dios del sol Ra, los más bellos templos solares fueron construidos durante la V Dinastía. El complejo consistía en dos edificios —el templo bajo del valle y el templo superior— conectados por una calzada. En Abu Gurab una muralla contenía el recinto del templo superior, donde un patio abierto alojaba un imponente obelisco y un gran altar de alabastro.

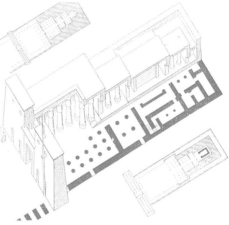

El Rameseum (h.1279 a. C.)
El templo funerario de Ramsés II muestra un retorno a la forma tradicional de pílonos, patios, salas hipóstilas (*ver pág. 23*) y santuario. Centraba su atención en la grandeza del rey muerto.

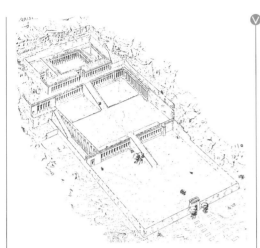

Templo de Hatshepsut, Deir el-Bahari (XVIII Dinastía)
Era, principalmente, un templo funerario, pero también un santuario dedicado a Amón (deidad principal) con capilla a Hathor (guardiana de Tebas occidental) y Anubis (guardián de la necrópolis). Combinaba influencias del templo funerario, anterior, de Mentuhotep II, con un diseño en terrazas único. En la base de la Montaña Occidental incorporaba elementos independientes y elementos excavados en la roca.

Colosos
Los colosos eran estatuas monolíticas (hechas de una sóla piedra) del faraón como una deidad —mostrándolo tanto de pie como sentado, y llevando las coronas del Alto y Bajo Egipto o un nemes (tocado real). Aparecían comúnmente en el frontal de templos del Imperio Nuevo y podían pesar más de 1.000 toneladas.

Templos de culto (Imperio Nuevo)
El templo era la interpretación arquitectónica del origen mitológico de Egipto. La pared del recinto denota los filos de las aguas del caos, mientras que el santuario fue construido en un suelo elevado simbolizando el montículo primitivo en que Egipto fue fundado.

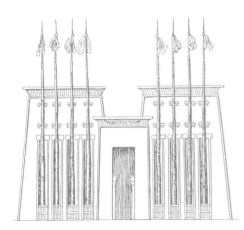

Pílono
Altas torres trapezoidales de piedra, o pílonos, ligeramente inclinadas hacia dentro y cubiertas con una cornisa, flanqueaban la puerta de entrada. Estaban decoradas con relieves elaborados: generalmente con propaganda política en la parte delantera y ritual en la trasera. En el frontal frecuentemente encontramos orificios, para los mástiles y estandártes, y colosos.

Antiguo Egipto

Templo de Karnak, Tebas

Construida en la orilla este del Nilo, en Tebas, Karnak fue el centro del culto a Amón, el dios principal. Como tal, se convirtió en el centro religioso de Egipto durante el Imperio Nuevo, posiblemente debido a la elección de la orilla oeste de Tebas como necrópolis real. Karnak fue el complejo religioso más grande del antiguo mundo debido a las ampliaciones que los faraones hicieron durante un largo periodo de tiempo, a cambio del favor de los dioses, y que contribuyeron a su magnificencia y poder. Durante el Periodo Amarniense (1570–1314 a. C.) se intentó reducir el poder de los sacerdotes llevándose la capital a Egipto Medio y estableciendo una nueva religión, pero con la muerte del faraón Ajenatón, el antiguo orden fue rápidamente restablecido y Karnak floreció nuevamente. El Imperio Nuevo vio crecer a los templos en tamaño y grandeza —haciéndolos mucho menos accesibles para la población en su conjunto.

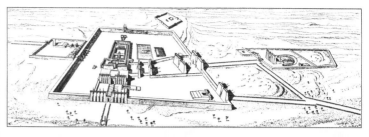

Complejo del templo

Con un recinto que incluía el templo principal, un lago sagrado, templos subsidiarios, alojamientos, centros educativos y edificios auxiliares, el complejo del templo proporcionaba un centro social y religioso a la ciudad de Tebas. Los templos habían reemplazado a las pirámides como centro de los programas de trabajo monumental, y Karnak —casa de la tríada sagrada de Amón, Mut y Jonsu— dominaba.

Planta del templo

El inmenso tamaño de Karnak incluía seis pílonos, un primer patio suficientemente grande para soportar la invasión de un templo más pequeño en el sur, la sala hipóstila más grande que se conoce y un santuario que se remonta al Imperio Medio. Fue construido fundamentalmente de areniscas y calizas. El granito y la cuarcita fueron usados para embellecer el templo con estatuas y obeliscos.

Rampa de barro

Detrás del flanco derecho del primer pílono, sobreviven los restos de la rampa utilizada en su construcción y decoración. La rampa se elevaba para acomodarse al crecimiento del pílono y después se demolía gradualmente para permitir a los artistas decorar la piedra desde arriba hacia abajo.

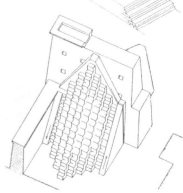

Crio-esfinges

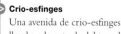

Una avenida de crio-esfinges llevaba a la entrada del templo, proporcionando una escolta simbólica a los que entraban y permitiendo la transición al reino espiritual. Las esfinges representaban al faraón protegido entre las garras de un león con cabeza de carnero —siendo el carnero una manifestación de Amón.

Obelisco ⱱ

El obelisco demuestra los logros tecnológicos del Imperio Nuevo. Un pilar monolítico cuadrado terminado en punta, a menudo de granito y que pesaba hasta 350 toneladas, era transportado al templo, y decorado *in situ*. Los mejores ejemplos de la XVIII Dinastía tenían incrustados jeroglíficos de oro en honor a Ra.

Capiteles ‹

Los capiteles de las columnas, imitando plantas naturales —papiro, loto y palmeras— aparecieron en toda la arquitectura monumental. Su forma procede de las capillas de caña arcáicas. Ahora talladas en piedra, las columnas eran altamente decoradas con jeroglíficos tallados y pinta-dos, imágenes rituales y motivos naturales.

Sala hipóstila ⋀

La sala hipóstila (que significa "techo soportado por pilares") de Karnak tiene 134 columnas que soportan un tejado de enormes losas de piedra. Construida durante el reinado de Ramsés II (1279–1213 a. C.), la sala contenía un pasillo central de grandes columnas en forma de papiro flanqueadas por columnas más cortas en forma de loto, permitiendo elevar el techo y dejando espacio entre los dos niveles de tejado para hacer ventanas.

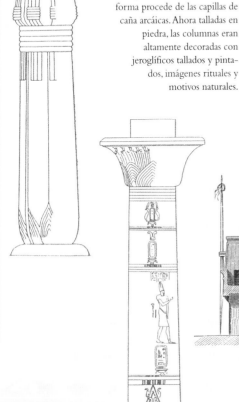

Templo de Jonsu (h. 1198 a. C) ⱱ

Dedicado a Jonsu (hijo de Amón y Mut), este templo sigue la forma de templo de culto del Imperio Nuevo. El nivel del suelo asciende en series de escalones mientras el techo desciende hasta alcanzar el santuario. El aumento de privacidad así creado refleja la restricción de acceso del templo, pues sólo los sacerdotes y el faraón podían acceder al santuario.

Antiguo Egipto

Frontera con Nubia

La frontera con Nubia, o Kush, al sur de Egipto, fue de una gran importancia para la riqueza y poder del estado. Nubia era una rica fuente de piedra y oro, y su control hizo de Egito una fuerza mayor en el antiguo mundo. La ciudad de Assuán, donde había una importante cantera de granito, está situada en la frontera del país y las expediciones del sur trajeron al faraón minerales, flora y fauna exóticos. Antiguos templos y estados egipcios se establecieron en Nubia y hay evidencias de que se aplicaron las leyes egipcias. Durante el Imperio Medio, se establecieron puestos fronterizos para proteger estas importaciones y, por turnos soportaron comunidades enteras. El Imperio Nuevo vio por fin a Nubia convertirse en una provincia del Imperio Egipcio, y la decoración de las tumbas empezó a representar nubios de piel oscura.

Templo de Abu Simbel, Baja Nubia (h. 1260 a. C.)
Construido durante el reinado de Ramsés II, este templo memorial fue excavado en los acantilados de arenisca rosa de Abu Simbel. La fachada, que adopta la forma de un pílono y está orientada al este, tiene cuatro estatuas colosales de benevolentes reyes sedentes. Tenía una estatua central del dios del sol Ra, con cabeza de halcón y estaba coronado por una hilera de mandriles saludando la salida del sol.

Corte transversal, Abu Simbel
El templo penetra profundamente en la arenisca del acantilado, sigue el patrón tradicional de templo tebano y, por su tamaño y construcción tosca, está diseñado para impactar más que para ser práctico. La decoración se centra en la batalla de Qadesh, al norte, y la proximidad del rey a los dioses. Todos estos elementos son demostraciones físicas del poderío militar, la divinidad y la dominación, sobre la naturaleza, del faraón.

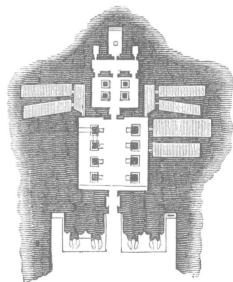

Planta, Abu Simbel
Una estrecha entrada entre los dos colosos centrales lleva a una sala hipóstila, más amplia, seguida de un nicho que aloja estatuas de las tres deidades nacionales de Egypto y del rey divinizado. Orientada de tal modo que en el cumpleaños de Ramsés el sol descansaba en las estatuas de Amón y Ramsés, la sala hipóstila linda con estrechas cámaras pensadas para almacenar cosas.

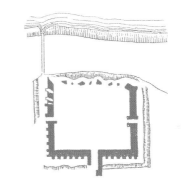

Pilares osiriacos
Abu Simbel

Ocho pilares de piedra soportan otras tantas estatuas de Osiris (civilizador del Egipto primitivo y rey de los muertos) con los rasgos de Ramsés II. El culto a Osiris experimentó un resurgimiento durante el Imperio Nuevo y las estatuas se ven llevando barba recta (símbolo de vida), no la barba curva del dios muerto. La presencia de la corona distintiva de Osiris refleja al rey mostrándose a sí mismo como un inmortal venerado en su propia vida.

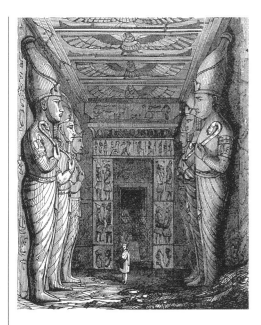

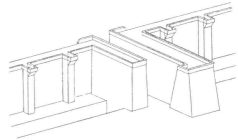

Entrada de fortaleza, Buhen

En Buhen había una puerta occidental, no cubierta, que permitía el acceso al interior del recinto de la fortaleza. Un espolón al principio del pasillo de entrada permitía un control efectivo del tráfico y la seguridad, al permitir guarnecer mejor el parapeto. El estrecho acceso a la fortaleza, evitaba cualquier asalto a gran escala.

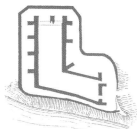

Fortaleza, Semna
(XII Dinastía)

A lo largo del Nilo, en una extensión de 60 km entre Buhen, cerca de la segunda catarata, y Semna, se construyeron al menos ocho fortalezas de adobe y piedra. En el extremo sur, protegiendo la frontera de la ocupación egipcia, se alzaban dos fortalezas, una a cada lado del Nilo, con un núcleo de adobe y una fachada de piedra. Una muralla perimetral daba algo de protección al pueblo que servía a la guarnición.

Almena

Tanto la fortaleza como la muralla presentaban características propias de los castillos europeos posteriores. Las almenas coronaban la muralla y proporcionaban puestos alternativos para los arqueros, mientras que los fosos y parapetos dieron un aspecto aún más intimidatorio a la estructura. Las fortalezas protegían a los que explotaban los recursos minerales de Nubia y reforzaron la presencia faraónica en el sur durante el Imperio Medio.

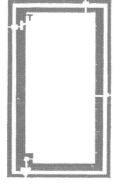

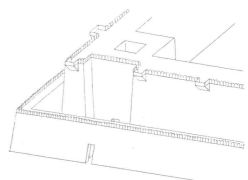

Antiguo Egipto

Templos Greco-Romanos

La edificación Greco-Romana en Egipto culminó bajo el reinado de los Ptolomeos (305–30 a. C). El dominio extranjero fue testigo de un resurgimiento de las formas y tradicionalismo egipcios, aunque había un cambio fundamental. Los oscurecidos templos egipcios estaban ahora envueltos en misterio, en comparación con la majestuosidad pública de los templos del Imperio Nuevo. Pero se iniciaron proyectos a gran escala, reconstrucción o ampliación de templos, y las creencias religiosas de los egipcios fueron conservadas por los reyes invasores, junto con las suyas propias. Los elementos básicos de construcción y la disposición de las habitaciones permanecieron, aumentadas con el pronaos y el santuario central independiente. Con los reyes posteriores, el templo siguió cumpliendo una función social muy importante, proporcionando un centro al pueblo y dándole un valor administrativo y económico (a la vez que sagrado).

Planta, Templo Edfú

Construido en piedra arenisca, el templo tenía una planta perfeccionada, aunque intrincada. Los pílonos contenían escaleras que daban acceso al tejado, mientras que un gran patio llevaba al pronaos, sala hipóstila, antecámara y, finalmente, un santuario independiente rodeado de un corredor. Los textos decorativos proclaman que el templo fue construido de acuerdo con el antiguo ideal, el cual enfatizaba su dedicación al culto.

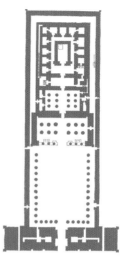

Patio

Entrando por el primer pílono, bajo un disco solar alado que representa al dios Bastet (creador y protector del mundo), el visitante alcanzaba un patio flanqueado por pórticos de columnatas. Con sus elaborados y magníficamente bien pintados capiteles y su gran estatua del dios Horus como halcón, el patio da un impresionante aspecto público al templo.

Corte tranversal, Templo Edfú (h.130 a. C)

El más completo de los templos Greco-Romanos, Edfú, estaba dedicado al dios halcón, Horus. La construcción duró 180 años y muestra todos los elementos principales típicos: puerta de dintel quebrado, elaborados capiteles en las columnas, una pared protectora a través de la sala hipóstila y uso del tejado para rituales.

Pronaos, Edfú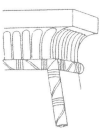

El pronaos o "sala antes del Gran Trono" era la primera sala hipóstila del tempolo y la entrada a la morada del dios. En Edfú estaba compuesta por tres filas de seis columnas, colocadas detrás de la mampara de piedra. La luz entraba solamente a través de una abertura en el tejado, componiedo la transición entre el mundo físico exterior y el mundo espiritual interior.

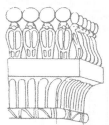

Columnas hathóricas, Déndera (Siglo I a. C.)

Identificada por los griegos con Afrodita, Hathor era la diosa suprema del amor. La sala hipóstila de su templo estaba compuesta por pilastras con capiteles hathóricos, identificando el templo claramente. La parte superior de los capiteles representaba el *mammisi*, o sala de naci-mientos, un edificio ligado a la descendencia divina.

Cornisas

La cornisa, una moldura ornamental que se proyectaba en lo alto de los muros y pílonos, era un elemento estándar de la decoración egipcia. Los diseños comprendían desde los primeros y más simples, de adobe y cañas, hasta el detallado simbolismo religioso (la imponente cobra y el disco solar), y prestaban elegancia a las estructuras monumentales.

Mampara de piedra

Diseñada para restringir la cantidad de luz que entraba en el pronaos, y crear así un ambiente purificador antes de acercarse al santuario, la mampara estaba hecha de piedra fina y discurría entre las dos primeras filas de columnas. Altamente decorada con imágenes del rey y la reina, con temas de culto y con motivos mitológicos, la pared enfatizaba además el papel, en el culto, del faraón.

Babilonia, Asiria, Persia h. 2000–333 a. C.

Arquitectura babilónica

La arquitectura babilónica, o caldea, es la antigua arquitectura de la posterior Mesopotamia (hoy Irán). Los escasos restos se encuentran fundamentalmente entre los ríos Eúfrates y Tigris. En las excavaciones de Ur y Warka se han encontrado restos de templos, zigurates (templos escalonados) y tumbas, con dataciones desde 2235 a 1520 a. C. Del periodo asirio, comprendido entre los siglos IX y VII a. C., hay numerosas ruinas de palacios y templos alrededor de las ciudades de Nínive, Nimrud, Koyunjik y Khorsabad. El periodo persa antiguo duró del 538 a. C. hasta que Alejandro el Grande conquistó Persia en 333 a. C. Entre los monumentos conservados encontramos los de Pasargadai, Susa y —los más espectaculares —Persépolis. La arquitectura de todo el periodo estuvo influenciada por las culturas egipcia, babilónica y griega, con sus estilos entremezclados.

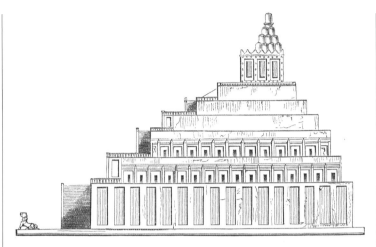

Templo de las Siete Esferas, Birs Nimrud (h. 2000 a. C.)
Este templo, uno de los pocos monumentos construidos de ladrillo secado al sol y madera que quedan, se compone de siete plantas unidas por escaleras. La planta baja era cuadrada y las seis plantas superiores no estaban centradas una encima de la otra. En la última planta estaba la cella, o santuario, del templo.

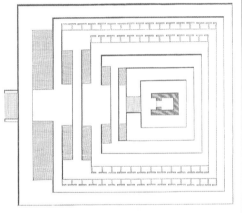

Consagración, Templo de las Siete Esferas
El templo fue dedicado a los siete planetas y cada planta revestida de baldosas barnizadas con colores diferentes. La más baja era negra (Saturno), la siguiente naranja (Júpiter), luego rojo (Marte), amarillo-dorado (Sol), verde (Venus), azul (Mercurio) y finalmente blanco o plateado (Luna).

Zigurat, Birs Nimrud
La palabra "zigurat" significa "lugar elevado" y describe una construcción en pisos rectangulares retranqueados y coronada con un templo. Era el medio por el que los babilonios aspiraban a alcanzar el cielo. Tiene una planta cuadrada con acceso a través de escaleras.

**Alzado y planta,
Templo de Borsippa
(h. 2000 a. C.)**

Esta pirámide en terrazas tiene un pequeño templo en su cima. Los lados de las terrazas están dirigidos hacia los puntos cardinales de la brújula, con los escalones colocados en el mismo lado en cada terraza.

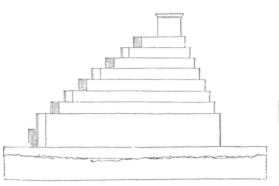

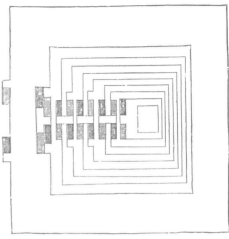

Zigurat

En la Mesopotamia antigua, los templos se alzaban sobre plataformas de adobe. Los zigurates se construyeron en las zonas más altas, y eran montañas artificiales hechas de gradas de pisos rectangulares. En las paredes de los zigurates se usó gran variedad de tratamientos de decoración: mosaicos cónicos colocados en enlucido húmedo y ladrillos esmaltados y coloreados.

**Jardines Colgantes,
Semíramis
(h. siglo VII a. C.)**

Los célebres Jardines Colgantes de Semíramis en Babilonia, una de las siete maravillas del antiguo mundo, datan de finales del Imperio Caldeo-Babilónico. Puede que estuvieran compuestos de terrazas escalonadas, unas sobre otras, de tal modo que cada escalón fuera un jardín independiente.

Bajorrelieve, Koyunjik

Este bajorrelieve, encontrado en Koyunjik, representa un templo de cuatro alturas flanqueado por una puerta similar a los pílonos del antiguo Egipto. La entrada estaba en la planta baja, la segunda terraza tenía contrafuertes y el piso superior (desaparecido) estaba reservado a la cella.

Babilonia, Asiria, Persia

Arquitectura asiria

La arquitectura asiria se basa en palacios y fortificaciones construidos para demostrar fuerza y poder, pero, frecuentemente, con un barniz de decoración en forma de albañilería policroma. Construidos de ladrillos de arcilla, la única evidencia de su forma y distribución son las ruinas, que muestran la posición de las estructuras clave, y los paneles de bajorrelieves, que representan edificios, animales y personas. El palacio de Khorsabad (720 a. C.) muestra la planta de un importante y completo palacio asirio, con ejemplos de obra en piedra (bóvedas, columnas, jambas y dinteles) y escultura arquitectónica, como los toros alados y los grifos.

Puerta, Palacio del rey Sargón

Las puertas de entrada al palacio del rey Sargón, en Khorsabad, se construyeron dentro de las gruesas paredes. Las dos áreas oscuras en el centro de la planta representan la posición de los toros de piedra esculpida que flanqueaban el portal central, que llevaban al amplio y abierto patio exterior.

Puertas de la ciudad, Khorsabad

Subiendo las escaleras hacia el palacio, uno podría encontrarse una de las muchas puertas con arco flanqueadas por toros alados de piedra, con cabeza humana, de cuyas espaldas brota el arcos. Éste estaba decorado con ladrillos esmaltados en azul, con un diseño de figuras y estrellas.

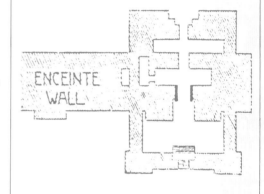

Planta, Palacio del rey Sargón, Khorsabad (720 a. C.)

El palacio se situaba en un montículo elevado por encima de la llanura, cerca de la ciudad fortificada. Se alcanzaba a través de un tramo de escaleras (abajo). Tres grandes portales llevaban a un patio exterior, que contenía seis o siete patios más pequeños, con establos y sótanos. Las dependencias residenciales y estatales estaban localizadas muy en el interior del complejo. La distribución no era axial o simétrica, sino diagonal.

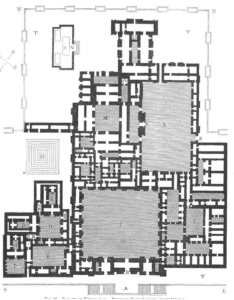

Túneles abovedados (Medios cañones)

Éste fue uno de los primeros métodos para bóvedas usado por los asirios. El de aquí se construyó descentrado, colocando los anillos fuera de la perpendicular. Este método ciertamente se usó para el alcantarillado subterráneo y, probablemente, también para las bóvedas del techo de las estrechas habitaciones del palacio.

Observatorio, Khorsabad (720 a. C.)

El templo de Khorsabad, como los primeros templos, tenía siete plantas, pero cada una estaba centrada respecto a la inferior, en lugar de desplazada hacia un lado. Tenía terrazas en forma de rampas ascendentes que envolvían a la torre, como las de la torre de Belus, o Babel, en Babilonia. Se colorearon siguiendo el mismo orden que en el templo de Birs Nimrud.

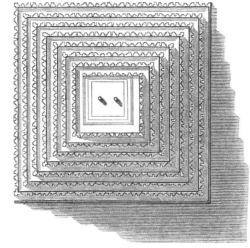

Puerta, Palacio del rey Sargón

La puerta principal del palacio del rey Sargón tenía una entrada con arco y una característica cresta escalonada asiria en las almenas. Estas almenas crestadas simbolizaban montañas sagradas.

Patio del palacio, Khorsabad

Ésta es una reproducción de una de las esquinas del palacio. Las paredes de las dependencias estatales estaban revestidas con losas de alabastro esculpidas con retratos de los reyes, eventos históricos y figuras humanas y animales. Encima, las paredes eran de estuco pintado. Las paredes exteriores tenían pilastras y paneles de junco.

Habitación del palacio, Khorsabad

Esta reconstrucción, de una de las principales habitaciones de Khorsabad, muestra cómo se revestían las paredes más bajas con losas de alabastro, mientras la luz entraba por las partes más altas, abiertas. Muchos de los pasadizos y habitaciones más estrechos del palacio estaban abovedados, pero las habitaciones reales probablemente tenían el techo decorado en madera.

Puerta peatonal, Khorsabad

Las puertas para los peatones se ornamentaron con imponentes toros alados representados con cabeza humana. Entre ellos, de pie, figuraba la imagen de un gigante que estaba estrangulando un león.

Babilonia, Asiria, Persia

Palacios asirios de Nínive, Nimrud y Koyunjik

En asiria, los templos se construían tanto con como sin zigurates, si bien, a finales del periodo asirio, eran mucho más numerosos e importantes los palacios, que enfatizaban el papel central de la monarquía. La ciudad de Nimrud se reconstruyó y agrandó con un palacio, construido dentro de las murallas de la ciudadela, en el siglo IX a. C. Tenía un amplio patio público con un complejo de apartamentos en el lado este y grandes salones para banquetes en el lado sur. Esto se convertiría en la planta tradicional de los palacios asirios, construidos y adornados para glorificar al rey. Las ruinas de los palacios de Nínive, Nimrud y Koyunjik (de los siglos VIII a VII a. C.) tienen distribuciones de planta similares. Están construidos en plataformas elevadas y rodeados por terrazas.

Ornamento asirio, Nínive

Un ribete ornamental de las ruinas de Nínive muestra toros alados y una planta estilizada, pensada para representar un árbol sagrado. También podían pintarse flores y animales en los ribetes de las vigas del techo, que a veces incluían dorados e incrustaciones de piedras preciosas para añadir riqueza y contraste.

Grifo esculpido, Nínive

Los bajorrelieves asirios escenificaban poderosas y vivas representaciones de hombres y animales, revelando una observación de la anatomía y el movimiento y, al mismo tiempo, estilizándolos como objetos arquitectónicos ornamentales. Los grandes paneles de piedra, u *orthostatas*, se colocaban en hiladas, en las paredes altas, o como frisos, en las paredes largas. Feroces bestias, toros, leones o grifos (mitad león, mitad pájaro) eran motivos comunes, y, a veces, se representaba al rey matándolos para demostrar su bravura y para simbolizar el triunfo del bien sobre el mal.

Losa de pavimento, Palacio central, Koyunjik (704 a. C.)

Este pavimento ornamentado tiene un ribete exterior basado en las hojas de la flor de loto (similar a los ornamentos del antiguo Egipto) y otra flor estilizada en el interior, ambas separadas por bandas más estrechas de rosetones.

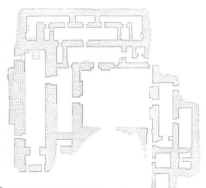

Planta, Palacio Noroeste, Nimrud (884 a. C.)

Este palacio, uno de los primeros edificios del tell de Nimrud, tenía en su corazón un patio cuadrado con acceso desde la entrada principal. El patio estaba al final de un tramo de escaleras protegidas por toros alados de piedra y llevaba a la gran sala. En la parte este estaban las habitaciones privadas, incluyendo las de las mujeres (harem), y al sur estaban las salas para los banquetes.

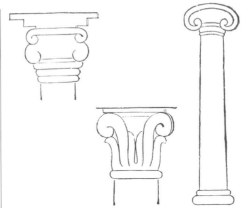

Reconstrucción de un palacio asirio

Los anticuarios especularon con la forma completa de los palacios asirios. La reconstrucción de James Fergusson muestra sus características principales, incluyendo una terraza elevada soportada por contrafuertes, una bella escalera chapada con tallas de figuras rindiendo homenaje al rey; una planta superior abierta para permitir la entrada de luz y un tejado con caballete almenado.

Formas de los Capiteles asirios

Entre las ruinas del Palacio de Nínive, los anticuarios encontraron paneles esculpidos que reflejaban algunos de los detalles arquitectónicos utilizados por los constructores asirios (o posiblemente griegos). Estos capiteles con volutas muestran una afinidad con las formas griegas jónica y corintia.

Lamussu

Los *lamussu* (bestias colosales de piedra) guardaban las puertas reales con la fiereza de un león, la agudeza visual de un águila, la fuerza de un toro y la sabiduría e inteligencia de un hombre, para que el mal no entrase.

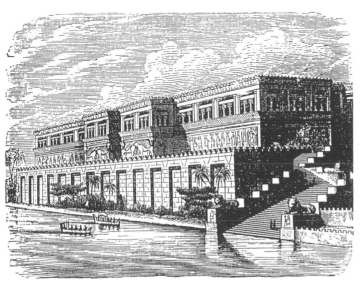

Obelisco de Divanubara (h. 800 a. C.)

Este obelisco, hecho de ladrillos secados al sol y ladrillos cocidos, era un bloque alto, ahusado y coronado por capas escalonadas. Tenía tallas e inscripciones que revelan una función sepulcral.

Babilonia, Asiria, Persia

Arquitectura persa
Los palacios de Persépolis

El conocimiento de la arquitectura persa de los siglos VI a IV a. C. deriva, principalmente, de los restos de los palacio-templos de Pasargadai, Susa y Persépolis, que muestran una mezcla de influencias egipcia y griega, a la par que ciertas características únicas. La continuación de la tradición arquitectónica asiria puede verse en el hábito de construir sobre montículos o plataformas (ahora con escaleras de piedra aún más suntuosas, revestidas con tallas de animales y del séquito del rey) y por el uso, a gran escala, de relieves decorativos y ladrillos brillantemente vitrificados y coloreados. Lo que hace diferente a Persépolis es el increíble tamaño de los palacios, dominados por las enormes salas de audiencia (*apadana*), cuadradas y con muchas columnas, junto con la complejidad de la planta y el mayor uso de piedra.

Planta de Persépolis (521–465 a. C.)
Todo el complejo está rodeado por una muralla que contiene tres grandes terrazas: una terraza central más alta, flanqueada por plataformas más bajas. Es en éstas donde están las ruinas de los grandes palacios de Darío y su hijo Jerjes, ambos reyes persas. La terraza norte contiene el propileo (puerta) de Jerjes, mientras que el resto de los edificios están en la terraza central.

Palacio de Darío (521 a. C.)
Esta reconstrucción muestra una escalera doble que da acceso a una loggia abierta, a través de la cual uno accedía a la sala central. En lo alto del edificio se elevaba una plataforma, o *talar*, sobre la que el rey (que también era el sumo sacerdote) oficiaba ceremonias religiosas. Esta reconstrucción está basada en un relieve del palacio encontrado en la tumba de Darío.

Toros alados, Sala de las 100 columnas
Enfrente de la Sala de las 100 columnas, en las ruinas de un portal, hay toros alados de piedra, con cabeza humana, similares a los toros alados asirios (lamussu) de Nínive y Nimrud. Estas colosales criaturas flanqueaban la casa del guarda, que estaba hecha de adobe recubierto por ladrillos coloreados y vitrificados.

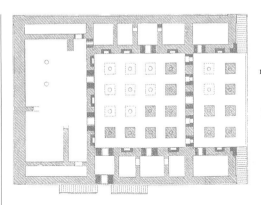

Planta, Palacio de Darío

La sala central, o apadana, contenía dieciséis columnas y estaba rodeada de celdas más pequeñas. Puede que las torres de las cuatro esquinas tuvieran cuartos de guardia y escaleras. Desde el pórtico occidental se veía campo abierto.

Fachada, Palacio de Darío

Se entraba al palacio por una puerta que había en el pórtico, al que se accedía mediante unas escaleras situadas a cada lado de la terraza. Esta puerta tenía una cornisa, curva y con juncos, similar a las que había encima de las puertas de los templos egipcios.

Vista desde la parte alta de las escaleras principales

A la izquierda está el propileo de Jerjes. Detrás de éste (a la derecha) se yerguen las columnas del Apadana de Jerjes. A lo lejos vemos las ruinas de las salas de Darío y Jerjes, más pequeñas.

Escaleras con parapeto de piedra

Las escaleras que subían al Apadana de Jerjes tenían un parapeto revestido de paneles tallados con soldados marchando: en este detalle se muestran dos portadores de lanzas. La representación de figuras humanas se combina con los ornamentos arquitectónicos: formas de plantas estilizadas y rosetones con hojas o pétalos de loto.

Puerta central, Palacio de Darío

En esta vista de la cornisa estilo egipcio, vemos, en la jamba de la puerta, un relieve en el cual, el rey entra escoltado por un sirviente con un parasol.

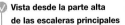

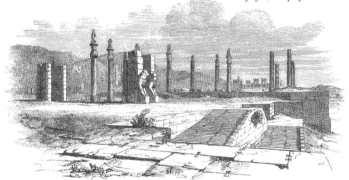

Babilonia, Asiria, Persia

Persépolis: Palacio de Jerjes

Los palacios de Darío (reinado 522-486 a. C.) y su hijo Jerjes (reinado 486-465 a. C.) funcionaban, al mismo tiempo, como vivienda real y como templo. El complejo de salas y apartamentos de palacio hacía las veces de residencia del rey y su séquito, lugar para conducir las ceremonias y administración del gobierno. El rey jugaba un papel esencial y principal en todas las formas de gobierno, pero también era el sumo sacerdote de su pueblo, de modo que el palacio era un símbolo de la unión del poder temporal y espiritual. El templo —que probablemente comprendía una plataforma de madera y un doselete, estaba en el tejado del palacio, donde los reyes persas rendían culto a los planetas y eran, a su vez, altamente visibles durante el culto.

Columnas de piedra, sala sur, Apadana de Jerjes

El Apadana de Jerjes consistía en una sala de columnas cuadrada con torres en las esquinas y pórticos en tres de los lados. Se alcanzaba subiendo una escalera doble de piedra. Las grandes y estriadas columnas soportaban capiteles de toros dobles que, a su vez, soportaban un tejado plano de madera. Las vigas, de madera de cedro y ciprés, pueden haber estado altamente ornamentadas en su cara inferior.

Planta, apadana y aposentos de palacio (h. 485 a. C.)

El palacio estaba construido sobre una plataforma, a la que se accedía mediante una escalera doble. El pórtico era abierto, tenía doce columnas y en su pared interior alojaba dos puertas que llevaban al apadana, o sala de audiencias, que, a su vez, estaba flanqueado por dos filas de aposentos. El cuarto central de cada fila era cuadrado, tenía cuatro columnas y tres pequeñas cámaras en un lado. Al otro lado estaban las cámaras de los guardas. La sala tenía treinta y seis columnas, equidistantes entre sí, y se iluminaba mediante seis ventanas. En la parte trasera, se abría la puerta de acceso a una estrecha terraza, que llevaba a la terraza inferior.

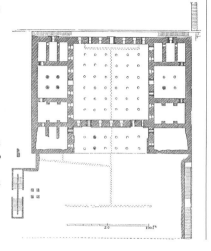

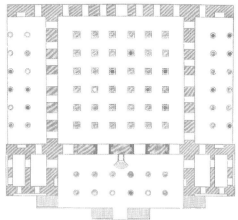

Reconstrucción de planta, Apadana de Jerjes (h. 485 a. C.)

Unas escaleras ascendían a una de las tres loggias abiertas, desde la cual se llegaba al Apadana de Jerjes, una amplia habitación central soportada por treinta y seis columnas, con pórticos en tres de sus lados.

Columna del pórtico occidental

Esta columna, única en Persépolis, tiene un fuste ahusado finamente estriado, que descansa en un *torus* fileteado en su unión con la basa circular. En el extremo superior descansa el capitel de piedra, tallado con la cabeza y el cuello de un doble toro.

Escalera doble

Al palacio de Jerjes se sube por una escalera doble que contiene paneles tallados con soldados y lanceros en procesión. Al principio y al final hay imágenes de bestias salvajes luchando. Los muros exteriores estaban chapados con relieves de estilizadas plantas.

Sala de las 100 Columnas

Esta vasta y cuadrada sala es la mayor creación arquitectónica del Imperio Persa. Estaba iluminada con siete ventanas, colocadas en marcos de piedra en la pared de la entrada. Esta reconstrucción muestra como debe haber sido la sala en su interior: un amplio espacio lleno de columnas enlucidas y pintadas en brillantes colores, con capiteles de soporte en forma de dobles toros. Las columnas soportaban un techo plano que servía de suelo para el *talar*.

Columna del pórtico norte

La base de esta columna, en forma de campana, soporta un fuste finamente estriado, similar al de la del pórtico occidental, pero con un capitel muy diferente (una vez más, exclusivo de Persépolis). Éste está compuesto por una base que representa un loto, con un perfil convexo en la superficie superior y con una sección superior en forma de "I". El fuste central es estriado y las barras de la "I" están talladas con espirales, o volutas, dobles.

Sala de Jerjes

Esta reconstrucción da una idea de la apariencia de la sala, con su elegante escalera, su pórtico y sus muros de adobe cubiertos por baldosas barnizadas y vitrificadas. El *talar* tiene, hipotéticamente, las esquinas decoradas con acroteria en forma de toros o grifos.

Babilonia, Asiria, Persia

Artesanía arquitectónica persa

En Persépolis se emplearon muchos artesanos experimentados, procedentes de todos los rincones del Imperio Persa. Todos los edificios tienen acabados meticulosos, como corresponde a un lugar de significado real y religioso. Algunas de las paredes se pulieron hasta reflejar la luz y, a menudo, los detalles escultóricos de los trabajos en piedra parecen haber sido hechos con herramientas de joyero, por sus filos bien definidos y prístinos. Al mismo tiempo, el trabajo en piedra debió ser masivo, con marcos de ventanas y puertas completos (al igual que muchos escalones en cada escalera) tallados de bloques sólidos de piedra. El labrado en madera pudo ser intrincado, con finas molduras en las grandes vigas. A veces, las alfarjías estaban cubiertas por gruesas láminas de metales preciosos —algunos chapados de oro con incrustaciones de marfil, serpentina verde y hematites rojo. Los frisos fueron pintados en turquesa, rojo y amarillo, al igual que el enlucido que cubría los gruesos muros de ladrillo.

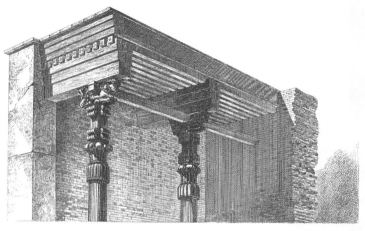

Columna
Se utilizaron grandes columnas, con sus capiteles de cabeza de toro, en los pórticos y para soportar el tejado de la sala hipóstila, inspirada en parte en el antiguo Egipto. Como las columnas soportaban vigas de madera, no de piedra, pudieron ser más altas, más esbeltas y más distantes entre sí que las egipcias.

Carpintería persa
Este dibujo muestra, desde un ángulo oblicuo, parte de una sala de Persépolis: la pared de adobe, el techo plano de madera soportado por una viga de madera de cedro, los capiteles de doble toro y las esbeltas columnas estriadas.

Capitel
La ilustración muestra un diseño en forma de hoja de palmera, con una base convexa que primero se estrecha y luego se ensancha para soportar un fuste rectangular, estriado y con un par de volutas arriba y abajo.

Volutas y rosetones
Se sabe que en Persépolis trabajaron artesanos griegos de Jonia, y puede que trajeran con ellos las volutas espirales cuyo detalle se muestra aquí. El rosetón, en el centro, era símbolo del sol y de la fertilidad.

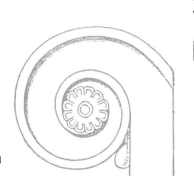

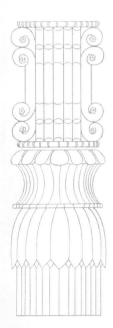

Tumba de Darío V

Naksh-I-Rustam (485 a. C.)
La fachada en forma de cruz de esta tumba está tallada directamente en el lado del acantilado. La parte central representa el pórtico de un palacio (probablemente el del propio Darío en Persépolis) con columnas y capiteles de toros. Una puerta, en el centro, da acceso al interior de la tumba. En lo alto de la fachada, dos filas de porteadores soportan un estrado sobre el que el rey rinde culto ante un altar de fuego. La figura del disco alado puede ser el dios Ashur o el espíritu del rey muerto.

V Cantidad y variedad
Aquí se muestra gran variedad de tratamientos escultóricos de paredes, basas de columnas y capiteles: el lamussu derivado de la escultura asiria, los diseños de hojas y las basas en forma de campana de Egipto y los fustes estriados y las volutas de Grecia. Sólo la doble cabeza de toro (o caballo) era exclusiva de Persépolis.

A Hipogeos
Además de tumbas independientes, los persas construyeron hipogeos para sus reyes, tallándolos en los acantilados y labrando éstos para representar fachadas arquitectónicas y figuras. Alto, en la cara de un acantilado de una cadena de montes a unos kilómetros al norte de Persépolis, hay cuatro sepulcros labrados en piedra y construidos para Darío y sus sucesores.

A En detalle
Las diferentes secciones de un capitel persa se muestran con gran claridad en este dibujo de líneas. La sección superior estriada, con cuatro volutas en cada cara, es un bloque rectangular. Las partes inferiores son circulares. Estas dos secciones medían más de 5 m (16 pies) de altura.

India temprana y clásica
h. 300–h.1750 d. C.

Stupas y stambhas

La primera arquitectura que perdura en la india de hoy fue edificada por los Budistas, una secta fundada en el siglo VII a. C. La construcción más relevante de los budistas era la stupa, también conocida como *topes* o *dagabas*. Originalmente eran túmulos mortuorios pero, después de que los restos incinerados de Buda (h. 483 a. C.) y sus discípulos fuesen depositados en su interior, se convirtieron en santuarios de reliquias y su función era conmemorar a Buda y sus enseñanzas. Fueron el principal centro de adoración hasta la aparición del ídolo Buda. También se construyeron *stupas* para honrar lugares o eventos sagrados. Una forma arquitectónica asociada era la *stambha* o *lath*, una columna monumental independiente. Había una, o incluso dos de éstas, cerca de cada gran *stupa* y enfrente de cada sala *chaitya* importante.

Decoración

Aunque las primeras *stupas* no estaban adornadas, hay evidencias de que muestras posteriores sí lo estaban, y de forma elaborada, especialmente del siglo II al siglo III d. C. Ésta, la gran *stupa* de Amaravati, en Decán, estaba cubierta de estuco y ornamentada con medallones, guirnaldas y escenas de la vida de Buda.

Toranas

Las barandillas que rodeaban la stupa estaban, a menudo, interrumpidas en los puntos cardinales por puertas llamadas *toranas*. Éstas eran de hechura sencilla, consistían en dos postes unidos por arquitrabes, pero estaban ricamente esculpidas, como esta de Sanci. Contemplando la imaginería de las *toranas*, los devotos entraban en el estado mental necesario para la *pradakshina*.

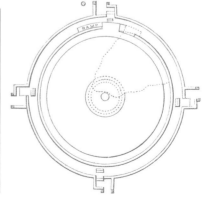

Elementos de una stupa

La característica principal de una stupa era el domo semiesférico, conocido como *anda* (literalmente, "huevo"). En su pináculo tenía una característica llamada *tee*, a menudo rodeada por barandillas. Encima del *tee* se alzaba el *yasti*, o vara, que soportaba hiladas en forma de paraguas (*chhattras*). El número de éstas era variado. Esta imagen representa un relicario que fue modelado después de la stupa que lo alojaba.

Pradakshina

El culto se realizaba caminando alrededor de la stupa en el sentido de las agujas del reloj, un rito que se conocía como *pradakshina*. Tenía lugar en un camino pavimentado, cerrado por barandillas (*vedika*).

N. del T.: Debido a la contradicción genérica encontrada en las fuentes consultadas, el artículo de los términos originales es una elección personal, y puede ser incorrecta.

Barandillas

Las barandillas (*vedika*) que rodeaban las *stupas* eran elementos importantes por derecho propio. Demarcaban el límite del área sagrada y , a menudo, estaban ricamente decorados, predominantemente con medallones tallados con pájaros, flores, animales y figuras mitológicas.

Capiteles decorados

Encima del collarino ornamental de la stambha, se alzaba el capitel. Muchos de ellos eran de tipo persa, más concretamente como los de Persépolis. Este ejemplo, datado del siglo I d. C., está tallado con caballos y elefantes montados por figuras humanas.

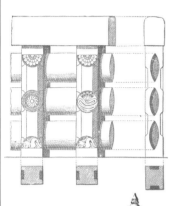

Stambhas posteriores

Las stambhas siguieron construyéndose durante los siglos XVII y XVIII, y fueron particularmente populares con los Jains, los cuales las erigieron frente a sus templos. Este ejemplo jainista se conoce como manastambha, y porta un pequeño pabellón en su capitel. Los hindúes también usaban las stambhas, pero como dipdans (pilares portando una lámpara).

Stambas tempranas

Las primeras stambhas que sobrevivieron fueron las levantadas por el rey Asoka (h. 269–232 a. C.). Parece que estaban basadas en modelos de madera, hoy perdidos, y tenían inscripciones con doctrina religiosa e información histórica. El collarino de esta *stambha* estaba ornamentado con madreselva, un signo de la influencia persa y asiria.

India temprana y clásica

Salas Chaityas

El más sagrado de los trabajos arquitectónicos budistas en la India fueron las salas *chaityas*. Servían de templos para el culto en congregación, y son comparables —en planta y función— con las iglesias románicas y góticas. Al contrario que las iglesias, sin embargo, las *chaityas* fueron predominantemente excavadas en la roca, usando mazas y cinceles de hierro. Las primeras salas *chaityas* que sobrevivieron datan del siglo II a. C., y pueden, en parte, haberse inspirado en las cuevas de Persia y Asia Menor. Continuaron construyéndose durante casi 500 años. Las salas chaitya consisten en un espacio principal dividido, en una nave y dos pasillos, por dos filas de columnas. Una stupa votiva de roca, también conocida como *chaitya*, es el centro religioso principal. La forma de la *stupa*, con el pasillo a su alrededor para la *pradakshina*, dio a las salas *chaityas* una terminación semicircular conocida —al igual que en las iglesias cristianas— como ábside.

Pantalla, Bhaja

Originalmente, las salas *chaitya* talladas en roca tenían pantallas de madera. Éstas incluían una o más puertas en el nivel inferior y una gran ventana, para que entrara la luz, en el nivel superior. Aunque se ha perdido la pantalla de esta temprana sala *chaitya* de Bhaja, en Decán, los agujeros de inserción se han conservado. Siguieron construyéndose pantallas, pero se utilizó piedra en lugar de madera.

Sala chaitya independiente, Chezarla

Parece que las primeras salas *chaitya* fueron edificios independientes, construidos en madera. Aunque no sobrevivió ninguna, se conocen gracias a copias en piedra y ladrillo, como la de este raro ejemplo cerca de Chennai. Existe una estructura similar, que data de los siglos II a III d. C., en Ter, Decán.

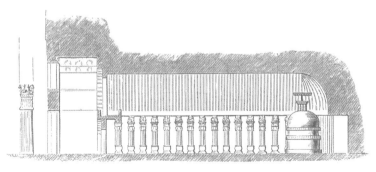

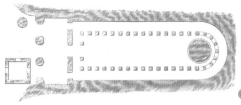

Sala chaitya, Karli (Siglo I d. C.)

Una de las más grandes y mejor conservadas salas *chaitya* es la de Karli, en Decán. La planta sigue el diseño tradicional —una sala dividida con dos filas de columnas, con una *stupa* en su foco. Los interiores de las salas *chaitya* eran relativamente simples, aunque este ejemplo tiene pilares ricamente tallados.

Ventana de la chaitya

La gran ventana de la *chaitya* era un elemento fundamental de la arquitectura de la sala, y permitía que la luz del sol entrara. Su forma de casco de caballo, también conocida como diseño *gavaksha*, se convirtió en un motivo recurrente en las fachadas de las salas *chaityas*, y siguió usándose en los templos durante muchos cientos de años.

Stupa, Karli

Las *stupas* talladas en la roca estaban, frecuentemente, muy adornadas. La luz, que entraba por la gran ventana de la sala, habría caído directamente sobre la *stupa*, dejando el resto de la sala en una oscuridad relativa. Esta *stupa*, en Karli, tiene un tambor de dos plantas realzado con ornamentos, y porta un tee y un elaborado paraguas.

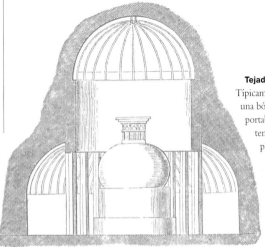

Tejados de las chaityas, Ajanta

Típicamente, la nave principal tenía una bóveda de cañón y los pasillos portaban medias bóvedas. Ambos tenían nervios de madera o de piedra imitando madera. Esta sala de Ajanta, en Decán, tiene un triforio excepcionalmente grande, que originalmente estaba enlucido y pintado de manera elaborada.de manera elaborada.

India temprana y clásica

Viharas

Otra de las edificaciones budistas más
significativas de los primeros tiempos era
el *vihara*, o monasterio. Los ejemplos
datan del siglo II a. C. Muchos eran
simples cuevas excavadas en la roca donde
se reunían, rezaban y dormían los monjes.
Los elementos esenciales eran el objeto
de culto (una figura de Buda o una *stupa*),
las celdas de los monjes (que tenían
plataformas de piedra a modo de camas) y
los relicarios de las imágenes. A menudo,
los *viharas* se construían en grupos, como
complejos monásticos. La colección más
famosa de este tipo de cuevas sobrevive
en Ajanta, Decán; la datación de los *viharas*
abarca de los siglos II a. C. a finales del
siglo V d. C. Muchos de los ejemplos más
tardíos estaban ricamente ornamentados y
no tienen parangón en la historia del arte
indio. Los Jains, una secta que
creció a la par que el
Budismo, también
erigieron *viharas*.

Viharas antiguas independientes

Aunque los *viharas* más antiguos
que se conservan están tallados
en la roca, parece que, como
las salas *chaitya*, originalmente
fueron estructuras
independientes. Según
descripciones
contemporáneas, eran
de forma piramidal y
consistían en salas que
se alzaban una encima
de la otra mediante
postes de madera.

Celdas

Típicamente, encima de la puerta de la celda en la
que dormía un monje, se colocaba una ventana en
forma de casco de caballo, que era un eco de las
grandes ventanas de las salas *chaityas*. En tiempos
posteriores, cuando los diseños evolucionaron y se
hicieron más elaborados, las celdas contaron con
tejados abovedados y fachadas esculpidas.

Viharas y salas chaitya

Los primeros *viharas* tallados
en roca fueron construidos
junto a salas *chaityas*, si bien
eran independientes.
Consistían simplemente en
un patio rectangular del que
se abrían pequeñas celdas.
Inicialmente no había
necesidad de una capilla, ya
que el culto se realizaba en
la *chaitya* adyacente.

Santuarios y capillas

Para el siglo V d. C., los
viharas contenían
capillas y un santuario.
De ese modo, el culto
podía llevarse a cabo
independientemente de
las salas *chaityas*. El
santuario estaba justo en
el lado opuesto a la
entrada y, normalmente,
contenía una *stupa* o
una imagen de Buda.

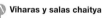

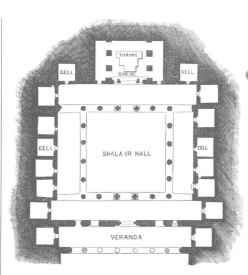

Verandahs

La mayoría de los *viharas* estaban precedidos de verandas (grandes porches). Éstos servían como transición entre el mundo exterior y la semioscuridad de la sala tallada en la roca y, a menudo, ostentaban la mayor decoración. Las columnas estaban esculpidas y, a veces, las paredes estaban pintadas con frescos.

Sala, Bagh (siglo V d. C.)

Algunos *viharas* tardíos tenían habitaciones anexas conocidas como *salas*. Servían principalmente como aulas escolares, pero muchas pueden haber sido utilizadas como refectorios (*dharmasalas*) o con fines religiosos. A ésta, situada en Bahg, India central, se accedía desde la sala principal a través de un largo veranda de veintidós columnas. Los muros interiores del veranda estarían ricamente decorados.

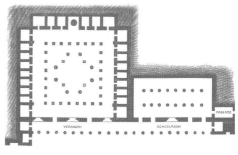

Vihara estructural, Takht-i-Bahi (siglo III d. C.)

En Gandhara, actual norte de Pakistán, los *viharas* eran, invariablemente, estructuras de piedra independientes. Este monasterio, en Takht-i-Bahi, incluye un patio cuadrado con una stupa en su centro (A), un patio con nichos para imágenes (B), un patio residencial, *osangharama*, (C) y una sala de reuniones, o *upasthanasala*, (D).

Sala de columnas, Ajanta (siglo V d. C.)

A medida que los *viharas* fueron creciendo en tamaño y esplendor, las columnas empezaron a ocupar el interior de la sala para, así, soportar la creciente envergadura del tejado. Al principio fueron cuatro, luego doce y, más tarde, veinte o más. Los pilares, los muros y los tejados de esta sala de Ajanta, en Decán, están cubiertos con colorida decoración y datan de finales del siglo V d. C.

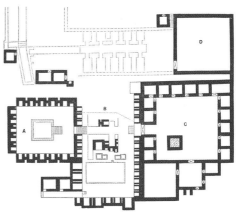

India temprana y clásica

Templos en la roca

A partir del siglo VI d. C., el budismo experimentó un periodo de declive y las dinastías Hindú resurgieron en toda la India. Bajo los Hindúes, el templo fue desarrollado como una forma arquitectónica característica. y reverenciado como la morada de una deidad. La arquitectura de todos los templos indios, tanto Hindúes como Jains, es esencialmente similar. Los trabajos arquitectónicos clásicos indios (los Shastras) dividían los templos en tres estilos, diferentes por motivos geográficos, no religiosos. Los dos principales eran el estilo Dravidiano, del sur de la India, y el estilo Negara o indo-ario, del norte. El tercer estilo, Vesara, o Chalukyan, era una mezcla de los dos anteriores y estaba localizado en la India central (Decán). Algunos de los templos tempranos mejor conservado son dravidianos.

Torres estilo Dravidiano
Todo *ratha* tenía una torre prominente (*vimanas*), hecha de hileras escalonadas distintas entre sí (*talas*). Las torres estaban rematadas con cúpulas ornamentales conocidas como *sikharas* (para no confundirnos con el mismo término cuando nos refiramos a las torres Nagara). Este tipo de torre se convertiría en la característica másrepresentativa del estilo Dravidiano.

Rathas
El estilo Dravidiano apareció, en su forma primitiva más pura, en el siglo VII d. C., en Mamallapuram, como una serie de notables templos monolíticos conocidos como *rathas* o *raths* (literalmente, "carroza de un guerrero" o "coche procesional"). Éstos eran cortados de bloques de granito y se dejaban inacabados. Eran imitaciones esculpidas de edificios, posiblemente de los *viharas* independientes.

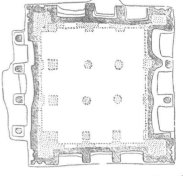

Planta de templo dravidiano
En planta, los templos dravidianos permanecieron largo tiempo sin desarrollar, consistiendo en un simple espacio que, a veces, tenía columnas.

Cueva Indra Sabha Ellora (siglo IX d. C.)

En Ellora hay templos construidos no sólo por los Hindúes, sino también por los Jains. Éstos eran muy parecidos a los ejemplos dravidianos, como el templo de Kailasa. El más refinado es la cueva Indra Sabha, de finales del siglo IX, que se muestra aquí. Las columnas están esculpidas con ricos motivos foliáceos, reminiscencias del acanto griego.

Pilar de león, Mamallapuram (siglo VII d. C.)

Esta columna esculpida es representativa del estilo Dravidiano, y tipifica las encontradas en Mamalapuram. Tiene una base con un león sentado (*vyalis*) —un componente de los Pallavas, la dinastía regente— y un capitel en almohadón curvo (*kumbha*). Encima del kumbha hay un elemento acampanado, en forma de loto, llamado Idal, y un delgado y amplio ábaco conocido como *palagai*.

Escultura de Vishnu, cueva Badami (siglo VI d. C.)

En los templos Hindúes era común encontrar esquemas esculturales con representaciones de Vishnu, una de las deidades más sagradas. Aquí, en uno de los templos más antiguos del estilo Dravidiano, cueva del siglo VI, en Badami, encontramos a Vishnu sentado sobre Ananta, la serpiente de cinco cabezas.

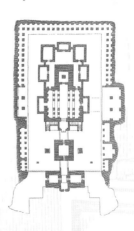

Templo Kailasa Ellora (siglo VIII d. C.)

En este templo, construido a mediados del siglo VIII, la fase de talla de la roca alcanzó su clímax y la planta de los templos dravidianos apareció totalmente desarrollada por primera vez. El Kailasa es una estructura independiente en la que se ha cortado la roca tanto del exterior como del interior.

India temprana y clásica

Templos: Diseño e interiores

La planta de los templos indios era cuidadosamente medida. Se pensaba que un edificio bien proporcionado estaba en armonía con el universo, y podía traer orden a la comunidad. Usaban diagramas geométricos, conocidos como *mandalas*. También orientaban sus palacios en función de los puntos cardinales, en un eje este–oeste, alineándolos con el sol naciente y poniente. Al principio, todos los templos consistían en un simple santuario, a menudo con un pórtico separado. A lo largo del tiempo, el santuario (*garbhagriha*) se ornamentó más, su torre se hizo más prominente y su pórtico se convirtió en una sala unida al santuario. Los templos del norte, sur y centro difieren en estilo desde los siglos V a VII, dando lugar a los estilos Dravidiano, Nagara y Vesara, aunque las tradiciones arquitectónicas variaban de un sitio a otro.

Columnas

Las columnas o pilares usados en el interior de los templos indios, principalmente en su *mandapa*, evolucionaron gradualmente durante cientos de años. Este ejemplo data del siglo XVII, cuando el labrado se había vuelto increíblemente rico y variado. El pesado pinjante en forma de gota, favorecido por los dravidianos, se llama *puspobodigai*.

Garghagriha y mandapa

La parte más sagrada de un templo indio era el santuario, una pequeña y oscura habitación conocida como *garbhagriha* (cámara matriz), donde estaba situada la deidad. El santuario estaba rodeado de un pasillo, para *pradakshina*, y era alcanzado a través de un *mandapa*, una sala de asambleas para los que rendían culto. El corto vestíbulo situado entre el *mandapa* y el *garbhagriha* era conocido como *antarala*.

Torres y tejados

La posición del *garbhagriha* se marcaba, externamente, con una torre o chapitel, mientras que los tejados *mandapa* eran más bajos y, generalmente, piramidales. El *mandapa* del ejemplo tiene un tejado *pida* , una forma característicamente Orissio de hiladas disminuidas.

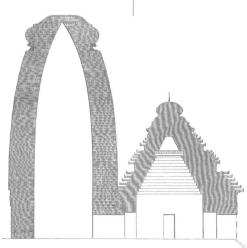

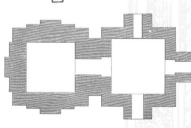

Estilo Orissio

En Orissa, en India oriental, sobrevive un peculiar grupo de templos que alcanzó el cenit de su desarrollo en los siglos X y XI. Como en el estilo norteño, la planta se basaba en cuadrados y, consistía, como era habitual, en dos espacios: un santuario, conocido como *deul* en terminología local, y un *mandapa*, conocido como *jagamohan*.

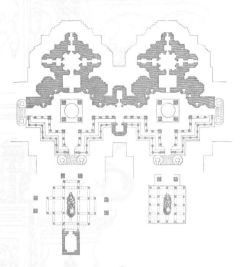

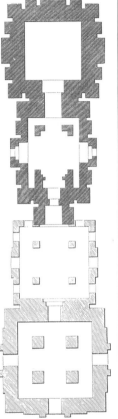

Estilo Hoysala

Aunque los tres estilos de templos indios —Dravidiano, Nagara and Vesara— fueron los dominantes, había variantes regionales que, a menudo, recibían nombre después de una dinastía gobernante. Ese es el caso del estilo Hoysala, una subdivisión del Vesara, que se caracterizaba por su santuario estrellado (en forma de estrella) y la doble planta del templo.

Mandapas múltiples

En plantas de templo más complejas se alineaban múltiples *mandapas* en el eje principal. Cada una de estas salas se usaba con un propósito especial, como bailar, comer o hacer ofrendas.

Decoración de porches y mandapas

En contraste con las planas y sencillas *garbhagrihas*, los porches y *mandapas* de los templos eran muy ricamente decorados. Los pilares se esculpían con relieves de dioses, semidioses y seres celestiales, como aquí, en Chidambaram, sur de la India.

Cúpula de mandapa

A menudo, el área central y abierta de los *mandapas* tenía una falsa cúpula ricamente tallada. El ejemplo de templo de los Jain de Abu (1032 en adelante), en la India occidental (a la derecha), incorpora dieciséis *vidyadevis* (diosas del conocimiento) y tiene un pinjante central.

India temprana y clásica

Templos: exteriores

La localización del templo y la precisa sincronización de cada etapa de la construcción eran cuidadosamente meditadas, reflejando la creencia de que los templos estaban directamente relacionados con patrones cósmicos. Habitualmente, las hiladas no se adherían mediante mortero, sino que se estabilizaban por la carga del peso, que ejercía presión hacia abajo. Las piedras se ponían mediante rampas de tierra y, a veces, el edificio al completo se rellenaba de arena o tierra mientras duraba la construcción. Posteriormente se vaciaba a través de las puertas. Los proyectos de edificación eran supervisados por un arquitecto jefe (*sutradhara*) y un capataz, pero eran vistos como el esfuerzo combinado de muchas personas. Comúnmente, los templos se construían con el patrocinio de poderosos reyes y, debido a ello, hay estilos concretos que llevan el nombre de una dinastía.

Amalaka

Este alzado resume la variante Orissia del estilo Nagara. La torre (*sikhara*), de forma curvilínea sobre una base cuadrada, está dividida en *bhumi* (moldes horizontales), y terminada con una característica llamada *amalaka*. Ésta tenía forma de calabaza o melón y, usualmente estaba coronada con un *kalasha*, un vaso o vasija ornamentales.

Sikharas y vimanas

El modo más fácil de distinguir a cuál de los dos estilos principales pertenece un templo indio es a través de su torre. Los templos de Nagara (al norte) tienen torres curvadas en forma de colmenas llamadas *sikharas*, mientras que los templos dravidianos (al sur) tienen torres piramidales de múltiples niveles llamadas *vimanas*. La palabra *sikhara* significa pico o cresta, los templos eran concebidos como montañas, el lugar sagrado de los dioses.

Decoración exterior

La decoración (*alankara*) de los templos se veía como una necesidad. Este templo de mediados del siglo VIII, en Pattadakai, era uno de los edificios más opulentos de su época, y estaba adornado con motivos dravidianos: altas pilastras, nichos esculpidos y *gavakshas* (arcos de herradura).

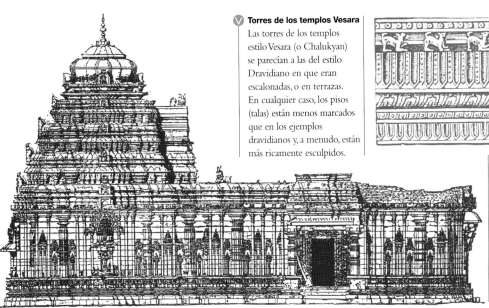

Torres de los templos Vesara

Las torres de los templos estilo Vesara (o Chalukyan) se parecían a las del estilo Dravidiano en que eran escalonadas, o en terrazas. En cualquier caso, los pisos (talas) están menos marcados que en los ejemplos dravidianos y, a menudo, están más ricamente esculpidos.

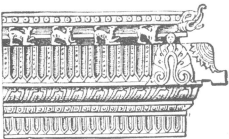

Entabladura

En terminología india, la entabladura era conocida como *prastara*. Toda la escultura india está concebida de modo dinámico y la talla es profunda, para hacer los cambios de plano más evidentes.

Pilastra

Las pilastras de la arquitectura india eran muy parecidas a las usadas en los edificios de Grecia y Roma, es decir, pilares de poca profundidad o columnas que sólo se proyectaban ligeramente fuera de los muros. Las pilastras indias eran completas, con capitel y ménsula.

Basamento

Los templos indios estaban, a menudo, erigidos sobre un plinto alto (*adhisthana*), que permitió esculpir a la altura de los ojos. Éste era especialmente el caso de los templos Vesara (o Chalukyan).

Porches de los templos

Los porches eran pródigos en ornamentación y, al igual que las barandillas budistas, marcaban el límite entre el mundo exterior y el espacio sagrado. Este porche es clásico del estilo Dravidiano, con su atrevida cornisa, sus grupos de columnatas, sus bestias esculpidas y su opulento plinto o base.

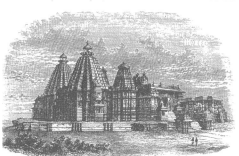

Desarrollo de las sikharas

En las *sikharas* más tardías del estilo Nagara, o del norte, las torres estaban frecuentemente decoradas con pequeñas representaciones de sí mismas conocidas como *urusringas*.

India temprana y clásica

Templos: complejos

La última evolución importante en los templos *nagara* del norte de la india ocurrió en el siglo X, pero el estilo dravidiano del sur siguió evolucionando durante varios siglos más. Entró en su periodo de máxima expansión hacia el 1250, bajo los reyes Chola. Había *mandapas* (salas de asamblea) para fines variados, puertas gigantes —que a veces alcanzaban una altura de 52 m (170 pies)— y patios exteriores (*prakaras*) circundando el, siempre menos conspicuo, santuario. Estas espléndidas torres puerta mostraban la opulencia y poder de un templo, y aumentaban el impacto visual de la vía de entrada a la capilla sagrada. En muchos casos, el complejo del templo siguió creciendo hasta el siglo XVIII. De ese modo, el estilo Hindú se superpone significativamente al de los musulmanes, que habían comenzado sus grandes trabajos arquitectónicos en la India en el siglo XII.

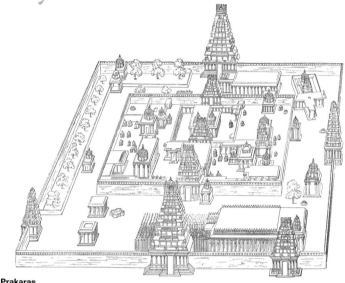

Prakaras

En el sur de la India, los confines del templo original frecuentemente se volvían inadecuados. Se construyeron patios exteriores (*prakaras*) alrededor del edificio original, circundando capillas, *mandapas* y otras estructuras.

Gopurams

Las *gopurams*, torres monumentales de entrada, están entre los edificios indios más imponentes. Guiaban a los devotos al interior del complejo sagrado del templo. Consistían en un basamento de piedra que tenía estratos de ladrillo, madera y argamasa. El nivel superior, a menudo, estaba coronado con *stupikas* (diminutas *stupas*).

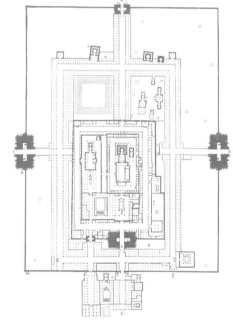

Depósito de agua, Rameshwaram (siglos XVII / XVIII)

Una característica importante de los complejos asociados a un templo era el depósito de agua (talar), que se usaba para bañarse y para propósitos sagrados. El depósito se alimentaba de agua de lluvia, manantial o acequia y, a menudo, tenía sus lados escalonados. El que se muestra aquí (arriba, izquierda del plano), del complejo de Rameshwaram, tiene tres de sus lados rodeados por una columnata.

 Chaultri, Pudu Mandapa, Madurai (siglo XVII)

Los *chaultris*, o salas de columnas, se construían frecuentemente en los complejos de los templos dravidianos tardíos y tenían un muchas funciones, desde porches hasta salas de ceremonias. Esta sala fue construida para recibir una deidad local. Tiene un total de 128 pilares, cada uno esculpido de distinta manera, en cuatro filas.

Capilla, Belur (siglo XII)

Casi desde el principio, las capillas dedicadas a divinidades menores se colocaban en el interior del complejo. Ésta, una de las muchas del templo de Belur, está adornada con un tejado que imita al del templo.

 Complejo en torno a un templo, Bhubaneshwar (finales del siglo XI)

Al contrario que en el sur, en el norte, en los complejos de los templos *nagara*, el templo principal y su *sikhara* siguieron siendo la característica más prominente. Las puertas eran, generalmente, bajas y modestas, como ésta del Templo Grande o Lingaraja de Bhubaneshwar, en Orisa.

 Complejo de los templos Jain, Satrunjaya (siglo XVI)

Los Jains, al contrario que los Hindúes, a menudo agrupaban gran número de templos. Aquí, en la colina sagrada de Satrunjaya, en el oeste de la India, hay más de 500 templos y capillas en recintos fortificados conocidos como *tuks*. Estos *tuks* ostentaban puertas ornamentadas y bastiones en las esquinas.

Salas de mil columnas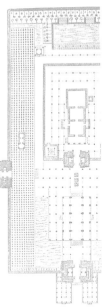

Los complejos de los templos dravidianos de los siglos XVII y XVIII tenían columnatas en los corredores y salas de mil columnas comparables con las salas hipóstilas de los egipcios.

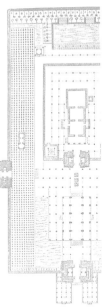

China temprana y China dinástica
1500 a. C. h. siglo XIX

Salas de madera: Forma y estructura

La inmensa mayoría de los edificios premodernos chinos eran estructuras de madera, las cuales eran consideradas lugares ideales tanto como vivienda como para rendir culto a los dioses. El edificio chino típico era una sala rectangular sobre una plataforma elevada. Sus columnas, de madera, se ensamblaban con un complejo sistema de trabes (travesaños) mediante espigas y muescas, y sus paredes eran más bien paneles, ya que no tenían que soportar la estructura. Probablemente hacia el siglo VII d. C., las sofisticadas técnicas modulares estaban ya totalmente desarrolladas y se utilizaban universalmente, estandarizando los diseños y la construcción. Esto dio como resultado la adaptabilidad de las salas de madera a usos diversos, una luz muy amplia que permitía tener grandes espacios diáfanos, la absoluta libertad a la hora de colocar ventanas o puertas y la posibilidad de expandir la planta hacia cualquier dirección.

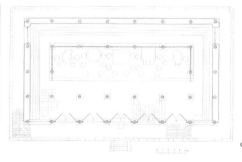

Planta, Monasterio Foguang

Éste es uno de los primeros edificios de madera que existen en China. El diseño de su planta es típico en el sentido de que coloca su fachada principal en el eje largo y el ancho de su espacio entre columnas o intercolumnio (*jian*) —una unidad estructural básica del edificio— disminuye ligeramente del centro hacia los lados.

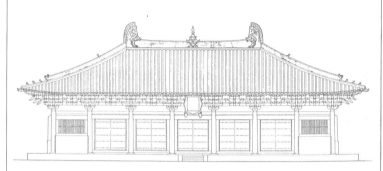

Alzado, monasterio Foguang

El tejado se enfatiza por su trayectoria curva y su tremendo voladizo. También son prominentes a la vista, debajo de los aleros del tejado, los juegos de abrazaderas (*dougong*), que eran elementos estructurales soportados directamente por las columnas. Las mismas columnas, cada una con cierto grado de éntasis, o curvatura convexa (*juansha*), se inclinaban ligeramente hacia el centro (*cejiao*) y cuanto más lejos estaban del compartimiento central (*shengqi*), más largas eran.

Estructura del salón principal
Monasterio Foguang, monte Wutai (857 d. C.)

Las columnas, que descansan sobre plintos, se sujetan entre sí mediante tirantes a varias alturas del suelo. Los grupos de abrazaderas servían para fortalecer el vínculo entre el tejado y las columnas, reforzar la capacidad de carga de los travesaños y los pares, equilibrar el peso a ambos lados de las columnas, mantener unidos los elementos longitudinales y crear grandes aleros voladizos. El tejado está soportado por traviesas de tamaño menguante, colocadas de canto unas sobre otras por toda la planta y separadas por puntales. Esta estructura columna-traviesa-puntal, o *tailiang*, facilitaba la curvatura del tejado.

Planta, Salón de la Suprema Armonía, Ciudad Prohibida, Beijing

Construida en 1420, este salón es la estructura de madera más grande de China. Era muy común que las salas de madera contuvieran galerías abiertas en su parte exterior, con columnas y, en este caso, una galería en la fachada.

Alzado, Salón de la Armonía Suprema

A lo largo de los siglos hubo importantes cambios tanto en la forma como en el estilo de los salones de madera. Para el siglo XV, los tejados ya eran más altos y pronunciados, mientras las líneas del caballete y los aleros, más rectas, mecánicas y sin éntasis, se igualaron en tamaño. Los voladizos de los aleros se redujeron considerablemente.

Planta, Salón de oraciones para una cosecha abundante, Templo del Cielo, Beijing

Los mismos principios estructurales pueden aplicarse a diversas plantas. Construido en 1540, este edificio está cargado de simbolismo. La planta circular simboliza el Cielo, ya que los chinos creían que el Cielo era redondo y la Tierra cuadrada. Los tejados de la sala están soportados por tres círculos de columnas. Las cuatro columnas centrales, más largas, representan las estaciones, las doce de en medio representan los meses y las últimas doce representan las divisiones de los días tradicionales chinos.

Estructura, Salón de la Armonía Suprema

Con el uso de columnas y travesaños de gran tamaño, los juegos de abrazaderas perdieron gran parte de su función estructural, reduciéndose en tamaño y utilización. Convertidos principalmente en elementos decorativos, siguieron apareciendo sobre columnas y travesaños, aunque ahora para separar, en vez de unir, el tejado y las columnas.

Planta, Ciudad Prohibida

Un edificio individual no solía ser una estructura independiente en sí misma, sino que formaba parte de un conjunto de edificios en el que se emplazaba de acuerdo con su importancia social. Por ello son omnipresentes los patios, alrededor de los cuales se agrupaban formalmente los edificios según ejes marcados. La orientación ideal de los edificios principales era sur.

Alzado, Templo del Cielo

Emplazado en lo alto de una terraza de mármol de tres alturas, el salón tiene tres tejados de tejas barnizadas en azul brillante, coronados por una bola dorada.

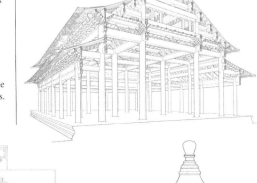

China temprana y China dinástica

Salones de madera: decoración exterior

Los edificios de madera chinos son notorios por su franqueza estructural y por la estrecha asociación entre estructura y ornamentación —los ornamentos, por norma general, no son meros elementos decorativos, sino estructurales. La pintura, por ejemplo, se aplica a los elementos estructurales del edificio para evitar que se pudra la madera pero, al mismo tiempo, tiene funciones decorativas. El exterior de un salón puede dividirse en cuatro partes, cada una con un método ornamental distinto: el tejado, con prominentes voladizos para proteger el edificio de la lluvia; los juegos de abrazaderas pintados, que son tanto estructurales como decorativos; el edificio mismo, ya que contiene columnas, paredes, ventanas y puertas, todas ellas pintadas; y la plataforma o terraza sobre la que se construye el edificio, que sirve para evitar la humedad en la estructura de madera. En cada periodo dinástico se decretaron leyes restrictivas específicas para regular el tamaño, forma y ornamentación de los edificios individuales.

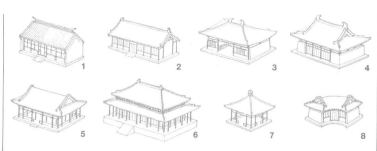

Formas del tejado

El énfasis visual del tejado se evidencia en la increíble variedad de sus formas. Hay cuatro tipos básicos, de los cuales derivan muchos más: a dos aguas (1, 2), a cuatro aguas (3, 6), a dos aguas con frontón (4, 5, 8) y el piramidal (7). De éstos, el de más alto rango era el de cuatro aguas.

Estilos del norte y del sur

Existían diferencias de estilo considerables entre los edificios del sur de China y los del norte. El estilo de construcción norteño (arriba, derecha) es más robusto, y sus ornamentos menos delicados. Pero la diferencia visual más flagrante es la tendencia del sur a curvar dramáticamente hacia arriba las esquinas de los aleros (arriba, izquierda).

Remates

En cada extremo del caballete, tapando las uniones entre éste y las pendientes del tejado, hay un remate de cerámica. Para el siglo XIV ya reproducían gran variedad de animales fantásticos, que llevaban consigo el simbolismo de la lucha contra el fuego. De éste dragón se decía que era tan esquivo que había que sujetarlo al caballete con una espada.

Acroteria

Las *acroteria,* cada una en la forma de un animal fantástico concreto (por ello el nombre chino *xiaoshou*, que significa "pequeños animales"), se colocaban en línea sobre caballete inclinado, en la esquina del tejado. Su función inicial era proteger los pernos que sujetaban las tejas del caballete.

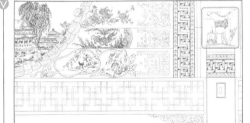

Balaustres

Se prestaba una atención especial a la decoración del pomo de los balaustres. Los dos inmediatamente debajo tienen un dragón y un fénix volando entre nubes, y se usaban en los importantes edificios palaciegos. En los jardines podían verse balaustres con motivos que variaban de las flores de loto a granadas.

Pintura decorativa

Se aplicaba pintura policroma, o *caihua*, a todos los elementos de madera que estaban en el exterior del edificio. Alrededor del siglo XIV, en el norte, se empezaron a usar colores cálidos (especialmente rojo) en columnas puertas y ventanas, mientras que se hacían diseños pintados con colores fríos en los arquitrabes, ménsulas y otros elementos a la sombra de los aleros. Aquí se ilustran los dos estilos principales de pinturas: *hexi* (sobre estas líneas) y *Suzhou* (más arriba).

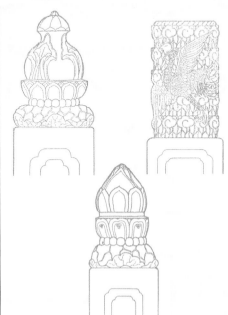

Balaustrada

Frecuentemente se delimitaban las terrazas o plataformas de los edificios de madera mediante balaustradas. Hacia el siglo X podían encontrarse balaustradas de madera en los jardines, aunque parece que las de mármol eran más comunes. La que se muestra aquí, con chorros de agua, forma parte de las terrazas sobre las que se asienta el Salón de la Armonía Suprema.

China temprana y China dinástica

Ciudades

Las ciudades de la China dinástica funcionaban, ante todo, como centros administrativos del gobierno imperial. No eran entidades corporativas, sino núcleos políticos de las áreas (mayormente rurales) en las que se emplazaban. Para ser consideradas "ciudades" tenían que estar amuralladas —hecho que toma significado con la palabra china *cheng*, que significa simultáneamente "ciudad", "muralla de ciudad" y "amurallar una ciudad". A partir del siglo XIV, el significado de las murallas de las ciudades trascendió su función pragmática, simbolizando la presencia de gobierno y orden social. Un gran número de ciudades se planificaban con antelación y, por ello, lograban una regularidad en sus formas. Sin embargo, también había casos en los que superponía algún grado de planificación a un asentamiento no planeado —aunque muy tarde para conseguirlo completamente.

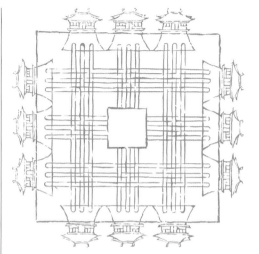

Planta ortodoxa, Ciudad Imperial

Este diagrama representa el modelo de ciudad ideal rondando el año 100 a. C.: planta cuadrada, con tres puertas en cada lado: orientado a los cuatro puntos cardinales, con eje norte-sur marcado: y con el palacio en el centro de la ciudad. Más preceptivo que histórico, aunque también lo es, este modelo demostró ser el de más amplia influencia a lo largo de los dos milenios siguientes.

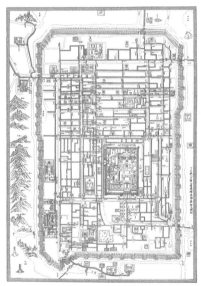

Mapa grabado, ciudad de Suzhou

Este mapa de la, en su tiempo, honorada ciudad, fue grabado en piedra en 1229. Entre los siglos VIII y X, las ciudades de regiones económicamente avanzadas experimentaron un profundo cambio en su estructura interna, marcado por la caída gradual del sistema de recintos amurallados y la aparición de una red de calles más abierta para favorecer el comercio. Las oficinas del gobierno ocuparon el recinto amurallado interior, y se impuso un doble sistema de transporte por agua y tierra.

Planta de Chang'an, capital de la dinastía Tang

Construida a finales del siglo VI, esta ciudad fue la más grande de su tiempo. El *enceinte* del palacio (área principal de una fortaleza, rodeada de una muralla o un foso) está en centro norte de la ciudad, y al sur está el recinto imperial con las oficinas de gobierno. El resto de la ciudad está dividida en 108 pabellones residenciales amurallados, estrictamente supervisados, y dos mercados amurallados, colocados simétricamente al este y al oeste.

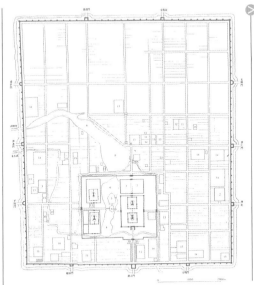

**Planta,
ciudad de Shaoxing**

La preferencia por una ciudad de planta cuadrada o rectangular encuentra condiciones favorables principalmente en la planicie norte de China; las ciudades del sur, donde las condiciones topográficas son más complejas, eran frecuentemente más irregulares. Esta planta se diseñó en 1893. La ciudad prefectura de Shaoxing es célebre por sus canales y puentes.

**Planta de Dadu,
capital de la dinastía Yuan**

Construida en 1267-84 sobre el emplazamiento de la actual Beiging, Dadu (o "La Gran Capital") era una ciudad tres veces amurallada y con una forma geométrica casi perfecta, con el recinto del palacio situado en el eje principal de la ciudad, rodeado por el recinto imperial. La muralla exterior de la ciudad tenía tres puertas en cada lado, excepto al norte, donde sólo había dos.

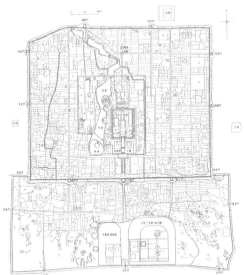

**Planta de Beiging, capital
de las dinastías Ming y Qing**

Construida sobre las ruinas de Dadu, la capital de la dinastía Yuan, esta ciudad se convirtió en la capital imperial en 1403 y continuó siéndolo durante los últimos siglos de la era dinástica. En 1553 se construyó una muralla exterior para proteger la próspera periferia del sur, para lo que se creó un eje de 8 km (5 millas) de largo, que iba desde la puerta central de la nueva ciudad exterior, al sur, hasta las Torres del Tambor y la Campana del norte.

Planta, ciudad de Datong

Incluidas en esta ciudad del norte había oficinas del gobierno local y graneros, el cuartel militar general y barracones, un templo confucionista, templos budistas y taoístas, una Torre de la Campana y una Torre del Tambor. Como era típico, esta ciudad también tenía, dentro de sus murallas, espacios destinados al cultivo de grano y vegetales. Se construyeron murallas adicionales para proteger las prósperas áreas que crecían fuera de la ciudad.

China temprana y China dinástica

Pagodas

La pagoda china tiene dos fuentes principales: la torre nativa de varios pisos de madera, creada antes de la llegada del budismo (siglo I d. C.), que forma el cuerpo principal, y la *stupa* budista india, que hace las veces de chapitel o remate. Las preferencias, en lo que concierne a la planta base, cambiaron con los distintos periodos dinásticos; la planta cuadrada fue dominante antes del siglo X d. C., pero a partir de entonces prevalecieron las plantas poligonales. Del mismo modo, la forma y estilo de la pagoda siguieron cambiando debido, en parte, a la influencia de las nuevas formas de stupa que venían del oeste y a las alteraciones en la fe y, en parte, a la evolución estilística. La mayoría de las veces construidas en madera o ladrillo, o una combinación de ambos, la pagoda no estaba siempre circunscrita a plantas budistas, sino que podía construirse a modo de estructura solitaria, a veces utilizada para las interpretaciones *feng shui*.

Planta, pagoda Shaka, Monasterio Fogong, Yingxian (1056)
De planta hexagonal, esta pagoda de madera ocupa el punto central del eje norte sur principal del monasterio, la localización preferida en China antes del siglo VIII.

Pagoda, Monasterio Songyue, Monte Song (523)
Ésta es la pagoda de ladrillos más antigua que se conserva en China, y la única con una planta base dodecagonal (doce caras). El interior es un estrado octogonal, mientras que en el exterior es un gran piso en forma de doble plinto, sobre el cual hay quince repeticiones de la unidad básica de una planta, cada una con su propio tejado. Toda la estructura se afina con la altura, y está coronada con un mástil y discos.

Pagoda Sarira Monasterio Qixia, Nanjing (937-75)
Esta pequeña pagoda, de piedra sólida, tiene cinco alturas y una planta octogonal. Particularmente notoria es la abundancia de motivos de flor de loto en la base y el remate: siendo el loto parte de la imaginería de la escuela budista de "Tierra Pura".

Alzado, pagoda Shaka
Con una altura de 67.3 m (221 pies), esta pagoda es la estructura de madera más alta de China. Hay cincuenta y cuatro tipos distintos de grupos de ménsulas sujetando los aleros, aunque, debido a su suprema armonía y a su unidad estructural, apenas son perceptibles desde cierta distancia.

Corte transversal, pagoda Shaka

Desde el exterior, esta pagoda parece una estructura de seis plantas, pero el primer tejado sólo cubre la terraza que lo rodea. En cualquier caso, hay cuatro entrepisos adicionales que proporcionan espacio para elementos estructurales grandes. Por ello, la pagoda es, de hecho, un edificio de nueve plantas.

Perspectiva anatómica, pagoda del templo budista Bao'en, Suzhou

Construida en 1153, pero ampliamente reconstruida en 1898, esta pagoda de nueve plantas es un ejemplo de construcción de ladrillo y madera combinados. El núcleo de ladrillo se envuelve con un revestimiento de madera, de modo que desde el exterior parece una estructura de madera.

Pagoda, Templo Miaoying, Beijing (1271)

Diseñada por un arquitecto nepalés para los emperadores mongoles, esta pagoda de ladrillos blanqueados fue construida en 1271 en Dadu (actual Beijing). Muestra claramente su origen *dagaba* (*stupa*) a través de la *chaitya* tibetana.

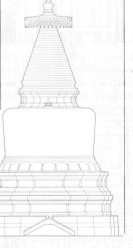

Pagoda Renshou, templo Kaiyuan, Quanzhou (1228-37)

Ésta es una de las pagodas gemelas del templo Kaiyuan (la otra es la de la pagoda Zhenguo). Realizadas en piedra, en 1237 y 1250 respectivamente, ambas son octogonales, tienen elaborados juegos de ménsulas en imitación de madera y marcados aleros con esquinas en curva ascendente, influencia del estilo del sur.

China temprana y China dinástica

Casas

Gracias a la inmensidad de China, las condiciones medioambientales, históricas, culturales y étnicas, tanto locales como regionales, han dado una impresionante variedad de formas y estilos de casas. Esta diversidad contrasta con la universalidad del "estilo gubernamental"; en cualquier área, cuanto más alto era el rango social de una institución, menos característico era el estilo regional de sus edificios. Por otro lado, las casas de las diferentes regiones evidencian un notable grado de integración, al prevalecer algunos elementos comunes que caracterizan la arquitectura local China: comparten no sólo unos principios estructurales básicos, sino también características de orientación, simetría, ejes y disposición.

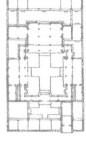

Planta de una casa, provincia Zhejiang
Las casas de las áreas rurales del sur podían ser de diseño bastante flexible, adaptándose a las condiciones topográficas locales. Este complejo, que aloja a una dilatada familia de padres con hijos casados, incluye residencias para pequeñas unidades familiares, cada una simbolizada por un fogón.

Típica casa con patio, Beijing
Esta casa tiene su entrada principal en la esquina sureste del complejo. Para el visitante, cada puerta simboliza el umbral a un nuevo dominio, ya que el paso de cada puerta representa la entrada a un nivel más profundo en la privacidad de la familia. Esta privacidad de grupo es más valorada en su relación con el exterior que la privacidad de cada individuo dentro de la familia.

Perspectiva de una casa, provincia Zhejiang
Aparte de la dramática curva ascendente de las esquinas de los aleros, otra característica de las casas del sur es la utilización de la estructura de columna-atadura, o *chuandou*. Ésta difiere de la estructura *tailiang*, más oficial, en que el peso del tejado se soporta directamente por columnas que se elevan hacia el caballete del tejado y reciben las correas.

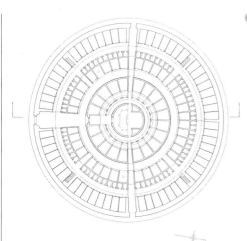

Planta, residencia comunal, provincia de Fujian

A partir del siglo III a. C. y en tiempos diversos, la gente de las Kejia (también conocida como Hakka, que significa "familias huésped") migró desde el centro de China a las provincias Fujian, Guangdong y Guangxi, al sur. El hostil recibimiento por parte de la gente local llevó a la costumbre de vivir colectivamente, como clan, en amplios edificios amurallados de varios pisos, y de planta circular o rectangular.

Perspectiva anatómica, residencia comunal, provincia de Fujian

En el centro del complejo está el salón ancestral. En los dos anillos interiores se localizan las habitaciones de huéspedes y las áreas de los pozos y los animales domésticos. La planta baja del anillo exterior está dedicada a cocinas, aseos y habitaciones para usos múltiples, la primera planta se utiliza para almacenar grano y las plantas segunda y tercera son las viviendas.

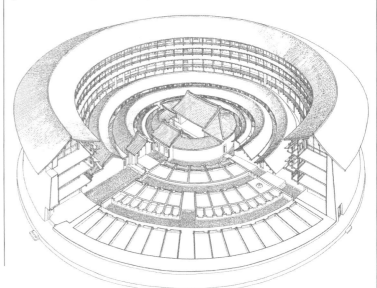

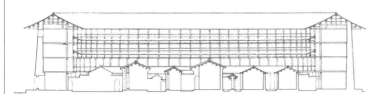

Corte transversal, residencia comunal, provincia de Fujian

El muro exterior de este edificio de cuatro plantas, de más de 1 m (3 pies) de espesor, está construido de tierra batida unida al armazón de madera interior. Abiertas al exterior sólo se colocan pequeñas ventanas encima del primer piso, mientras que los apartamentos con balcones dan al interior.

Casa en forma de sello, provincia de Yunnan

Como las casas de la meridional Anhui y otras áreas del sur, esta casa, de planta cuadrada y dos pisos, tiene una orientación interior y una privacidad extremas. Las cámaras están estrechamente unidas unas con otras, y el patio, por el que entran la luz y el aire, se reduce a una diminuta abertura vertical llamada "pozo de cielo". Todo el edificio se asemeja a la forma del sello chino, de ahí su nombre.

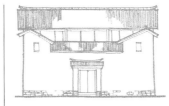

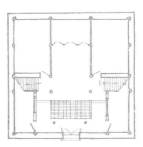

China temprana y China dinástica

Jardines

En su forma física, prácticamente todos los jardines clásicos que existen en China en la actualidad datan como pronto del siglo XIX. Sin embargo, la cultura que los produjo se desarrolló a lo largo de 3.000 años. Las diferencias entre las dos tradiciones principales, que son los parques imperiales pertenecientes a familias reales y los jardines privados de la civilización clásica, pueden haber sido obvias a finales del siglo III d. C.; se influenciarían los unos a los otros durante el siguiente milenio y medio. Como los paisajes pictóricos, los jardines estaban diseñados para representar la esencia abstracta de la naturaleza idealizada y, de ese modo, reproducir el espíritu de un paisaje. La literatura fue otra dimensión crucial, dando a los jardines temas y decorados, así como nombres llenos de significado.

A vista de pájaro, Jardín del Maestro de la Red, Suzhou

El jardín es un lugar para que el visitante lo recorra: "las vistas cambian con cada paso", alrededor del estanque, por ejemplo. También hay puntos dominantes, como un pabellón, una galería y un quiosco, desde los cuales se observaban vistas particularmente apetecibles. Estos principios derivaban de las teorías de la pintura paisajista.

Planta, Palacio de Verano, Beijing

Inicialmente construido en 1750, éste era uno de los cinco jardines imperiales de los suburbios occidentales de Beijing. Toda la composición sigue el Lago del Oeste, en Hangzhou, pero, al mismo tiempo, domina las vistas más allá del paisaje colindante, incluyendo las Colinas del Oeste. Esta técnica, conocida como "vistas prestadas", se usaba frecuentemente en el diseño de jardines.

Planta, Jardín Oeste, Beijing

El diseño de este jardín imperial comenzó en los años 1450-60. Al oeste de la Ciudad Prohibida, pero dentro del Recinto Imperial Amurallado, consistía de tres lagos. Al igual que los lagos del Palacio de Verano, éstos tenían isletas, que representaban la mítica isla de los inmortales, la cual se creía que estaba en la costa de la provincia de Shandong. Una vez más imitando al Palacio de Verano, contiene pequeños jardines amurallados en su interior, formando los así llamados "jardines dentro de un jardín".

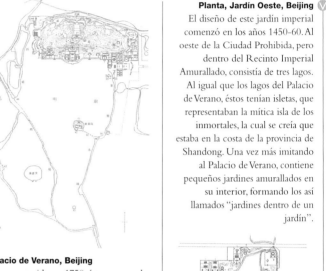

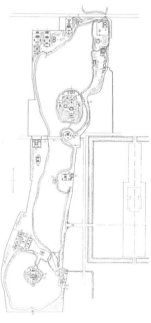

Planta,
Jardín del Paseo Tranquilo,
Suzhou
Este jardín privado, ampliado a finales del siglo XIX, utiliza un método común para crear riqueza y variedad de vistas: dividir el jardín en pequeños trozos de distinto tamaño, cada uno con su propia temática y carácter. Para ello se utilizaron muros, vallas, porches, edificios, rocalla, bosques y puentes.

A vista de pájaro, Villa de la Montaña Abrazada por el Verde Esmeralda
Está formado por una serie de terrazas que siguen el contorno de la pendiente. Sobre cada terraza están los edificios independientes. Todo el complejo se funde con el paisaje, y hay un aire de aparente simplicidad, sin adornos, entre sus edificios.

Planta,
Jardín del Maestro de la Red
La disposición actual de este jardín de ciudad es el resultado de su reconstrucción en 1795. Es un ejemplo clásico de jardín privado construido como extensión de una casa. Si la construcción de la casa era un arte ampliamente impersonal que se dejaba en manos de artesanos, el diseño de un jardín era un trabajo mucho más propio de un erudito, como lo eran la poesía y la pintura.

Planta, Villa de la Montaña Abrazada por el Verde Esmeralda, Suzhou
Esta villa de la montaña fue construida en 1884, en la pendiente sur de la Colina del Tigre, a 3 km (13/4 millas) al noroeste de la ciudad. Es un buen ejemplo de cómo adaptar un jardín a las condiciones topográficas del lugar y, a la vez, hacer pleno uso de ellas.

Corte transversal, Jardín del Paseo Tranquilo
El uso de elementos que contrastan y se complementan a la vez —conceptos yin y yang— enfatizando puntos notables o sugiriendo un cambio infinito (así como una total armonía) era común en los jardines chinos. Atributos similares incluyen la pequeñez y la grandeza, la oscuridad y la luz, el vacío y la solidez, etc.

Japón Clásico
anterior al siglo VI a. C. – siglo XIX d. C.

Capillas sintoístas

El Shinto (o sintoísmo), que significa "camino de los dioses", era la religión tradicional del Japón antiguo, antes de que el budismo llegara en el siglo VI d. C. Inicialmente se practicaba en lugares de gran belleza natural, acotados con piedras apiladas y otros límites naturales. Los materiales naturales —preferentemente madera para los marcos y hierba para las cubiertas— sirvieron posteriormente para construir formas simples, como puertas, o *torii*, y pequeñas capillas. A pesar de que la formalización del sintoísmo, con sus capillas elevadas sobre el suelo y sus aleros (basados en el almacén agrícola), plantó la religión en el paisaje japonés, era, esencialmente, una religión local sin gran repertorio arquitectónico. Como si se tratara de una extensión del cuidadoso uso de los elementos naturales, la distribución espacial del lugar pasó a ser tan importante como la colocación de las piezas naturales mismas.

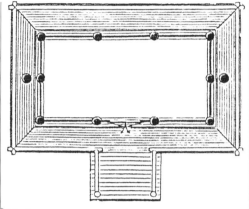

Construcción ⓥ

Los marcos de las capillas de Ise Jingu son de ciprés japonés. Se soportan mediante pilares insertados directamente en el suelo, en lugar de los cimientos de piedra típicos de las capillas más antiguas.

Ⓐ **Planta**

A la capilla interior, elevada, se entra subiendo las escaleras que llevan a la puerta central, única abertura de las paredes paneladas. Hay un porche alrededor del perímetro del tejado principal y una columna independiente central, que, colocada al final de cada alero, soporta el caballete.

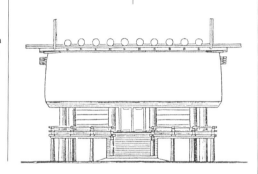

ⓥ **Torii**

El elemento principal de la capilla Shinto, y una de sus formas arquitectónicas más primitivas, es el *torii*, o puerta. Es una construcción poste-dintel, postes de madera que generalmente se insertan directamente en tierra, y soportan dos vigas horizontales. Esta disposición se cree que permite el paso de la plegaria a través de la puerta *torii*.

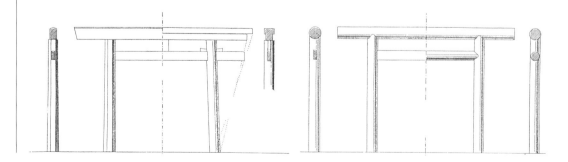

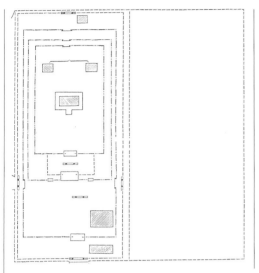

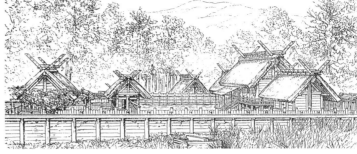

Tamagaki

Un elemento arquitectónico clave de las capillas sintoístas primitivas era la *tamagaki* circundante, una valla de tablas de madera horizontales atadas a postes verticales.

Situación

En el siglo IV, en un paraje de increíble belleza natural de la costa este de Japón, utilizado durante siglos para el culto, se construyó Ise Jingu.

Plano de zona

A partir del siglo VIII los festivales se organizaban nacionalmente, y cada grupo de varias capillas se conocía como capilla Ise. La capilla interior, o *naiku*, es para el dios ancestral de la familia imperial y la capilla exterior, o *geku*, es para el dios local.

Capilla Ise

La capilla de Ise Jingu era, a la vez, capilla ancestral de la familia real y capilla nacional. Se identifica por un grueso tejado a dos aguas, cubierto de caña y con tablones que se proyectaban a través del caballete para formar parejas de remates bífidos, o *chigi*, y diez traviesas exteriores, o *katsuogi*. Todo ello, junto, producía el perfil característico del edificio.

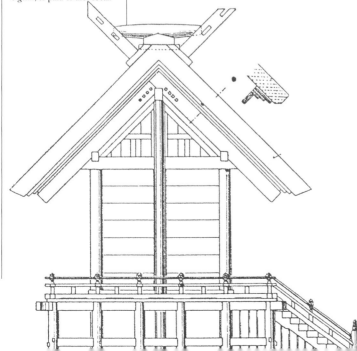

Tradición en la edificación

La práctica conocida como *shikinen-sengu*, que asegura que la tradición constructiva pase de generación en generación, consiste en reconstruir la capilla cada veinte años, y hacerlo siempre igual.

Japón Clásico

Templos budistas

La importación del budismo, procedente de Corea y China en el siglo VI d. C., trajo consigo doctrinas, rituales y formas arquitectónicas intensificadas. El grado de decoración arquitectónica aumentó dramáticamente. Las superficies se tallaron, pintaron, lacaron y doraron; se introdujeron detalles, como las elaboradas ménsulas en el sofito (lado inferior) del tejado, superficies pintadas, tejados de paja con perfiles cortados y columnas decoradas. El primer templo budista japonés, en Hokoji, Nara, se construyó en el 588. Mientras que los antiguos templos sintoístas tenían una estricta configuración de los edificios, los primeros templos budistas de Japón no seguían un diseño preestablecido, pero generalmente incluían un *hondo*, o salón de imágenes, una pagoda, para guardar los objetos sagrados, y otras estructuras, como un campanario, una sala de lectura y edificios domésticos para el claustro.

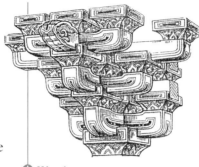

⋀ Ménsulas

Un elemento importante del tejado de una capilla budista japonesa es la ménsula, un elemento expuesto que decora los sofitos del porche y soporta los aleros saledizos. Las ménsulas eran, a menudo, grupos de piezas de madera o puntales que se curvaban hacia arriba, haciendo un decorativo bloque de soporte.

Detalles de columnas ⋁

Tanto la base de esta columna como los arreglos de la viga que va de la columna a la atadura, muestran cómo se lacaban y decoraban los pilares del interior del templo con diseños orgánicos tomados de los bordados. En el santuario más íntimo, los diseños de las columnas y tirantes eran dorados.

▷ Planta de pagoda, Horiuji (siglo VII d. C)

Esta pagoda es un ejemplo tipo de las que se introdujeron inicialmente en Japón, procedentes de China, y que se utilizaban para contener imágenes y capillas en los pisos inferiores y campanas de bronce en la parte alta. La planta de la pagoda es generalmente cuadrada, con escaleras centrales en cada lado y un porche perimetral debajo de los saledizos del tejado.

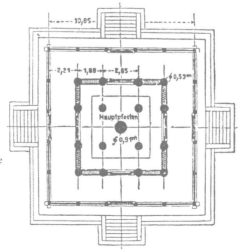

Complejo, templo de Yokohama (siglo XIX)

Esta escena, de un templo de Yokohama en un paraje arbolado, incluye una puerta (*torii*) y un par de monumentos que marcan la entrada a la capilla, cubierta de cañas. Es un buen ejemplo del uso de estos complejos, donde las habitaciones exteriores eran tan importantes como la capilla misma.

Hondo, Horiuji (siglo VII)

Uno de los edificios con marcos de madera más antiguos del mundo es la capilla principal (u *hondo*) de Horiuji. El *hondo* se ensambla mediante una técnica de muesca y espiga. Consiste de un piso que se eleva 1,2-1,8 m (4-6 pies) del suelo gracias a los pilotes que lo soportan, y al que se accede mediante escalones. El edificio tiene nueve paneles de largo y siete de ancho. Las columnas de la habitación interna son mucho más altas que las que soportan el porche, dando la impresión de un segundo nivel.

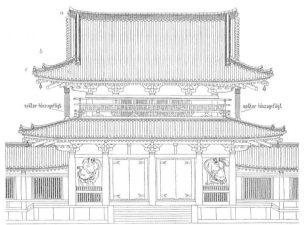

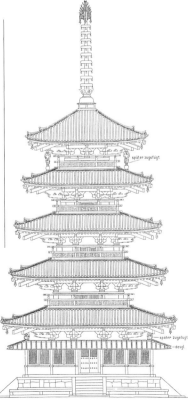

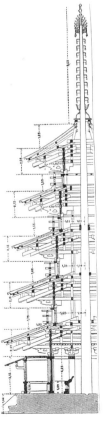

Alzado y sección de una pagoda

Las pagodas tienen, normalmente, una altura de tres a cinco pisos decrecientes en tamaño, que dan lugar, junto con los saledizos de los tejados, al perfil característico. Los osadamente altos edificios de estas islas, donde hay una amenaza de terremoto permanente, están construidos con madera ligera y flexible.

Japón Clásico

Más templos budistas

Desde su llegada a Japón en el siglo VI, el desarrollo de la arquitectura de los templos budistas está dividido en varios periodos. El primer periodo, conocido como el periodo "histórico temprano" de la arquitectura de templos, incluye las fases Asuka, Nara y Heian. El Japón budista medieval, del siglo XII en adelante, se divide en la fase Kamakura y los periodos Nambokucho y Muromachi. Desde el siglo XVI y hasta el siglo XIX fueron los periodos Momoyama y Edo. Mientras las capillas sintoístas y los primeros templos budistas confiaron en la integridad del material y la construcción, la arquitectura budista posterior, a menudo, exhibió una ostentosa decoración en todas las superficies y elementos estructurales. Por ejemplo, los finales de las ménsulas de la puerta del templo de Nikko, siglo XVII, están talladas con cabezas de dragón y unicornios en lugar de tener una disposición verídica de espiga que se proyectaba desde las vigas horizontales.

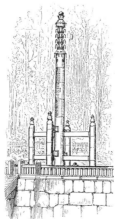

Columna de bronce, Nikko

Esta columna de bronce, situada en una plataforma de piedra elevada, almacena copias de los escritos sagrados, cuyos títulos están inscritos en oro en la parte alta de la columna.

Campana

La campana, un elemento arquitectónico, guía la práctica religiosa budista tanto en el ámbito auditivo como visual. El budismo trajo los cánticos, los tambores, los gongos y las campanas al ritual religioso japonés.

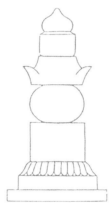

Monumento

Los objetos esculpidos tienen un papel importante en la arquitectura budista. Los faroles, o *ishidoro*, esculpidos en piedra o madera, ocupaban los ambientes exteriores de entrada a la capilla. También los encontramos en jardines domésticos. Este monumento de piedra resiste, junto con miles de otros monumentos, en una arboleda sagrada. Todos los monumentos miden entre 3 y 6 m (10-20 pies) de alto y están compuestos de piedras individuales modeladas, como, por ejemplo, un loto en la base y una cúpula en forma de cebolla en lo alto.

Pagoda, Nikko (siglo XVII)

La pagoda de Nikko, de cinco pisos, está terminada en una esbelta columna, lo que incrementa mucho su altura y la relaciona con los árboles de alrededor. Unas paredes techadas, con paneles de madera y bases de piedra intrincadamente labrados, encierran la pagoda y los edificios asociados al complejo.

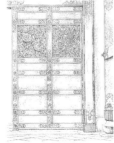

Entrada, Nishi-Honwan-Gi

Elaboradas puertas, que se asemejaban a templos, custodiaban y anunciaban los emplazamientos budistas. Esta ilustración de la puerta del templo de Nishi-Honwan-Gi, Kioto, muestra la entrada y la puerta en su interior —ambas elaboradamente decoradas en demostración de la opulencia e importancia del lugar y como indicio de las ricas ofrendas a los dioses.

Entrada, Nikko (siglo XVII)

La entrada del templo de Nikko tiene un pesado tejado, una galería alrededor y está cubierta de imaginería de dragones, agua, nubes y colgaduras, de metal forjado, madera labrada, lacados, y relieves dorados y pintados. Fue encargada por la familia Shogun, y es una manifestación del estatus de la familia.

Techo

Los tejados de los templos budistas están frecuentemente decorados de manera elaborada. Este techo, de una capilla del siglo XVII, está artesonado con paneles cuadrados divididos por carcasas de metal forjado, que después se doraron y tallaron con arquetipos.

Interior del templo

A partir del siglo XII, el *hondo* dejó de ser un salón de imágenes para convertirse en un templo en el que se entraba a orar, por lo que, para acomodar a los creyentes, su interior se hizo más grande. Este excepcional vistazo al interior de un templo muestra su imponente tamaño. El tejado está enmarcado por series de vigas tirantes ensambladas de modo decorativo.

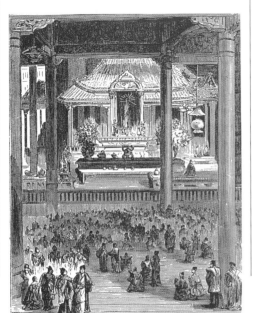

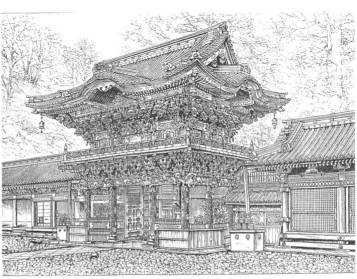

Japón Clásico

Arquitectura doméstica

El clima y la geología de este país de islas han influido en el diseño de la arquitectura doméstica tradicional japonesa. Las casas, a menudo, están orientadas al sur y tienen aleros marcadamente proyectados, altos muros en los patios, ventanas y tabiques móviles para maximizar los beneficios de la brisa del mar y las corrientes oceánicas. Las flexibles construcciones de madera, de una sola planta, sacan provecho de los ricos bosques y protegen de la constante amenaza de terremotos. Según arquitectos eurpeos, las casas de tres siglos de antigüedad que sobrevivieron a finales del siglo XIX eran similares a las que catalogaron como nuevas. Esto demuestra cuán antigua es la tradición de la arquitectura doméstica en Japón.

Tejado de paja

La forma de tejado doméstico más común en el Japón rural es un frontón cubierto con grandes pilas de paja, como en la arquitectura de templos. Hay variantes regionales en el diseño del caballete. Este ejemplo es la casa de un mercader del siglo XIX, a las afueras de Tokio, y muestra un frontón adicional. También es reseñable la especial atención con que se ha cortado la paja al final de los aleros y el frontón.

Porche

Un ambiente muy importante de la casa japonesa es el soportal, o porche cubierto, que actúa como un espacio de transición entre los interiores y los exteriores. A menudo encontramos un corto tejado suplementario, o *hisashi*, que se proyecta desde el alero del tejado principal, y consiste en finos paneles sujetos mediante postes o ménsulas.

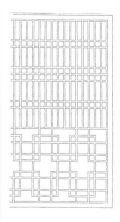

Vista calles de Tokio

Las residencias urbanas de finales del siglo XIX van desde simples filas de viviendas bajo una cubierta de tejas común, con entradas individuales que daban directamente a la calle, hasta las casas de los adinerados, con elaborados tejados de paja y salidas para humo, porche y ventanas abiertas con vistas a la calle.

Entrada

Así como las entradas de las capillas sintoístas están marcadas con el *torii*, y las de los templos budistas son muy elaboradas, la casa tradicional japonesa tiene un soportal o vestíbulo que evoca el ritual de entrada y progresión de los lugares sagrados a la vida cotidiana. Las pantallas corredizas que separan el vestíbulo de los ambientes interiores se llaman *shoji*.

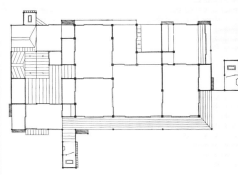

Planta de la entrada

Esta planta muestra la entrada de la casa de un samurai (miembro de la casta militar). Tiene escaleras hasta el *shoji*, que lleva al vestíbulo. El vestíbulo es una habitación con tres esteras, y el único mobiliario es una pantalla aislada de poca altura llamada *tsui-tate*.

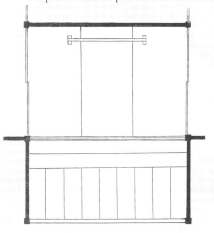

Ventanas

Las ventanas de la arquitectura tradicional japonesa no son de cristal, sino de un papel opaco blanco que proporciona luz difusa al interior de la casa. Éste está enmarcado, por seguridad y sujeción, con parteluces de madera o bambú. Las pantallas interiores tienen una decoración más elaborada, con entramados de finas tiras de madera.

Planta de una casa de Tokio

Esta casa tradicional japonesa está compuesta por una serie de ambientes interconectados, divididos por pantallas corredizas, y por algunos espacios de paso. Los ambientes no se obstaculizan con mobiliario, lo que indica una división flexible de la función de la habitación.

Japón Clásico

Comercios y edificios gubernamentales

A partir del siglo VII, la arquitectura urbanística japonesa estuvo influenciada por las prácticas chinas, tanto en la disposición de las ciudades, como en la situación de los edificios importantes dentro de ellas. Al igual que en los modelos chinos, como Beijing, las ciudades Nara y Kyoto, del siglo VIII, se dispusieron en el interior de una red rectangular de calles, con el palacio imperial en el centro y las casas de los nobles, otros palacios y los edificios gubernamentales colocados simétricamente a lo largo del eje norte-sur. Mientras que la arquitectura de templos y viviendas es notoria por su falta de monumentalidad, los edificios de la aristocracia y el gobierno impactaron más dramáticamente en el paisaje. Elaborados castillos, como el de principios del siglo XVII en Himeji, usaron los tejados tradicionales para crear conjuntos dominantes en lugares prominentemente altos.

Muro del palacio

Este muro rodea al palacio, está ensanchado en su base y es de construcción monumental (a veces está asociado a fosos perimetrales), lo que da a entender la necesidad de defenderse de ataques y terremotos. El final del muro, con un plinto de piedras quebradas, tiene un enlucido amarillo con cinco líneas paralelas blancas, que indican que el palacio es propiedad de un miembro de la realeza.

Palacio, Tokio

A partir de finales del siglo XVI, la arquitectura de la clase gobernante añadió un nuevo elemento dominante al paisaje japonés, estructuras fortificadas de una planta o construidas en pequeños acantilados. Este pequeño palacio de Tokio muestra la relación entre el edificio y los jardines que lo rodean.

Edificios gubernamentales

Esta escena muestra la recepción de un embajador en la corte japonesa. El emplazamiento del mobiliario y los árboles se integran en el edificio tanto como su estructura. El emperador se sienta en el punto más alto del porche, que está techado con paja.

Manufactoría de té

Este complejo de edificios es similar, en forma, a la arquitectura doméstica y de capillas, con sus tejados saledizos de teja, sus frontones soportados por ménsulas vistas y sus pronunciados caballetes.

Telar

Este telar, de seda, no difiere demasiado del diseño doméstico, con ventanas con celosías, tatamis de junco en el suelo y aparatos de tejer como único mobiliario. Los solares urbanos edificables eran, a menudo, largos, con estrechos tramos de calle a modo de tiendas.

Vista de la ciudad, Tokio (siglo XIX)

La proeza de la ingeniería, realzada en esta serie de puentes de madera, es la respuesta local al predominio del agua y los terremotos. Los tejados y edificios bajos también se adaptan al terreno de la colina.

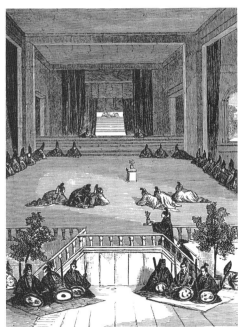

Casa de té

En el siglo XVI, el consumo de té en la vida tradicional japonesa, como ritual y como arte, dio como resultado su propia arquitectura (que a su vez inspiró el diseño doméstico). La casa de té era a menudo rústica, con acabados toscos, tenía tranquilos caminos de acceso y un espacio definido por su número de esteras. Este ejemplo muestra cómo las lumbreras, con contraventanas, y los profundos porches conectan al bebedor de té con el medio exterior en un asentamiento urbano.

Corte del mikado (siglo XIX)

El interior de esta corte muestra la progresión a través de una serie de niveles, así como el contraste entre tamaño y apertura del salón principal y la habitación del emperador (o *mikado*), hace hincapié en el estatus de éste y le permite controlar la experiencia del visitante.

Precolombinos *900 a. C. – 1532 d. C.*

Primeros emplazamientos

Ciudades enteras con cientos de monumentos, algunos de los cuales están medio enterrados en la selva tropical, han sobrevivido como testigos de las complejas civilizaciones que habitaron Mesoamérica desde el 900 a. C. hasta la conquista española en 1519. Mesoamérica comprende todo Méjico, partes de Guatemala, Belice y Honduras. Monumentales pirámides, plataformas, templos, plazas, juegos de pelota, calzadas y altares para sacrificios se usaban como escenarios para realizar los ritos religiosos, de los que dependía la vida cotidiana. La estricta jerarquía social de las distintas ciudades se reflejaba en los grandes complejos palaciegos, ya que los gobernantes usaban cada vez más la arquitectura para promocionarse a sí mismos y asegurar su inmortalidad. Aunque la mayor parte de los edificios que se conservan pertenecen a la civilización Maya, que floreció entre los años 300 y 900 d. C., otros grupos mesoamericanos, como los Olmecas y los Toltecas (así como ciudades individuales como Teotihuacán) son responsables de varias innovaciones arquitectónicas importantes.

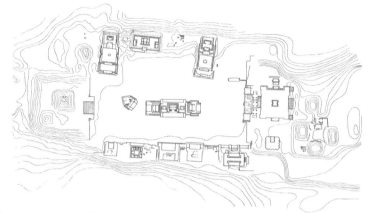

Recinto ceremonial, Monte Albán

El enclave Zapoteca del Monte Albán, en el valle de Oaxaca, fue habitado en cuatro fases que abarcan de 500 a. C. a 700 d. C. Fue diseñado alrededor de un recinto ceremonial característico. Tiene dos plataformas, las acrópolis del norte y del sur, que circundan una gran plaza alrededor de la cual se colocaban otros templos, pirámides túmulos funerarios y un juego de pelota. Todos los edificios están sobre el nivel de la plaza y se accede a ellos a través de largas escaleras.

Pirámide de los Nichos, El Tajín

La pirámide de los Nichos pertenece al emplazamiento totonaca de El Tajín (h. 200-900 d. C.). La pequeña estructura tiene seis gradas, y un santuario en la parte alta. Se accede al santuario a través de unas amplias escaleras con balaustres decorados con grecas, motivo muy habitual en El Tajín. La pirámide tiene un total de 365 nichos cuadrados que representan los días solares. Éstos son tema recurrente en la arquitectura mesoamericana.

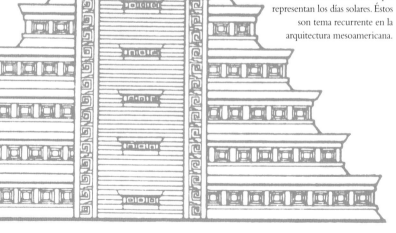

Perfil talud-tablero, Teotihuacán

El perfil en talud-tablero, o "pendiente y panel", apareció por primera vez en los edificios de Teotihuacán. Esta característica consistía en una sección inclinada hacia el exterior, o talud, que soportaba un panel de estuco rectangular y vertical, o tablero. Se procesaba como un friso, y, a menudo, se enmarcaba, se esculpía y se pintaba brillantemente.

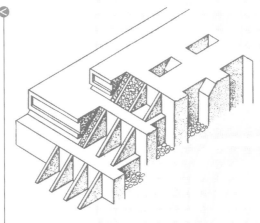

Terrazas en talud-tablero, Teotihuacán

El perfil en talud-tablero podía repetirse en toda la ascensión de la pirámide, como en varios edificios de Teotihuacán. Esta forma de fachada en terrazas se encuentra, con variaciones regionales, en toda Mesoamérica. Era a la vez visualmente efectivo y económico, ya que los elegantes miembros de enmarcado se mantenían unidos mediante finas losas sujetas en un núcleo de cascotes.

Planta cuadriculada, Teotihuacán

La ciudad de Teotihuacán se ordenaba en una planta cuadriculada, con la Pirámide del Sol en el centro y la Calzada de los Muertos, con una longitud de 3,2 km (2 millas), como eje principal. Éste partía de la Pirámide de la Luna, y se cruzaba con un segundo eje en la ciudadela. La ciudad estaba, por consiguiente, dividida en cuartos. Esta planta fue adoptada posteriormente por los aztecas.

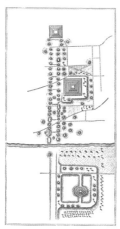

Pirámide de la Luna, Teotihuacán (h. 200 d. C.)

La pirámide dedicada a la diosa luna es una estructura gigantesca localizada en el extremo norte del eje principal de Teotihuacán. Una escalera de piedra, que tenía en su base cuatro cuerpos talud-tablero, llevaba al santuario de madera techado con paja que estaba en la cima.

Stelae, Teotihuacán

Las primeras piedras votivas aisladas encontradas en Teotihuacán tenían una función puramente religiosa. Estaban talladas con representaciones semiabstractas de los dioses, incluyendo al famoso Quetzalcoatl, o serpiente emplumada. Las posteriores *stelae* mayas (losas de piedra erguidas) estaban esculpidas con representaciones más realistas de reyes, y funcionaban más como monumentos seglares que como piedras votivas.

Precolombinos

Maya clásica

La civilización maya produjo algunos de los monumentos precolombinos más importantes de Mesoamérica, siendo su edad de oro "clásica" entre los años 500 y 900 d. C. La reciente decodificación de los jeroglíficos mayas en escalones, frisos, columnas, *stelae* aislados y altares ha supuesto un gran avance en el entendimiento de su arquitectura, la datación de las estructuras y los nombres de los gobernantes. Las pirámides se construían a menudo encima de otras más antiguas. Esta tradición traspasaba la autoridad ancestral a la nueva estructura, a la vez que permitía alturas mayores. La búsqueda de la altura era fundamental para la arquitectura religiosa maya, y se manifestó en vertiginosas escaleras que subían para llegar a los dioses. Otros rasgos esenciales fueron el innovador uso de la falsa bóveda y los elaborados esquemas esculturales.

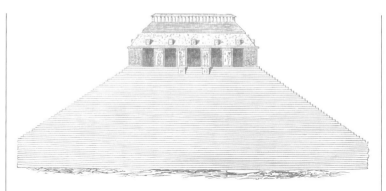

Templo de las Inscripciones, Palenque (675 d. C.)
Una abrupta escalera sube los nueve pisos, que simbolizan los niveles del inframundo mesoamericano, que hay hasta el santuario. Éste tiene el tejado en forma de mansarda característico de los edificios de Palenque. Una abovedada escalera oculta desciende del templo a una cripta que hay en la base de la pirámide, donde fue enterrado el rey Pacal (616–83). Un conducto de piedra, construido a lo largo de las escaleras internas, permitía al rey muerto comunicarse con los vivos.

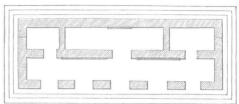

Planta del santuario, Palenque
El Templo de las Inscripciones tiene su santuario interno protegido con un pórtico de entrada de cinco compartimientos abovedados, decorado con figuras de estuco y con las famosas "inscripciones", 620 jeroglíficos que cuentan la historia de los gobernantes de Palenque.

Crestería
La crestería coronaba la cima de la mayor parte de las pirámides mayas clásicas. Consistían en dos paredes perforadas, apoyadas una sobre otra, con esculturas de dioses y gobernantes en forma de relieves de estuco adosados.

Sacrificio de prisioneros, Palenque
Las galerías del patio este del palacio de Palenque estaban adornadas con losas de piedra caliza, las cuales estaban esculpidas con representaciones de jefes cautivos arrodillados y con vívidas expresiones de miedo. Las galerías se usaban para ceremonias —con las esculturas a modo de recordatorio de la pleitesía debida al gobernante.

Falsas bóvedas

Uno de los logros principales
de la ingeniería maya del
periodo clásico fue la invención
de la falsa cúpula. Al principio
se cubrían las estrechas cámaras
con filas de piedras, cada una
sobresaliendo un poco respecto
a la inferior. En bóvedas
posteriores, los mayas
cambiaron el perfil escalonado
del techo por el espesor de la
pared, sujetándolo con mortero
y cascotes. Esto alisaba la
superficie de la cámara, siendo
más fácil enlucirla y pintarla.

Doble falsa bóveda, Palenque

En Palenque, los mayas evitaron las limitaciones
de abovedado de cámaras pequeñas mediante
una técnica que consistía en poner dos falsas
bóvedas una al lado de la otra, compartiendo un
muro de carga central. El peso sobre las paredes
laterales fue disminuido, lo que permitió
habitaciones más amplias.

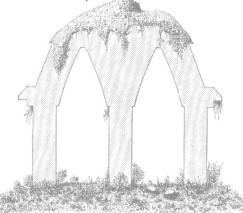

Stelae, Copán

El emplazamiento maya clásico de Copán (h. 540-760),
Honduras, es famoso por sus finas esculturas tridimensionales,
que incluyen un buen número de *stelae* monolíticos en la
plaza. En el periodo clásico, estas piedras, que eran
especialmente grandes y estaban en posición vertical, se
esculpían y pintaban con representaciones del gobernante en
atuendo ceremonial y con un elaborado tocado, los pies
girados hacia afuera y jeroglíficos contando sus victorias.

Altar, Copán

Los altares eran monolitos de baja altura que, en
Copán, se colocaban regularmente enfrente de las
stelae. A menudo tenían tallas de las víctimas de
sacrificio rindiéndose al gobernante de la stela. Este
tema fue progresivamente reemplazando aquellos
estrictamente religiosos de altares más antiguos, los cuales a
veces tomaban la forma de monstruos divinos o dioses.

Precolombinos

Estilo "Puuc" Maya

Hacia el final del periodo maya clásico, en los siglos VIII y IX, las ciudades dominadas por estructuras religiosas cedieron su puesto a las ciudades en las que el palacio del gobernante era el centro de atención arquitectónico. Edificados sobre altas plataformas, los palacios fueron progresivamente más complejos, con múltiples habitaciones y varios cuadrángulos enormes. Existen distintos estilos regionales que surgieron debido a las diferencias geográficas y a las conquistas y alianzas entre los reinos autónomos. Un grupo de ciudades de la región del Yucatán comparte el estilo de arquitectura "Puuc", caracterizado por un acercamiento a la decoración escultórica geométrica por repetición (casi obsesiva) del mismo motivo a lo largo de grandes extensiones de pared, y por el uso de ornamentación simbólica procedente de la cosmología maya.

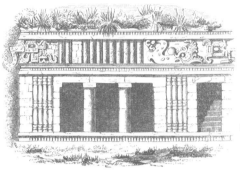

Palacio, Sayil (h. 700-900)
La segunda altura del palacio de Sayil, Yucatán, es una fachada abierta y porticada, con columnas monolíticas y ábacos de piedra. El friso está esculpido en estilo típicamente Puuc, con efigies de dioses y serpientes separados por grupos de balaustres anillados. Éstos eran representaciones en piedra de las primitivas cabañas de madera, y establecían una relación simbólica entre el gobernador y su gente.

Fachada, Pirámide del Mago, Uxmal (569)
El santuario de la cima de la Pirámide del Mago está esculpido con la máscara, de gran tamaño, de un cósmico monstruo divino. La entrada está entre sus fauces, simbolizando el pasaje al inframundo. Este tipo de "entrada" cosmológica es típico de la vecina región de Chenes.

Convento de las Monjas, Uxmal (h. 700-900)
El cuadrángulo de la ciudad Puuc de Uxmal, que los españoles llamaron posteriormente el "Convento de las Monjas", está compuesto por cuatro largos palacios independientes colocados alrededor de un patio. El bloque norte está erigido sobre una alta plataforma. Los palacios laterales también están elevados respecto al nivel del bloque sur, de acceso, al que a su vez se accedía a través de una escalera que partía del patio, fuera del cuadrángulo. El palacio estaba, por consiguiente, concebido como una experiencia de ascensión continua.

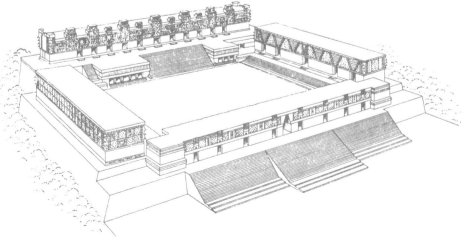

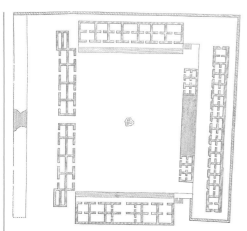

Planta, Convento de las Monjas, Uxmal

Los palacios del clásico tardío eran complejos. El Convento de las Monjas tenía más de cuarenta cámaras dobles y apartamentos ceremoniales de seis habitaciones. Su tamaño fue posible gracias a los métodos de construcción Puuc, que usaban la piedra sólo como un embellecedor que cubría un corazón de cascotes.

Friso en mosaico, Uxmal

El Palacio del Gobernador, en Uxmal, está adornado con un largo friso en mosaico. Las grecas y las máscaras de Chac (símbolos del sol y la lluvia respectivamente) están distribuidos geométricamente, a lo largo de toda la fachada, en torno a una efigie central del gobernante.

Palacio de las Máscaras, Kabah (h. 700-900)

La máscara del dios de la lluvia, Chac, que se repite obsesivamente en el Palacio de las Máscaras de Kabah, constituye uno de los *leitmotiv* principales de la arquitectura Puuc. El dios se representa con una prominente nariz en forma de tronco y dos ojos extremadamente tallados. Naturalmente, las sociedades agrícolas mayas veneraban a los dioses de la lluvia y el sol sobre todos los demás.

Motivos de grecas escalonadas

El enclave zapoteca de Mitla, en valle de Oaxaca, pertenece al periodo posclásico, pero es un ejemplo del desarrollo de los frisos en mosaico de la región Pucc. Cada palacio de Mitla está ornamentado con paneles yuxtapuestos con intrincados moldes geométricos, que derivan las grecas escalonadas.

Precolombinos

Lugares posclásicos

Para el siglo X, o el comienzo del periodo posclásico, la mayoría de las ciudades mayas se encontraban en declive y el centro de la actividad de edificación se desplazó a Méjico central, donde las influencias mayas se infiltraron en la civilización tolteca llevando a la creación de dos importantes ciudades toltecamayas: Tula y Chichén Itzá. Las ciudades posclásicas estaban cada vez más absorbidas por las actividades de guerra, y esto se reflejó en las austeras estructuras, como los templos de los guerreros de Tula y Chichén Itzá. El Juego de Pelota, de piedra, y los *chacmools* de Chichén Itzá son testigos de la importancia del sacrificio humano en el periodo posclásico. Semejante costumbre fue posteriormente adoptada por los aztecas, cuya capital, Tenochtitlán, exhibió algunos de los más impresionantes ejemplos de la arquitectura mesoamericana.

Atlantes, Tula

En la cúspide de la Pirámide B de Tula, soportando el tejado del vestíbulo de entrada al santuario, había cuatro atlantes gigantes en forma de guerreros tolteca. Los guerreros aparecían también en los bajorrelieves esculpidos en el interior del templo y en la sala de las columnas, en la base de la pirámide.

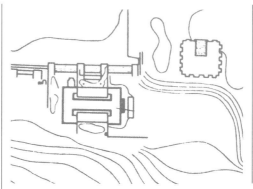

Juego de pelota, Chichén Itzá

Generalmente con forma de "I", los juegos de pelota estaban rodeados por altos muros con asientos para los espectadores. Los elaborados bajorrelieves de la pared interior del juego de Chichén Itzá muestran al equipo perdedor siendo sacrificado a los dioses. Sus cabezas se depositaban en el anexo *tzompantli* (soporte para cráneos).

Anillo del juego de pelota, Tula

El juego sagrado se jugaba con una pelota dura que los equipos intentaban pasar a través de dos anillos situados a los lados de la cancha. Los anillos de Tula, adornados con serpientes de cascabel, estaban dedicados a la serpiente emplumada Quetzalcoatl.

Columna, Tula

Las columnas eran más comunes en los emplazamientos posclásicos. Las grandes columnas de Tula se hicieron con cuatro o más bloques de piedra, unidos entre sí con espigas talladas y mortero. Otras columnas del lugar están hechas de cascotes alrededor de un núcleo de madera.

Esculturas chacmool, Tula y Chichén Itzá

Los *chacmool*, estatuas de hombres reclinados, aparecen tanto en los edificios religiosos como en los seglares de Tula y Chichén Itzá. Con sus cabezas en ángulo de noventa grados, y sujetando receptáculos en forma de disco en sus vientres, los *chacmools* eran altares para ofrendas de sacrificio, siendo éstas, a menudo, un corazón humano.

Ábaco esculpido, Chichén Itzá

El santuario superior del "Castillo", o Gran Pirámide, indica nuevas técnicas de techado, con pilares, columnas y dinteles de madera como soportes. Las dos columnas del vestíbulo de entrada retratan a la serpiente emplumada enroscada en el fuste, y tienen un raro ábaco esculpido.

Piedra de Tizoc, Tenochtitlán

La civilización azteca produjo escultores cualificados, responsables de figuras profundas y a veces terroríficas talladas en los edificios. Este altar, o Piedra de Tizoc, se talló con 15 escenas del emperador arrastrando a un prisionero. La superficie superior está tallada con un disco solar.

Estilo Puuc, Chichén Itzá

A los pequeños edificios que forman el sur de la parte final del Convento de las Monjas se accede mediante un *sacbé*, o camino blanco nivelado. Los edificios están decorados en estilo maya clásico Puuc, con máscaras del dios de la lluvia Chac, grandes frisos en mosaico y grecas. La densidad y agresividad de las tallas son típicas del periodo posclásico.

Precolombinos

Arquitectura Inca

La civilización precolombina inca de Perú, Bolivia y Ecuador desarrolló la arquitectura monumental desde aproximadamente 1100 hasta la conquista española, en 1532. La mayor parte de sus edificios ceremoniales son de culto al dios sol y al "Inca", su representante terrenal. Los incas fueron ingeniosos al sacar provecho de la escarpada tierra de los Andes. Encaramaron sus ciudades en lugares estratégicos, usando un elaborado sistema de terrazas, y fundaron sus estructuras religiosas y de sacrificios, como los *ushnu* (mesetas sagradas), alrededor de manantiales naturales y formaciones rocosas. Más diplomáticos que guerreros, fundaron una compleja red de caminos dentro y fuera de la capital, Cuzco. El arte de la albañilería combinada con oro alcanzó su clímax en los palacios y templos incas del siglo XV.

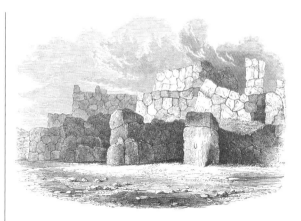

Albañilería inca
Los muros de los prestigiosos edificios incaicos se construyeron sin mortero, con bloques poligonales de piedra toscamente labrados que se desbastaban, uno por uno, hasta que encajaran en su lugar. Esta técnica se utilizaba tanto en edificios de ladrillo fino como en las grandes construcciones, como la fortaleza de Sacsayhuamán.

Tambos
Los tambos eran casas de descanso construidas a lo largo de los caminos incas como lugares de descanso para los mensajeros. El tambo es una cámara rectangular sin ventanas, con una elegante puerta trapezoidal como única fuente de luz. La forma decorativa más importante son los nichos que decoran los muros exteriores e interiores.

Chullpas, Lago Titicaca
Las torres sepulcrales preincaicas, *chullpas*, encontradas alrededor del lago Titicaca fueron construidas para enterrar a los muertos con todas sus posesiones. Estas casas sin ventanas tenían planta circular y varias cámaras para que los miembros de la familia pudieran cohabitar eternamente. La asociación de las torres circulares con lo sagrado la establecieron posteriormente los incas, como en el Torreón de Machu Pichu.

Torreón, Machu Pichu ▽

El Torreón (torre) es un pequeño santuario del centro de Machu Pichu, ciudad inca en ruinas. Tiene un muro semicircular —una forma reservada para los edificios sagrados— de la más fina albañilería sin mortero y está adornado con nichos trapezoidales. Contiene una cueva con un *ushnu*, una formación rocosa natural utilizada como mesa para sacrificios, esculpido para recibir el cuello de una llama.

△ **Casas de las Vírgenes del Sol, Lago Titicaca**

Estas amplias casas, también llamadas "Casas de las Mujeres Escogidas", eran una especie de convento educacional para un selecto grupo de mujeres —a menudo concubinas del gobernante. Se las veía como las esposas del sol y su casa era, en consecuencia, recubierta con oro. Las entradas trapezoidales de doble jamba se reservaban para tan prestigiosos edificios.

▽ **Casa de Manco Capac, Lago Titicaca**

Manco Capac, siglo XII, fue el legendario fundador de la dinastía Inca. Su casa, construida en una isla del Lago Titicaca, es uno de los edificios incaicos supervivientes más antiguos. Las cámaras individuales del segundo piso sobresalen como torres sobre la sólida mampostería de la primera planta, una solución inca para la ingeniería de estructuras de dos plantas.

▷ **Machu Pichu (siglo XV)**

La ciudad de Machu Pichu, situada a 2.430 m (7.972 pies) sobre la cima de una montaña, es el mejor ejemplo de la adaptación de la arquitectura inca al paisaje. Las fértiles terrazas sobresalían sobre precipicios. Tres templos de fina albañilería, construidos en las pendientes con granito natural a modo de paredes, formaban el recinto ceremonial.

Preclásico s.VII–I a. C.

Micénicos: Ciudadelas

El arte egeo alcanzó su esplendor h. 1650–1450 a. C. y fue inicialmente dominado por los minoicos, establecidos en Creta. Sin embargo, en lo más alto de su influencia, la civilización minoica cayó y su posición fue rápidamente heredada por los micénicos, una raza de guerreros que floreció en Grecia del 1600 al 1200 a. C. A este periodo se lo llamó "Heroico" u "Homérico", ya que la vida de los micénicos encaja perfectamente con las descripciones de *La Ilíada* y *La Odisea*, poemas épicos de Homero. Aunque puede que se emplearan artesanos cretenses en la reconstrucción de las ciudadelas micénicas, ambos estilos permanecieron diferenciados. Los edificios micénicos eran cuidadosamente planificados su atención, centrada en el megarón (unidad central), mientras que los minoicos favorecían estructuras complejas y laberínticas.

Distribución de los palacios

Los palacios, al igual que las ciudadelas que los contenían, estaban bien defendidos. En el Palacio de Tirinos (finales del siglo XIII a. C.), cerca de Micenas, los visitantes tenían que cruzar una serie de patios cerrados y dos puertas en forma de H (propileas) antesde alcanzar el pórtico de entrada a la unidad central (megarón). Alrededor del megarón había un complejo de cámaras que incluía dormitorios y cuartos de baño.

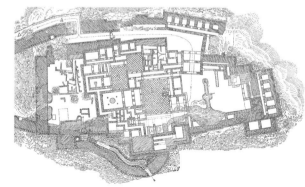

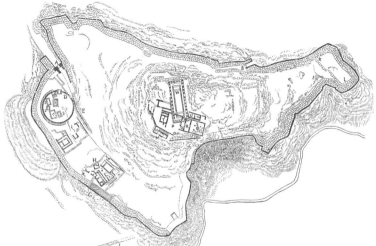

Ciudadelas micénicas (h. 1340 a. C.)

Las ciudadelas eran construidas en colinas estratégicas, a menudo inexpugnables, y estaban rodeadas por fuertes murallas. En el extremo superior de la planta estaba el palacio, donde vivían el soberano y su familia. La vivienda de las figuras importantes, como los líderes militares, también se encontraba dentro del recinto, pero la mayor parte de la población vivía fuera de las murallas de la ciudadela.

Puerta de los Leones, Micenas (h. 1250 a. C.)

Se entraba en las ciudadelas a través de puertas como la de los Leones, en Micenas, que consiste en dos piedras verticales que soportan un vasto dintel. En el interior del triángulo de descarga (*ver pág. 88*) hay una losa con un relieve de dos leonas. La muralla, a la izquierda, y un bastión rectangular, a la derecha (*ver planta, izquierda*) proporcionaban cobertura a los que defendían la entrada.

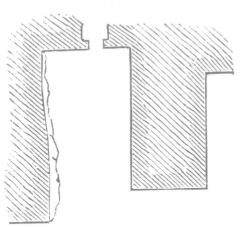

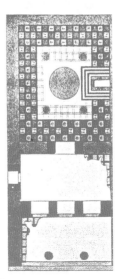

Murallas ciclópeas

Los griegos clásicos atribuían las impresionantes murallas micénicas —compuestas de grandes bloques irregulares de piedra— a los míticos Cíclopes, una raza de gigantes. Por ello, las murallas fueron llamadas ciclópeas. Servían para defender las ciudadelas y, a veces, estaban terminadas con empalizadas (vallas protectoras).

Triglifo

Una forma ornamental común, tanto en los palacios minoicos como en los micénicos, es el llamado triglifo o motivo. Consistía en series de medios rosetones separados por bandas verticales. Se ha dicho que fueron la inspiración para las metopas y triglifos de los frisos dóricos griegos, pero no hay pruebas de ello.

Megarón

El megarón era la unidad central del palacio y su unidad doméstica principal. Era un complejo estrecho compuesto por un pórtico con columnas (llamado *aithousa* por Homero), una antecámara (*prodomus*) y el megarón propiamente dicho. Esta ilustración muestra el megarón de Tirinos, que data de finales del siglo XII a. C. La *aithousa* estaba orientada al sur y se accedía a ella por un patio interior.

Hogar circular

El megarón propiamente dicho contenía un trono elevado y un hogar circular, en el centro, rodeado por cuatro columnas de madera que soportaban el techo. El suelo de este megarón estaba pintado como un tablero de ajedrez, mientras que las paredes se adornaban con frescos.

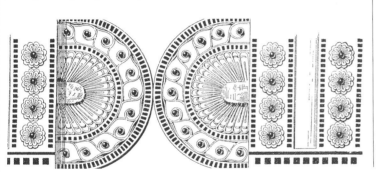

Preclásico

Micénico: Tumbas

Entre los monumentos micénicos más espléndidos encontramos los *tholos*, o tumbas "colmena", que se desarrollaron gradualmente del 1510 al 1220 a. C. aproximadamente. Se construyeron, casi con certeza, para alojar los restos de los reyes y sus allegados, diferenciándolos de las tumbas del resto de la gente, que eran excavadas en roca. Ambas eran subterráneas, pero los *tholos* se construían en la falda de las colinas. Los dos principales —llamados Tesoros de Atreo o Agamenón (h. 1250 a. C.) y Clitemnestra (h. 1220 a. C.), en Micenas, y descubiertos por Heinrich Schliemann en 1876— fueron considerados "tesoros", por los dorios de la Grecia central, por la riqueza de sus bienes sepulcrales. La falsa cúpula, por aproximación de hiladas, es su característica más importante. Se dice que la del Tesoro de Atreo, que alcanza los 13,2 m (43 pies), ha sido la bóveda pre-romana más grande conocida.

▶ Triángulo de descarga ◀

Una característica distintiva de la arquitectura micénica era un "triángulo de descarga", a veces relleno con un panel esculpido. El triángulo servía para absorber el peso de encima de la puerta y, de ese modo, descargar el dintel. Las entradas de los *tholos* estaban coronadas con un dintel y un triángulo de descarga.

▶ Elementos de la planta

Tres son los elementos principales de un tumba *tholos*: el *dromos*, pasillo horizontal; el *stomion*, una entrada profunda con puerta; y el *tholos*, la cámara principal, redonda. Hay dos casos conocidos en los que desde el *tholos* se abre una cámara mortuoria adicional.

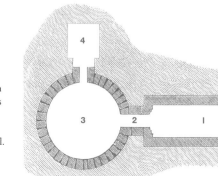

▶ Falsa cúpula

por aproximación de hiladas

La falsa cúpula de un *tholos* se asemeja a una colmena antigua y se construía en hiladas de sillares (piedras de corte cuadrado), que estaban voladas, es decir, cada fila se colocaba sobresaliendo respecto a la de debajo, hasta llegar al tope. Mientras se construía la cúpula se cubría de tierra para darle estabilidad. Al final, el conjunto se tapaba con un túmulo (montículo de tierra).

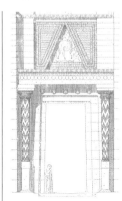

Entrada principal

Varias tumbas *tholos* tenían fachadas decoradas y coloreadas. La del Tesoro de Atreo (h. 1250 a. C.) era probablemente la más elaborada de todas. La entrada, que se cerraba con puertas dobles, estaba flanqueda por columnas adosadas, y encima había un friso de pórfido rojo.

Dromos

Se llegaba a la tumba a través de un pasillo horizontal (*dromos*) revestido con bloques de piedra, como aquí, en el Tesoro de Clitemnestra (h. 1220 a. C.). La existencia de un muro en la entrada a este *dromos* y el bloqueo en el *stomion*, prueban que la tumba era sellada después de usarse y el *dromos* rellenado. Ocurría lo mismo en todas las tumbas, fueran *tholos* o cámaras.

Decoración de la cúpula

Originalmente, parece que algunas —si no todas— las cúpulas de los *tholos* estaban altamente decoradas. Se han encontrado restos de clavos de bronce entre las hiladas de las cúpulas y éstas probablemente tenían rosetones o estrellas. Los *tholos* imitaban de ese modo la cúpula del cielo. También había frisos metálicos decorando las hiladas más bajas de la cúpula.

Columnas

Las columnas micénicas (como los ejemplos minoicos) eran delgadas y de fuste disminuido hacia abajo. Las que adornaban la entrada del Tesoro de Atreo tenían el fuste de alabastro verde, tallado con relieves de espirales y galones.

Decoración de superficies

Las paredes y el techo de la cámara lateral del Tesoro de Minos, *Orchomenos* (h. 1220 a. C.), estaban cubiertas con losas decoradas con espirales, rosetones y otros motivos populares, y muestran restos de color.

Preclásico

Etruscos: Tumbas

Así como la arquitectura micénica parece haber influenciado a los griegos clásicos, las estructuras levantadas por los etruscos son importantes en la evolución de la arquitectura romana. Los etruscos, probablemente, provienen de Asia Menor y se asentaron en el centro occidental de Italia (Etruria), entre los ríos Arno y Tíber. Su poder creció a finales del siglo VII y, por un tiempo, la misma Roma fue gobernada por reyes etruscos. Empezó a declinar al establecerse la república en el 509 a. C., y fue entonces cuando sus ciudades estado fueron conquistadas. Sin embargo, los etruscos continuaron con su actividad arquitectónica, que mantuvo su carácter distintivo hasta el siglo I a. C. Sobreviven muy pocas edificaciones etruscas pero, las que lo hacen, son extremadamente bellas, especialmente las tumbas, que se situaban principalmente en necrópolis específicas. Las primeras se cubrieron con túmulos pero, rondando el 400 a. C., se empezaron a construir cámaras con fachadas ornamentales y acceso directo desde el exterior.

Túmulos

Desde los primeros tiempos, los etruscos marcaban los lugares de descanso de los muertos con terraplenes (túmulos). Se hacían en gran número, juntos, y se colocaban en filas, como en Cerveteri (Caere).

Regolini Galassi, Cerveteri (Caere)

Uno de los más magníficos monumentos sepulcrales etruscos es la tumba Regolini Galassi de Cerveteri. La original (probablemente real) tumba, data de h. 650 a. C. y consta de un túmulo con dos cámaras de piedra.

Casas tumba

Los etruscos pensaban que los muertos debían morar como lo hacían en vida. Se construyeron muchas tumbas imitando casas, que incluso eran colocadas a lo largo de calles pavimentadas. Se hacían de roca y en sus fachadas había chambranas labradas y, en ocasiones, ventanas. Estas tumbas, a veces, contenían mobiliario de piedra, incluyendo camas (en las que descansaban los cuerpos), cujas y almohadas. De las paredes, enlucidas y pintadas, colgaban utensilios domésticos.

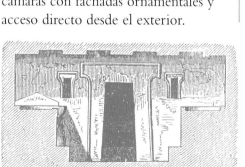

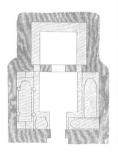

Cámaras por aproximación de hiladas, Regolini Galassi

La cámara mortuoria de Regolini Galassi, que es rectangular, tiene un inusual tejado, construido por aproximación de hiladas, como las cúpulas de los *tholos* micénicos. Se llegaba a ella a través de un largo pasillo (*dromos*) con cámaras laterales.

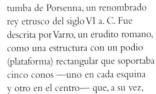

Tumba de Porsenna, Chiusi (Clusis)

Un monumento extraordinario era la tumba de Porsenna, un renombrado rey etrusco del siglo VI a. C. Fue descrita por Varro, un erudito romano, como una estructura con un podio (plataforma) rectangular que soportaba cinco conos —uno en cada esquina y otro en el centro— que, a su vez, soportaban dos plantas similares. Los conos más bajos tenían un doselete circular, que llevaba campanitas sujetas con cadenas.

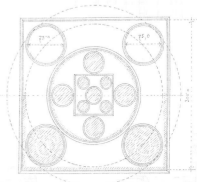

Tumbas cúbicas

Algunas tumbas eran independientes, hechas directamenteen la roca. Parece que estas—denominadas tumbas cúbicas— originalmente tuvieron tejado. El que mostramos aquí está reconstruido en la forma de una pirámide, pero muchos pueden haber sido curvilíneos. Las ricas molduras son particularmente características de las tumbas cúbicas. Era típico que las entradas estuvieran rodeadas por un marco elegante, con jambas en disminución y dinteles que se proyectaban a derecha e izquierda.

Preclásico

Etrusco: Otros Edificios

Los etruscos, como sabemos por los escritos de Vitrubio, un arquitecto e ingeniero romano del siglo I a. C., desarrollaron un tipo de templo que, si bien estaba inspirado en los ejemplos griegos y orientales, era distintivo por derecho propio. Se ajustaba a normas específicas, atribuidas, según Vitrubio, a las disposiciones toscanas. Los templos eran habitualmente de adobe y madera, aunque posteriormente se utilizó piedra, y parece que se construyeron con orientación sur. Estaban situados en el centro del pueblo y enfrentados a la plaza, donde se colocaban los altares. Los etruscos también eran buenos ingenieros. Construyeron numerosos puentes y acueductos. A partir del siglo IV, con la creciente necesidad de defenderse, se erigieron murallas monumentales en las ciudades. Éstas estaban interrumpidas por bellas puertas, siendo los ejemplos supervivientes más famosos los de Perugia (h. 300 a. C.), Volterra (h. 300 a. C.) y Falerium Novum (h. 250 a. C.).

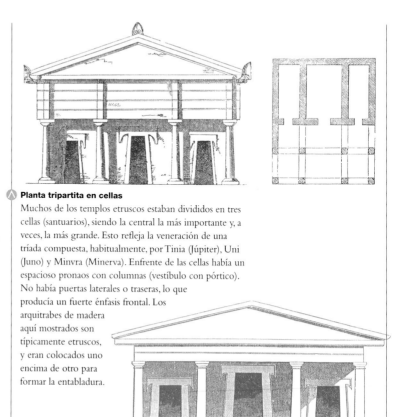

Planta tripartita en cellas

Muchos de los templos etruscos estaban divididos en tres cellas (santuarios), siendo la central la más importante y, a veces, la más grande. Esto refleja la veneración de una tríada compuesta, habitualmente, por Tinia (Júpiter), Uni (Juno) y Minvra (Minerva). Enfrente de las cellas había un espacioso pronaos con columnas (vestíbulo con pórtico). No había puertas laterales o traseras, lo que producía un fuerte énfasis frontal. Los arquitrabes de madera aquí mostrados son típicamente etruscos, y eran colocados uno encima de otro para formar la entabladura.

Elevación del templo

Los templos siempre estaban colocados en altos podios (plataformas) construidos con sillares. Las escalinatas frontales subían hasta el nivel del pronaos, el cual puede haber sido utilizado por las figuras religiosas para dirigirse a las masas. El frontón era de baja altura y estaba proyectado más allá de las columnas, al igual que los aleros. Parece que las columnas etruscas son una versión simplificada de las dóricas griegas; eran lisas, con basa y capitel sin decorar. Esta forma fue heredada por los romanos como orden toscano.

Alae

Había variaciones en las plantas tripartitas en cellas. Las dos cellas exteriores podían dejarse abiertas como alas (*alae*) y las columnas alinearse a lo largo de los lados. Las *alae* también podían estar en un recinto formado por muros que se extendían a lo largo de los lados del templo, formando corredores laterales. En el conocido caso del Templo de Júpiter Capitolinus (dedicado en el 509 a. C., recostruido y vuelto a dedicar en el 69 a. C.) había tres cellas flanqueadas por *alae*.

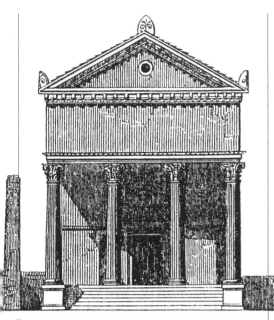

Decoración del Templo

Los templos estaban profusamente decorados con terracota pintada, que servía, en parte, para proteger los elementos de madera de la estructura. Los tejados, por ejemplo, tenían antefijas (losas que se usaban para cerrar el final de una fila de tejas), y había estatuas en el frontón y en el pronaos. Éste es un templo romano corintio que, se cree, imita al modelo etrusco.

Arcos apuntados

Los etruscos podían construir arcos apuntados con el mismo método, por aproximación de hiladas, utilizado en las cámaras de las tumbas, es decir, colocando hiladas horizontales de piedras y haciendo repisas en los extremos internos para formar un arco.

Arcos de medio punto

Los etruscos, al contrario que los griegos, favorecieron el uso del arco en las viviendas, las puertas de la ciudad, los puentes y en otros monumentos públicos. Es posible que fueran los pioneros en la utilización del arco en Italia, aunque puede que los romanos lo desarrollaran simultáneamente. La forma básica está compuesta por piedras en forma de cuña (dovelas).

Grecia Antigua,
mediados del siglo VII – siglo I

Primera arquitectura

La destrucción de Micenas, en el siglo XII a. C., fue seguida por un periodo de declive, a menudo llamado "Edad Oscura" de Grecia, y hasta los siglos VIII y VII a. C. no revivió el arte. En estos primeros tiempos predominó un determinado tipo de edificio: el templo. El templo era concebido como morada de un dios, que variaba en función de las preferencias y las tradiciones. Inicialmente, el templo tomó la forma de una habitación individual o de una cabaña, con un muro de ladrillo secado al sol. Fuera estaba el altar que se usaba para el sacrificio de animales. Gradualmente aparecieron columnas en el interior de estos edificios y, luego, fue el turno de las fachadas. Finalmente, a finales del siglo VII a. C., el cuerpo principal del santuario estaba totalmente rodeado de una única fila de columnas, conocida como peristilo. El peristilo era exclusivo de la arquitectura griega y uno de sus rasgos característicos.

Xoanon

Es probable que los templos griegos se originaran como cabañas, conocidas como *xoanon*, que servían para cobijar una tosca estatua, en madera, de un dios. La inmensa mayoría de los templos tenían orientación este-oeste, de tal modo que cuando salía el sol, iluminaba el *xoanon*.

Construcción del tejado

En la arquitectura griega, los dinteles de madera (vigas horizontales) soportaban las pesadas traviesas, que a su vez llevaban puntales y pares en pendiente. El espacio no pudo agrandarse hasta que se utilizaron columnas interiores. Posteriormente, los elementos de madera de esta construcción fueron trasladados a la piedra.

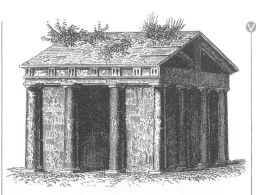

Sistema adintelado

El principio fundamental de la arquitectura griega es el sistema poste-dintel, también conocido como adintelado o columnar y adintelado. En este sistema, las vigas horizontales (dinteles) se sostienen mediante columnas (postes). El sistema de arcos no fue usado por lo griegos.

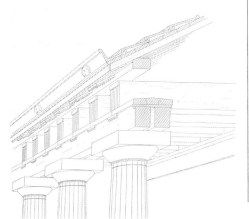

Origen de los triglifos

Una gran cantidad de los detalles característicos de la arquitectura clásica tuvo su origen en formas de madera. El triglifo, característico del orden dórico, es un buen ejemplo. De acuerdo con Vitrubio, en los primeros tiempos se cortaban los finales de las vigas que se proyectaban más allá de las paredes y se ornamentaban con paneles pintados con cera azul.

Intercolumnio (luz)

La palabra intercolumnio hace referencia al espacio abierto entre dos columnas. Vitrubio —un escritor romano del siglo I a. C.— establece cinco variantes principales: picnóstilo, en el que las columnas se colocan muy juntas (1 1/2 módulos); sístilo, columnas ligeramente más separadas (2 módulos); éustilo, aún más separadas (2 1/4 diámetros); diástilo, más separadas de nuevo (3 módulos); y areóstilo, en el cual las columnas estaban "más separadas de lo que deberían" (4 módulos).

Columnata interior

Los templos más antiguos son a menudo reconocibles por la existencia de una fila de columnas (columnata) en su interior. Éstas sujetaban el techo y el tejado cuando las paredes estaban demasiado alejadas para usar una viga transversal. Otras características significativas que definen un templo temprano son los amplios intercolumnios (los arquitrabes de madera podían salvar grandes huecos) y las largas proporciones. Éste, el Templo de Apolo, Thermum siglo VII, fue uno de los primeros edificios en ostentar un peristilo.

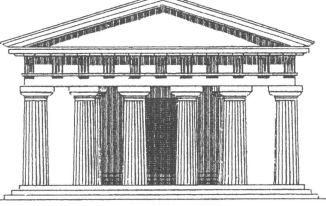

Crepidoma

Los templos se construían sobre plataformas de piedra conocidas como *crepidoma*. Los más comunes tenían tres escalones. El escalón superior, sobre el que las columnas descansan directamente, era conocido como *stilóbato*. La subestructura de un templo se llamó *stereóbato*.

Grecia Antigua

El templo: formas y elementos

Desde que la planta básica de templo se completó, en el siglo VII a. C., sus formas y elementos permanecieron inmutables. El objetivo de los griegos era perfeccionar sus edificios en todos los sentidos, pero lo hicieron despacio y sin cambiar los elementos esenciales —peristilo, pórtico, *pronaos, naos y opisthodomus*. La arquitectura griega era un arte basado en las matemáticas, gracias a los descubrimientos del filósofo jónico Pitágoras (h. 580-500 a. C.), quien consideraba los números como una expresión del lenguaje fundamental que vinculaba a humanos y dioses. Los griegos sentían que cuando ratios y proporciones se aplicaran correctamente tanto a la planta como al alzado, el resultado sería belleza, perfección y "symmetria" (no como nosotros entendemos simetría, sino el equilibrio perfecto de las partes). La unidad de medida estándar para lograr la *symmetria* era el módulo, que tradicionalmente era igual al diámetro o medio diámetro de la base del fuste de la columna.

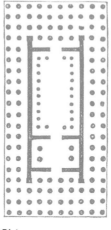

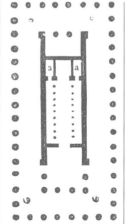

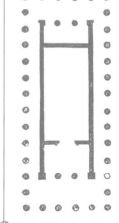

△ Díptero

Díptero es el término aplicado a un templo totalmente rodeado por dos filas de columnas —un peristilo doble.

▽ Frontispicio

El frontispicio es un frontón de baja altura, situado al final del tejado, que la mayor parte de las veces está encima de un pórtico. La superficie triangular de la pared, cercada por las cornisas horizontales de la entabladura de debajo y los lados en pendiente (cornisas inclinadas), se conoce como *tímpano*.

△ Pseudodíptero

Pseudodíptero se refiere a un desarrollo posterior de la planta díptera, en la que se omite la fila interior de columnas. Esta forma se hizo particularmente popular en la fase tardía de la arquitectura griega, cerca del siglo II a. C., y, según el arquitecto romano e ingeniero militar Vitrubio, su pionero fue el arquitecto Hermógenes.

△ Planta básica de un templo

Los templos griegos eran casi siempre de forma rectangular y constaban de ciertos elementos fijos. El edificio estaba rodeado por un peristilo, también conocido como columnata períptera o *pteron*. Entre las columnas, y separado de ellas por un pasaje (*pteroma*), estaba el santuario principal. Generalmente consistía en tres partes: el vestíbulo o porche (*pronaos*), la propia capilla (cella o *naos*), y la celda trasera o porche (*opisthodomus*).

 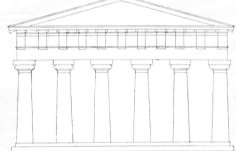

Pórtico

El pórtico es el porche o entrada principal a un templo, estaba techado y generalmente tenía los lados abiertos. El número de columnas que forman un pórtico está determinado por su nombre arquitectónico. Por ejemplo, *tetróstilo* (cuatro columnas), *hexástilo* (seiscolumnas) y *decástilo* (diez columnas).

Interior del templo

El interior del templo habría sido mucho más sencillo que el exterior, un hecho que reflejaba el propio papel del edificio. Los templos no estaban diseñados para acoger congregaciones de devotos. Parece que sólo el clero o las personas privilegiadas podían acceder, mientras que los devotos se reunían delante y alrededor del edificio.

Cella

La cella, o *naos*, en el centro del templo, contenía la estatua de la deidad. Debía estar llena de ofrendas, como el vestíbulo (*pronaos*). A veces, el porche trasero (*opisthodomus*) tenía puertas de bronce y servía con frecuencia como tesorería.

In antis

El sitio donde el pórtico retrocede en el edificio, con las columnas alineadas a lo largo de la fachada, se conoce como *in antis* ("entre las *antae*"). Las *antae* son las pilastras o postes de las esquinas, que se proyectan ligeramente y forman los bordes exteriores de un pórtico.

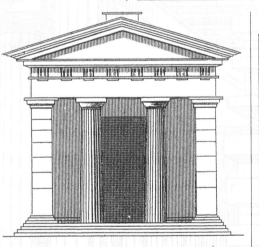

Prostyle

El *prostyle* (próstilo), opuesto de *in antis*, describe un pórtico que se proyecta hacia delante de la fachada de un edificio. Cuando se coloca un segundo pórtico al final del lado opuesto, y no hay columnas en los laterales, se llama *anphiprostyle*.

Grecia Antigua

Los órdenes: dórico

Los órdenes, sistemas estructurales de organización de componentes, jugaron un papel crucial en la búsqueda griega de la perfección de las proporciones. Las columnas, los fustes, los capiteles y la entabladura se decoraban de acuerdo a uno de los tres órdenes aceptados —dórico, jónico y corintio. El orden dórico se desarrollo en las tierras ocupadas por los dorios, una de las dos principales divisiones de la raza griega. Se convirtió en el estilo preferido del continente griego y sus colonias occidentales (las sureñas Italia y Sicilia), conocido como *Magna Graecia*. El dórico alcanzó su cenit a mediados del siglo V a. C., y fue uno de los órdenes aceptados por los romanos. Sus características son masculinidad, fuerza y solidez.

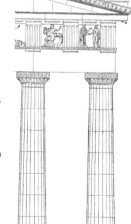

Rasgos característicos

Las columnas dóricas carecen de basa, son estriadas y están coronadas por un capitel achatado. Su altura, incluyendo el capitel, varía de cuatro a seis veces el diámetro de la base de su fuste. La entabladura dórica consiste de un arquitrabe sencillo, un friso de triglifos y metopas alternados y una cornisa lisa coronándola.

Triglifos y metopas

Una de las peculiaridades más características del orden dórico es su friso, hecho de triglifos y metopas. Los triglifos son bloques verticales, generalmente alineados sobre cada columna y cada intercolumnio. Consisten de dos estrías verticales (glifos), bordeadas por dos semi o medios-glifos (de ahí el triglifo o tres-glifos). Las metopas son los paneles cuadrados entre los triglifos, y a menudo estaban ricamente decorados.

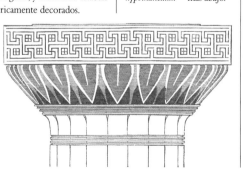

Capitel dórico

El capitel dórico —el miembro superior de su columna— consiste en una sección de esfera en forma de disco conocida como echinus, y una losa cuadrada llamada ábaco. Disimulando la unión del *echius* y el fuste de la columna encontramos molduras horizontales llamadas collarinos. Hay una banda modelada similar —conocida como *hypotrachelium*— más abajo.

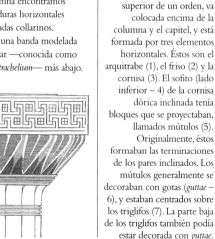

Entabladura

La entabladura es la parte superior de un orden, va colocada encima de la columna y el capitel, y está formada por tres elementos horizontales. Éstos son el arquitrabe (1), el friso (2) y la cornisa (3). El sofito (lado inferior – 4) de la cornisa dórica inclinada tenía bloques que se proyectaban, llamados mútulos (5). Originalmente, éstos formaban las terminaciones de los pares inclinados. Los mútulos generalmente se decoraban con gotas (guttae – 6), y estaban centrados sobre los triglifos (7). La parte baja de los triglifos también podía estar decorada con *guttae*.

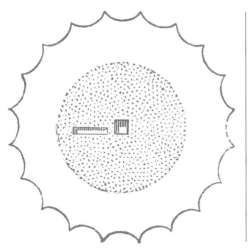

Antefija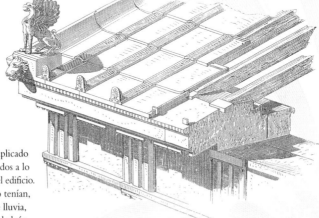

Los finales de las tejas de los bordes de un tejado se disimulaban con
bloques ornamentales conocidos como antefijas, elementos verticales
a menudo tallados con motivos *antemiyon* (madreselva). Al contrario
que su equivalente dórico, el templo jónico no solía llevar antefija
en sus flancos. La imagen de abajo también muestra un sima tallado
y *acroterion* (ver Pág. 107) en la forma de un grifo.

Estrías y aristas

Las columnas dóricas están,
generalmente, talladas con
canales paralelos verticales
llamados estrías (como se
muestra en esta sección
transversal de una columna),
en un número de 20. Las
estrías dóricas se unen en
crestas afiladas llamadas
aristas.

Sima

Sima, o *cymatium*, es el término aplicado
a los canalones del tejado, colocados a lo
largo de los frontones y flancos del edificio.
Los de los estilos dórico y jónico tenían,
a menudo, salidas para el agua de lluvia,
modelados en forma de cabezas de león.

Diseño clave

Una forma común de
ornamentación de los
templos dóricos era la
greca, conocida como
diseño clave, diseño
clave griego, serpentina,
o, como en este caso,
motivo en laberinto.

Grecia Antigua

Los órdenes: jónico

Parece que el orden jónico se desarrolló simultáneamente con el dórico, aunque no tomó su forma final ni su extendido uso hasta mediados del siglo V a. C. Este estilo prevaleció en las tierras jónicas, centrado en la costa de Asia Menor y las islas del Egeo. Las formas de este orden fueron mucho menos fijas que las del dórico, con variaciones locales que persistieron durante muchas décadas. Incluso cuando se volvió más coherente, se admitían alternativas. Al principio, tanto el dórico como el jónico estaban restringidos a sus respectivas áreas de origen, pero gradualmente ambos estilos se entremezclaron en construcciones únicas, como los Propileos, Atenas (437-431 a. C.). Más o menos un siglo después surgió realmente el jónico, con piezas maestras como el templo de Atenea Polias en Priene (h. 340 a. C.). Según el arquitecto romano Vitrubio, las características principales del orden jónico eran la belleza, la feminidad y la esbeltez, estando basado en las proporciones de una mujer.

Huevo y dardo

El orden jónico, en particular, está a menudo adornado con moldes tallados. Uno de los más comunes era el huevo y el dardo, también conocido como huevo y lengua o huevo y ancla.

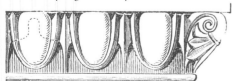

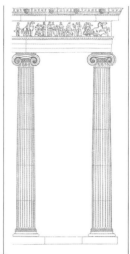

Características distintivas

Las columnas jónicas, al contrario que sus homólogas dóricas, están siempre colocadas sobre una base (la parte entre el fuste y el *crepidoma*). El capitel de este orden, su marca de fábrica, tiene dos espirales (volutas) y soporta la entabladura, que es mucho más ligera que la del orden dórico.

Cuentas y carrete

Otro molde tallado, común y asociado a este orden, es el de cuentas y carrete, o cuentas y filete. Frecuentemente adornaba el astrágalo, una banda semicircular que separaba el fuste del capitel.

Entabladura

La entabladura jónica evolucionó en varias fases, pero en su forma más característica (siglo IV a. C. en adelante) consistía en un arquitrabe dividido en tres bandas amplias, conocidas como *fasciae*, un friso continuo (bien liso o esculpido) y una cornisa frecuentemente elaborada y con *dentils*, o bloques en forma de diente.

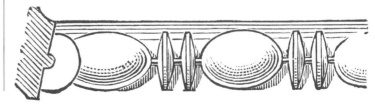

Capitel

Las volutas del capitel jónico descansaban sobre un *echinus*, que casi invariablemente estaba tallado con huevos y dardos. Encima de la voluta había un ábaco, menos alto que el del orden dórico, que de nuevo estaba decorado con huevos y dardos.

Antemiyon y palmito

Frecuentemente se colocaba un ornamento tallado con palmito, una estilizada hoja de palmera, y *antemiyon* (madreselva), alrededor del collarino de las columnas jónicas. El *antemiyon* era, en sí mismo, un motivo muy usado, siendo común en los templos griegos.

Basa ática

La basa ática, llamada así porque fue perfeccionada en Attica, se utilizaba ampliamente en los siglos V y VI a. C. Consistía en dos *torus*, o molduras convexas, la inferior de diámetro superior, que estaban unidos por un elemento cóncavo conocido como *scotia*.

Estrías y filetes

Las columnas jónicas eran estriadas, siendo características veinticuatro estrías. Éstas eran más profundas que los canales del dórico, y estaban divididas por unas bandas lisas y estrechas conocidas como filetes.

Voluta

La voluta, también conocida como hélice, es un rollo en espiral que adorna el capitel jónico. Parece que deriva de formas naturales, como la concha del nautilos, y apareció muy pronto en los capiteles. La parte circular central de la voluta se llama el ojo.

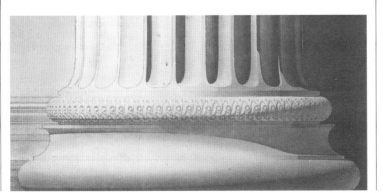

Grecia Antigua

Los órdenes: corintio

El tercero de los órdenes griegos fue también el último en aparecer. Los primeros ejemplos documentados del uso del corintio están (internamente) en el Templo de Apolo Epicuro, Bassae (429-390 a. C.) y (externamente) en la Linterna de Lisícrates, Atenas (335–334 a. C.). El corintio no era un sistema estructural, como los órdenes dórico y jónico, sino puramente decorativo y su efecto se debía casi por completo a su elaborado capitel floral. Este capitel fue un diseño del escultor ateniense Calímaco, según Vitrubio, y, en su forma original, pudo haberse trabajado en bronce. Aparte de este capitel, el resto de los elementos se tomaron prestados del orden jónico. En el periodo Helenístico (después de la muerte de Alejandro en el 323 a. C.), y de forma gradual, el corintio comenzó a desarrollarse, pero fueron los romanos los que unieron los elementos y lo perfeccionaron. Vitrubio declaró que el orden corintio imitaba la "gracilidad de una doncella", el efecto del conjunto es de elegancia y belleza.

Orígenes del diseño del capitel corintio
De acuerdo con Vitrubio, Calímaco diseñó el capitel corintio después de ver un canasto rebosante de hojas de acanto. Supuestamente estaba sobre la tumba de una joven. La antigua niñera de ésta introdujo en él algunas de sus pertenencias más preciadas y, en primavera, el acanto brotó y creció alrededor del canasto. Una teja, colocada en lo alto del cesto, obligaba a las hojas a curvarse en espiral en los bordes exteriores.

Características distintivas
Como en el jónico, el mejor modo de reconocer el corintio es por su capitel. Ya que el resto de las características proceden del jónico, cabe esperar encontrar basa, estrías, un arquitrabe dividido en *fasciae*, un friso tallado y una cornisa dentada.

Capitel

El capitel corintio tiene, en su forma perfecta, dos hileras de ocho hojas de acanto. De la parte más alta, salen tallos (*caulicoli*) que terminan en volutas o hélices. Éstas soportan el ábaco (losa superior), que característicamente tiene cuatro caras cóncavas. En el centro de cada lado hay un *antemiyon* (motivo de madreselva).

Forma antigua de capitel

Ésta es la forma en que apareció por primera vez el capitel corintio, en la Linterna de Lisícrates, del siglo IV. Sólo hay una fila de hojas de acanto. El lugar de la fila baja está ocupado por hojas acuáticas (un tipo de hoja de loto o hiedra). El capitel está inusualmente alto; 1½ diámetros de columna, más que la medida posteriormente aceptada, que era 1⅙ diámetros.

Acanto

El elemento decorativo principal del capitel corintio es la hoja de *acantus*, una resistente planta herbácea natural de las orillas del Mediterráneo. Los griegos se inspiraron el la variedad de hojas afiladas *Acanthus spinosus*, mientras que los romanos prefirieron los perfiles anchos del *Acanthus mollins*.

Basa

La basa de un capitel corintio procede del jónico. Era habitual del estilo ático, con dos *torus* separados por una *scotia*. Las divisiones entre estos elementos estaban marcadas por estrechas bandas llamadas filetes. Otra forma común, la basa asiática, tenía dos *scotias* con astrágalos separadores y un toro superior tallado con cañas.

Grecia Antigua

El auge del dórico

A lo largo del siglo VI y principios del siglo V —llamados periodos "Arcaico" y "Clásico Temprano"—las formas de la arquitectura griega evolucionaron constantemente, siendo el dórico el orden supremo. Se sustituyó la madera por piedra —un proceso conocido como "petrificación"— y las formas, concebidas en madera, se conservaron en el nuevo material. La mayoría de los edificios supervivientes de este periodo están en la Magna Grecia (sur de Italia y Sicilia). Esta región escapó bastante indemne de la destrucción masiva causada por las guerras persas de 490-480 a. C. y, por ello, guarda algunos de los primeros, más interesantes y mejor conservados templos de Grecia. Hoy en día éstos tienen un aspecto austero y simple, pero originalmente debieron estar ricamente coloreados y elaboradamente esculpidos. El orden dórico y la forma de los templos de Grecia terminaron de desarrollarse durante este periodo, no habiendo mejoras significativas posteriores a 500 a. C., aproximadamente.

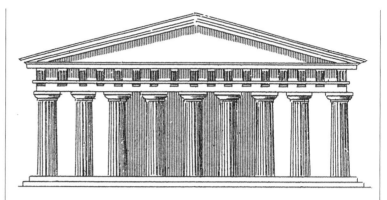

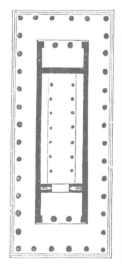

Paestum, sur de Italia (siglos VI / V a. C.)

En Paestum —conocida en los tiempos griegos como Posidonia— sobrevive un notable grupo de templos. El más antiguo se conoce como "la Basílica", y fue construido h. 540 a. C. (arriba del todo). Este templo es inusual porque tiene nueve columnas en su pórtico, un número impar que sugiere la presencia de una columnata axial. El Templo de Poseidón (h. 460 – 440 a. C.) (arriba y derecha), que era hexástilo, también tiene una columnata interna, aunque aquí es de dos filas, una disposición más desarrollada que permitía la visión ininterrumpida de la deidad.

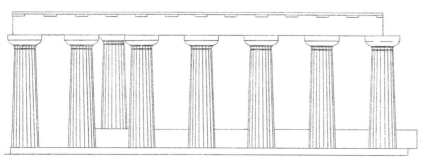

Entasis

Desde los primeros tiempos, los griegos incorporaron distorsiones intencionadas —conocidas como "refinamientos"— en sus templos. Uno de los más básicos era la *entasis*, una ligera curvatura del perfil del fuste de la columna de modo que éste era más ancho a la mitad. Fue especialmente pronunciada en el siglo VI a. C. La *entasis* se utilizaba como corrección a una ilusión óptica, ya que se creía que las columnas totalmente rectas daban la sensación de ser cóncavas.

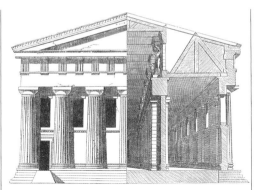

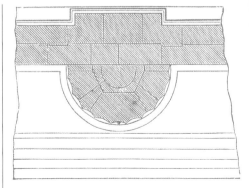

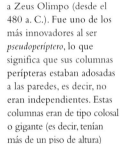

Columna adosada

Una columna que se proyecta directamente desde la superficie de una pared se conoce como adosada. Si entre la mitad y tres cuartas partes de la curvatura de su fuste están expuestas puede llamarse media columna.

Atlantes

Los atlantes, conocidos por los romanos como telamones, son soportes arquitectónicos tallados en la forma de figuras masculinas. A menudo se muestran tensando un peso, como en el Templo de Zeus Olimpo (h. 510-409 a. C.), Agrigentum, donde se cree que soportaban la entabladura exterior y descargaban la albañilería que estaba detrás. Se ha especulado sobre si se usaban internamente. Sus homólogos femeninos se conocen como cariátides.

Orden superpuesto

Un orden superpuesto se refiere a la colocación de una fila de columnas sobre otra, creando una doble hilada o planta. Los órdenes superpuestos —dórico sobre dórico— se usaron frecuentemente en templos de este periodo como una manera de soportar el tejado. Posteriormente, sobre todo en los tiempos romanos, los órdenes siguieron una secuencia concreta; dórico, jónico y luego corintio.

Templo pseudoperíptero

Uno de los más grandes templos dóricos se construyó en Acragas (actual Agrigentum), en Sicilia, y estaba dedicado a Zeus Olimpo (desde el 480 a. C.). Fue uno de los más innovadores al ser *pseudoperíptero*, lo que significa que sus columnas perípteras estaban adosadas a las paredes, es decir, no eran independientes. Estas columnas eran de tipo colosal o gigante (es decir, tenían más de un piso de altura) y no eran convencionales, ya que tenían basas.

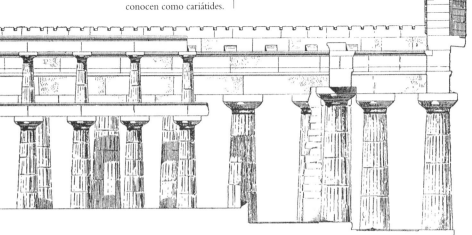

Grecia Antigua

Periodo de Pericles

La arquitectura griega alcanzó su máximo esplendor a mediados del siglo V a. C., un periodo frecuentemente denominado periodo "clásico pleno". En este periodo se produjeron algunos de los edificios más grandiosos del mundo, debido, en su mayor parte, al sólido trasfondo político y económico del momento. Los griegos por fin habían conseguido vencer a los invasores persas, los cuales dejaron un rastro de destrucción masiva. La victoria griega causó euforia y un renovado sentido de orgullo y patriotismo. Los despojos de la guerras se usaron para construir nuevos y gloriosos santuarios, y el fervor constructivo alcanzó su cima con Pericles, el gran estadista ateniense que gobernó h. 444-429 a. C. y dio su nombre a todo el periodo.

▽ Hecatompedon

La palabra *hecatompedon* se refiere a un templo que mide 100 pies griegos de largo. Un ejemplo es el de Hefaistos (o Teseo) de Atenas, construido del 449-444 a. C.

▽ Características

Los templos dóricos del siglo V a. C. presentaban a menudo características reconocibles; las columnas son más altas y esbeltas que los ejemplos "arcaicos", los frisos están más ricamente decorados y se amplían los intercolumnios. Todos estos cambios reflejan la influencia del estilo jónico.

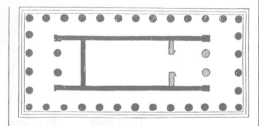

▽ Construcción de templos

En este periodo, la construcción parece haberse hecho al revés —es decir, el propio santuario se construía primero, y después se añadía el peristilo a su alrededor. El Hefaistos (abajo) se encuentra en un asombroso estado de conservación debido al hecho de que fue reconvertido en iglesia por los griegos bizantinos.

Templo en el Illisus, Atenas (449 a. C.)

En el siglo V a. C., los templos jónicos aparecieron, por primera vez, totalmente desarrollados. Este templo de Atenas muestra claramente las características principales del estilo: gracilidad y elegancia. Es *tretóstilo* (tiene un pórtico con cuatro columnas).

Acroteria

La palabra *acroteria*, aplicada correctamente, se refiere a los plintos o pedestales del cenit y las esquinas de un frontispicio. También se utiliza para referirse a las estatuas u ornamentos colocados sobre el frontispicio. Las *acroteria* de este Templo de Zeus, en Olimpia (h.470 a. C.), eran de bronce. Otras eran de forma más modesta pero estaban elaboradamente talladas.

Templo de Apolo Epicuro, Bassae (429-490 a. C.)

La inusual planta de este templo se debe a su orientación. Está alineado norte-sur, en lugar de este-oeste, así que se colocó una puerta de entrada especial en el muro este. La estatua de la divinidad se colocaría en el lado opuesto, en un espacio conocido como *adytum*, *naiskos* o *sekos*.

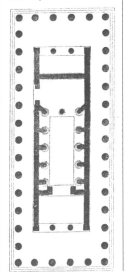

Los tres órdenes

La arquitectura del siglo V a. C. seguía siendo conservadora y tradicional. Sin embargo había excepciones, siendo una de las más notables el Tempo de Apolo Epicuro de Bassae, Arcadia, que fue diseñado por Ictino, responsable también del Partenón. Aquí, por primera vez en la arquitectura griega, aparecen los tres órdenes en un solo edificio: dórico en el peristilo, jónico en el interior y una única columna axial de estilo corintio.

Grecia Antigua

El periodo de Pericles: la Acrópolis

La Acrópolis de Atenas quedó en un estado de caos después de la retirada de los derrotados persas en el 480 a. C. El primer Partenón o *pre-Partenón*, al igual que el resto de los edificios del lugar, había sido completamente destruido. Había proyectos para reconstruir el centro sagrado de Atenas, pero no ocurrió nada hasta el 447 a. C., cuando Pericles tomo el poder. Ansioso por expresar la gloria de su país y el creciente dominio de Atenas, se decidió por un esquema ambicioso. Ictino y Calícrates fueron los arquitectos del templo principal —dedicado a la patrona de la ciudad, Atenas Polias, en 438 a. C. y conocido como el Partenón— y Fidias fue el escultor jefe. Los dos edificios perícleos de la Acrópolis (Partenón y Propileo) representan la arquitectura dórica en su cenit, habiendo conseguido los arquitectos una perfección de proporciones que no se había visto antes, ni se vería después.

Acrópolis

La palabra acrópolis se aplica a la ciudadela o "barrio de los ricos" de cualquier ciudad griega. La mayoría de estas ciudades fueron construidas en colinas, y la acrópolis, en la cima, era el centro de la vida religiosa y política.

Fiestas de las grandes Panateneas

El Partenón —como todos los templos griegos— no sólo tenía función de vivienda de un dios, sino que jugaba un papel social y ritual. Una vez al año, honrando el cumpleaños de Atenea, los atenienses celebraban las Fiestas de las grandes Panateneas. Toda la ciudad tomaba parte en la procesión, que alcanzaba su clímax con la ofrenda de una túnica ornamentada (*peplos*) a la diosa.

Chryselephantine

En el santuario interior (cella) del Partenón había una estatua de Atenea tallada por el famoso escultor Fidias. Esta enorme estatua, junto con otros trabajos similares, es conocida como una *chryselephantine*, lo que significa que tenía un núcleo de madera revestido con marfil y oro.

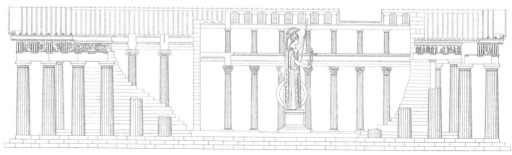

Escultura, Partenón

El Partenón ostentaba un tesoro en esculturas excepcionales, incluyendo dos elaborados frontispicios tallados en 438-432 a. C. El frontispicio del oeste, mostrado aquí, narra la confrontación entre Atenea y Poseidón.

Propylaea (437-432 a. C.) Ⓥ

Las puertas de entrada monumentales, conocidas como *propylaea*, marcaban la vía de entrada a los recintos sagrados. El Propileo de Atenas se alcanzaba subiendo una pendiente pronunciada que salía de la planicie de debajo de la Acrópolis. El edificio tiene pórticos *hexástilos* delante y detrás, pero sólo se completó una de sus alas, ya que se paró la construcción debido al estallido de las guerras del Peloponeso.

Ⓐ Policromía

Todos los edificios de la Acrópolis se construyeron con marfil pentélico blanco, que posteriormente se decoraba con policromía (decoración con colores). En el Partenón, los elementos como los capiteles, metopas y los tímpanos del frontispicio estarían pintados con gran colorido.

Columnas Jónicas, Propileo Ⓥ

En el centro del Propileo había una calle para carros y bestias sacrificatorias. Estaba alineado con el oeste por columnas jónicas, una elección típica de este periodo. También era práctico; su mayor altura disimulaba el cambio de rasante, mientras que su pequeño diámetro ocupaba un espacio mínimo en el suelo.

Planta, Partenón Ⓐ

El Partenón actual ocupa el mismo emplazamiento que su predecesor, y sigue su planta. Aunque el primer templo era *hexástilo* y el actual es octástilo, la estructura permaneció igual. La cámara trasera (*opistodomos*) contenía cuatro columnas jónicas y fue inicialmente llamado el Partenón (Salón de la Virgen), una palabra que se aplicó posteriormente a todo el edificio.

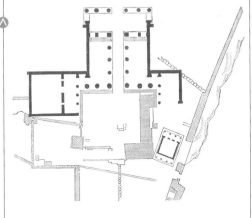

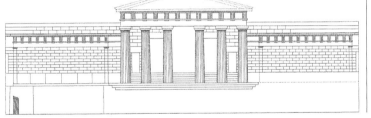

Grecia Antigua

El periodo de Pericles: la Acrópolis II

Los ambiciosos proyectos que Pericles tenía para la Acrópolis se vieron abruptamente interrumpidos en 431 a. C. En ese año, los espartanos se alzaron desafiando a Atenas, que había crecido en poder y prestigio, y comenzaron las guerras del Peloponeso. Durarían hasta 404 a. C., aunque hubo un pequeño interludio entre 421 y 413 a. C., lo que permitió terminar algunos de los monumentos de la Acrópolis y comenzar los dos templos jónicos más grandes de Atenas, el Erecteión (421-406 a. C.) y el Templo de Atenea Niké, o Victoria áptera (421 a. C.). El arquitecto de este último fue Calícrates, que había trabajado en el Partenón, mientras que el Erecteión ha sido atribuido a Mnesiklés, diseñador del Propileo. Los arquitectos eran los mismos, pero el estilo era bien distinto. Había un cambio a favor de las formas flexibles del estilo jónico; el dórico jamás alcanzaría la perfección encarnada del Partenón.

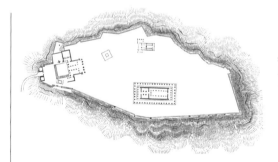

Temenos, Acrópolis
El recinto sagrado —área que rodea un templo— se conocía como *temenos*. Aquí se muestra el recinto de la Acrópolis ateniense con sus cuatro edificios datados del siglo V a. C.

Cariátide
Una cariátide es una columna, tallada en forma de mujer, que soporta una entabladura. Vitrubio afirmó que la palabra cariátide deriva de las mujeres de Caryae, que fueron esclavizadas como castigo por apoyar a los persas. Figuras similares con cestos en la cabeza se conocen como *canephorae*.

Cariátides, Erecteión
Los ejemplos más famosos de cariátides son los del porche sur del Erecteión. Esta delicada estructura no es tanto un porche como una tribuna (plataforma elevada), ya que es inaccesible desde el exterior.

Erecteíon (421-406 a. C.)

El Erecteíon es un templo dedicado a varios dioses, incluyendo Atenea Polias y Erecteión. Se construyó a dos alturas —posiblemente como respuesta a un edificio ya existente en la zona— y tiene tres porches o pórticos, uno (el del oeste) adosado. No presenta semejanza con la planta rectangular clásica de templo, y su originalidad es una característica del periodo.

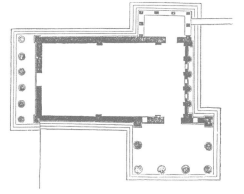

Templo de Atenea Niké (421 a. C.)

Este pequeño templo jónico, que fue planeado antes que el Propileo pero de hecho no se empezó hasta 421 a. C., está sobre un promontorio natural, o bastión, de la Acrópolis. En planta es un anfipróstilo *tetróstilo* (es decir, tiene dos pórticos, este y oeste, cada uno con cuatro columnas). Como el Erecteión, el Templo de Atenea Niké (Victoria sin Alas) representa el jónico en su cenit. El friso continuo, que representa a Atenea y los dioses, así como escenas de batallas, es particularmente característico.

Modillones, Erecteión

El Erecteión tiene una maravillosa y bien conservada puerta en su pórtico norte. A cada lado hay dos modillones, ménsulas talladas en forma de S, que soportan la cornisa. Los modillones son generalmente de mayor alzado que proyección. Las molduras alrededor de la puerta, en forma de arquitrabes, se conocen como *antepagmenta*.

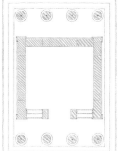

Decoración, Erecteión

El Erecteión muestra el orden jónico más elaborado. En este detalle de la entabladura del edificio se pueden ver los clásicos motivos jónicos —huevo-dardo, cuenta-carrete y *antemiyon* (madreselva). El friso era de caliza negra, y tenía adosadas, mediante abrazaderas, dos figuras de mármol blanco.

Grecia Antigua

El Comienzo de la decadencia

La ascensión de Atenas fue fructífera, pero poco duradera. Las Guerras Peloponesias terminaron en 404 a. C. con la caída de la ciudad. A partir de ese momento la arquitectura griega fue degenerando gradualmente, mientras estados menos civilizados —Esparta, Tebas y luego Macedonia— emergieron. En este periodo, frecuentemente llamado "Clásico Tardío", las hostilidades continuas impidieron comenzar ningún proyecto arquitectónico ambicioso. En el continente se dedicaba la energía a tipos de edificios distintos a los templos, y los tres órdenes empezaron a unirse en edificios individuales. Asia Menor fue menos afectada por la guerra, y el estilo jónico experimentó un resurgimiento gracias al patronazgo de los *satraps* (gobernantes) persas y el estímulo de Alejandro el Grande, que conquistó Asia Menor en 334-333 a. C.

Linterna de Lisícrates, Atenas, (335-334 a. C.)

En este periodo se hicieron populares en Grecia las estructuras circulares conocidas como *tholoi*. Su propósito no está claro, aunque a menudo imitaban templos y, algunos, alojaban estatuas. Quizás el *tholo* más famoso sea La Linterna de Lisícrates, construida a los pies de la Acrópolis. Era una capilla pequeña y hueca, diseñada para llevar el trípode de bronce (un bol con tres patas) ganado por Lisícrates en un concurso coral en el teatro. Era muy elaborada y, lo que es más significativo, se usó el orden corintio externamente por primera vez.

Remate, Linterna

La palabra "remate" se refiere a un ornamento colocado en el punto más alto de un tejado o terminación prominente, como en un frontispicio. El remate colocado en el cenit de la Linterna de Lisícrates era lujoso, y se diseñó para llevar el trípode. Está decorado con hojas de acanto y hélices (volutas).

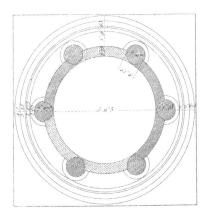

Dentils, La Linterna

Las cornisas del orden jónico
desarrolladas en Asia Menor
portaban dentils, pequeñas
proyecciones rectangulares en serie,
con huecos (*interdentils*) entre ellas.
En las cornisas corintias, como la de
La Linterna de Lisícrates, también se
usaron *dentils*, aunque en una forma
ligeramente reducida. En Asia
Menor tradicionalmente se omitían
los frisos del orden jónico, aunque
aquí aparece.

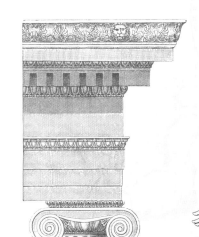

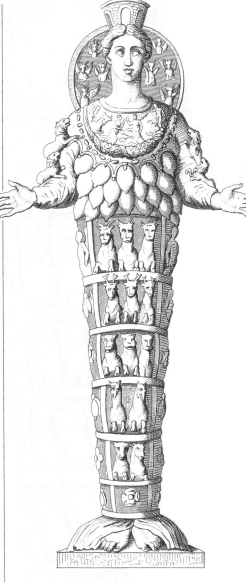

Templo de Artemisa, Efeso (comenzado en 330 a. C.)

El jónico Artemision de
Efeso era el edificio
sagrado más importante de
Asia Menor y, junto con el
Partenón, era una de las
siete maravillas del mundo
antiguo. Hubo varios
edificios en el mismo

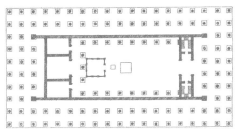

lugar, hasta que su predecesor del siglo VI ardiera en 356 a. C.
Las escasas ruinas del templo no permiten saber con certeza
como era la planta —ahora se cree que fue *octástilo*, en vez de
decástilo, que es como se muestra aquí. En cualquier caso, sí era
díptero (dos filas de columnas en cada lado) y fue famoso por
su decoración esculpida, especialmente por su *columnae caelatae*
(columnas talladas).

Artemisa

El gran Templo de Efeso estaba dedicado a Artemisa,
conocida como Diana por los romanos, que era la diosa
de la pureza, la luna y la caza. Tradicionalmente se dice
que el templo contenía un estatua de Artemisa en su
forma polimástica, es decir, con muchos pechos. Esta
imagen puede estar relacionada con el papel de la
diosa como figura maternal y portadora de la fertilidad.

Grecia Antigua

El Periodo Helenístico

La muerte de Alejandro el Grande (Magno) ha sido ampliamente aceptada como el final del periodo helénico (que había comenzado hacia 650 a. C.) y el comienzo del periodo helenístico. Con Alejandro, el Imperio Griego se extendió hasta la India y Nubia, pero la influencia del helénico tradicional continuó siendo fuerte. Con la muerte de Alejandro, su vasto imperio se dividió en reinos independientes, cuyos estilos de vida y artes se han llamado helenísticos porque imitaban los verdaderos principios helénicos. Hubo un rechazo general a las formas antiguas; el jónico y el corintio regularmente se utilizaban con preferencia al dórico, que casi cayó en desuso, y se prestó atención a un conjunto de tipos arquitectónicos. Esta última fase de la arquitectura griega tuvo un vital impacto en los romanos, que finalmente conquistaron Grecia en 30 a. C.

La Torre de los Vientos, Atenas (mediados del siglo I a. C.)

La llamada Torre de los Vientos de Atenas se construyó como *horologium* (reloj-torre). Internamente el tiempo se media mediante *clepsydra*, o reloj hidráulico, y externamente con un reloj de sol. Cada uno de los ocho lados tenía el relieve de un viento (Céfiro, por ejemplo, era el dios del viento del oeste) y una veleta marcaba la dirección de la que soplaba el viento.

Capitel corintio, variante

En el periodo helenístico, los órdenes perdieron su primitiva rigidez y las formas se volvieron experimentales. En la Torre de los Vientos, por ejemplo, apareció una variante de capitel corintio. Tiene una sola fila de hojas de acanto, no hay volutas y el ábaco es cuadrado.

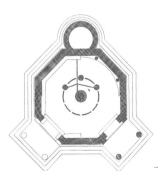

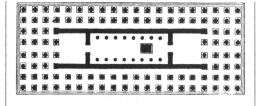

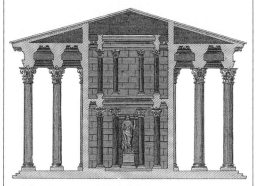

Templo díptero

Del siglo IV a. C. en adelante se hicieron populares los templos rodeados por una doble fila de columnas (dípteros). Su virtud principal fue la grandeza, a menudo intensificada (como en este caso) por líneas extra de columnas delante y detrás (trípteros). Aquí se muestra el magnífico Templo de Zeus Olímpico de Atenas (comenzado en 174 a. C.).

Orden jónico, Templo de Dionisio, Teos (mediados del siglo II a. C.)

La popularidad del templo jónico continuó durante todo el periodo helenístico, aunque, característicamente, se desarrollaron nuevas formas. Hermógenes, un renombrado arquitecto del siglo II a. C., inventó nuevas normas para el orden y las reflejó en un libro. El Templo de Dionisio, en Teos, es un edificio jónico diseñado por él.

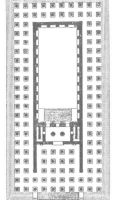

Orden corintio, Templo de Zeus Olímpico

Los griegos construyeron muy pocos templos puramente corintios, esta forma se dejó para los romanos. Sin embargo, el templo de Zeus Olímpico (Olympieión) es un ejemplo notorio. El orden se había hecho de proporciones pesadas y, con el aumento de altura de la entabladura, demasiado alto.

Hypaethral, Templo de Apolo Didima, Mileto

Un edificio con su parte central total o parcialmente abierta al cielo se conoce como *hypaethral*. Un ejemplo es el Templo de Apolo, Didima, cerca de Mileto, un enorme edificio cuya construcción duró más de 300 años (313 a. C. al 41 d. C.). Su patio, abierto, contenía una capilla y matas de laurel, y su muro perimetral estaba labrado con pilastras.

Santuario de los Toros, Delos (siglo III a. C.)

Los toros, a menudo arrodillados, se convirtieron en una forma ornamental muy popular en el periodo helenístico. En este santuario de Delos, por ejemplo, este animal corona las columnas y aparece en los triglifos.

Grecia Antigua

Tumbas

La muerte y el entierro de los muertos eran temas de mucha importancia para los griegos. La lápida sepulcral, conocida como stele, era el modo más común de señalizar una tumba. Sin embargo, en el periodo helenístico hubo un resurgimiento a gran escala de los edificios mortuorios, especialmente en Asia Menor, donde los gobernantes extranjeros emplearon arquitectos y mano de obra griega. Estas tumbas frecuentemente imitaban la planta y el diseño de los templos, teniendo frontispicios y un peristilo. La *pièce de résistance* de la arquitectura mortuoria, y una de las siete maravillas del mundo antiguo, era el Mausoleo de Halicarnaso, comenzado alrededor de 353 a. C. por el rey Mausolo de Caria y su esposa y hermana Artemisa.

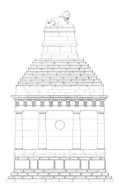

Tumba de León, Cnidus (siglo IV a. C.)
La tumba de León, en Cnidus, cerca de Halicarnaso, parece conmemorar a los caídos en batalla, probablemente en un encuentro naval. Su nombre deriva del diseño que lo corona, un gigantesco león, símbolo de valor, orgullo, fuerza y victoria. La tumba tiene columnas dóricas adosadas y ,encima, una pirámide escalonada.

Mausoleo, Halicarnaso (comenzado en 353 a. C.)
La palabra mausoleo —que ahora significa monumento sepulcral de gran tamaño y grandiosidad— deriva de la tumba del rey Mausolo de Halicarnaso, diseñada por Piteos y Sátiros. Como no quedó piedra sobre piedra después de su destrucción en el siglo XVI d. C., su forma y decoración han sido fuente de constante y acalorado debate. Aquí, el podio de la tumba se representa excesivamente alto.

Planta y diseño, Halicarnaso
Ha habido muchos intentos de reconstruir el Mausoleo de Halicarnaso, unos más aclamados que otros. Según Plinio, el edificio tenía un peristilo de treinta y seis columnas, probablemente cercando la cámara mortuoria, sobre las cuales se erigía una enorme pirámide de veinticuatro escalones. La altura del edificio entero era colosal, 41 m (135 pies) incluyendo el podio. La planta se ha presentado en variedad de formas, como rectangular, cuadrada o en forma de cruz.

Podio, Monumento de las Nereidas, Xantos
Un podio es una pared baja, base continua o pedestal sobre los que se soportan las columnas. A veces, como aquí, se colocan estructuras enteras sobre un podio, que puede además estar ornamentado. El Monumento de las Nereidas, en Xantos, fue construido con la forma de un templo jónico.

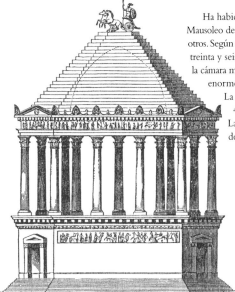

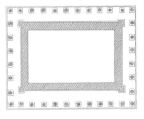

Decoración, Halicarnaso

La característica más admirada del Mausoleo de Halicarnaso —y la razón principal para ser considerada una maravilla del mundo— era la decoración. Cuatro escultores decoraron el edificio por dentro y por fuera con estatuas de hombres, leones, caballos y otros animales. Fueron: Briaxis, Leucastes, Escopas y Timoteo.

Artesonado, Halicarnaso

Los techos planos de los edificios griegos se decoraban con artesonado, paneles cuadrados o poligonales hundidos. Parece que, en lo que se refiere a los modelos, imitan a sus predecesores de madera. Ésta es una reconstrucción del artesonado interior de peristilo del Mausoleo de Halicarnaso.

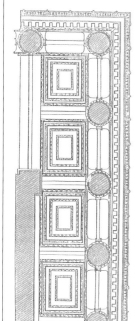

Cuádriga, Halicarnaso

En lo más alto del pináculo del Mausoleo de Halicarnaso se colocó una cuádriga, o grupo esculpido consistente en una carroza tirada por cuatro caballos y con un conductor (auriga o cochero). El Museo Británico aún conserva algunos fragmentos de este grupo en concreto.

Grecia Antigua

Teatros y odea

Se dice que los teatros fueron originados en el siglo VI o siglo V a. C., y al principio se usaban para interpretar bailes corales relacionados con los festivales de Dionisio. Posteriormente se utilizaron para poner en escena tragedias y comedias, las dos divisiones del drama griego, que alcanzaron su clímax con Pericles. Generalmente se colocaban en colinas, haciendo los asientos —de madera primero y luego de piedra— en las pendientes, mientras que la cuenca proporcionaba el centro de la acción. Todos los teatros eran al aire libre, y los más conocidos eran el Teatro de Dionisio, en Atenas (h. 500 a. C.), y el Teatro de Epidauro (h. 350 a. C.). A menudo se construían muy cerca los *odea*, o salones de música. El odeón (u *odeum*) era más pequeño que un teatro, y se desarrolló ligeramente más tarde; el primer ejemplo conocido fue construido por Pericles h. 435 a. C., en Atenas.

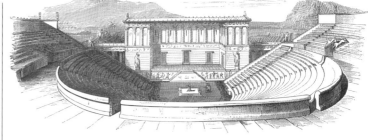

Cavea

En los teatros, el gran área semicircular de asientos se llamó *cavea*, o auditorio. Este contenía filas de asientos, estando los más cercanos a la orquesta reservados para los sacerdotes, los oficiales y otros dignatarios. Los asientos estaban divididos por escaleras radiales que formaban grupos de asientos en forma de cuña, conocidos como *cunei*, que tenían pasillos horizontales para dar acceso.

Proscenio

El los tiempos helenísticos, la acción se transfería de la orquestra al tejado de un proscenio, o *proskenion*, una estructura con columnas colocada a lo largo del frente del edificio de los camarines (ver página opuesta). El tejado formaba un escenario elevado, o *logeion* (lugar donde se hablaba), que hacía más fácil que el público viera a los actores. Con el tiempo, el edificio de los camarines creció hasta tener dos pisos de altura, la fachada alta formaba un trasfondo (*episcenium*) en el escenario. En el periodo romano, el escenario se hizo de altura más baja y el *episcenium* más elaborado que antes.

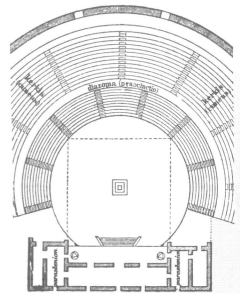

Orquesta

El espacio llano y circular de la base del cavea se llamaba la orquesta, literalmente "lugar de baile". Como su nombre indica, la orquesta era el lugar donde los actores danzaban y cantaban, y, a veces, el altar de Dionisio se colocaba en su centro. Los actores llegaban a la orquesta a través de pasajes conocidos como *parodoi*.

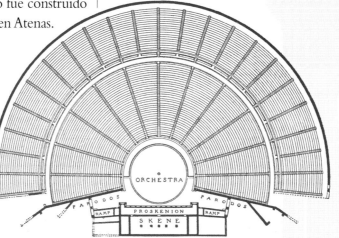

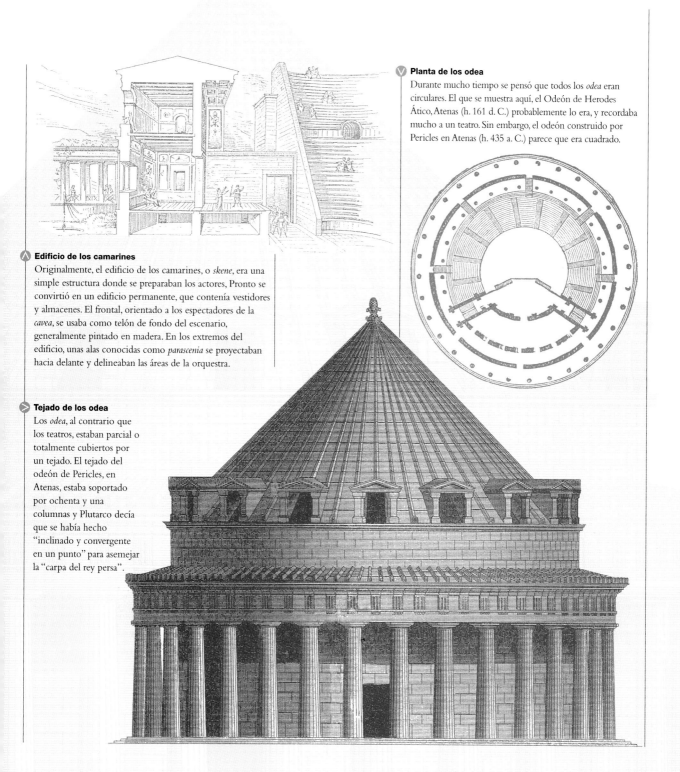

Planta de los odea

Durante mucho tiempo se pensó que todos los *odea* eran circulares. El que se muestra aquí, el Odeón de Herodes Ático, Atenas (h. 161 d. C.) probablemente lo era, y recordaba mucho a un teatro. Sin embargo, el odeón construido por Pericles en Atenas (h. 435 a. C.) parece que era cuadrado.

Edificio de los camarines

Originalmente, el edificio de los camarines, o *skene*, era una simple estructura donde se preparaban los actores, Pronto se convirtió en un edificio permanente, que contenía vestidores y almacenes. El frontal, orientado a los espectadores de la *cavea*, se usaba como telón de fondo del escenario, generalmente pintado en madera. En los extremos del edificio, unas alas conocidas como *parascenia* se proyectaban hacia delante y delineaban las áreas de la orquesta.

Tejado de los odea

Los *odea*, al contrario que los teatros, estaban parcial o totalmente cubiertos por un tejado. El tejado del odeón de Pericles, en Atenas, estaba soportado por ochenta y una columnas y Plutarco decía que se había hecho "inclinado y convergente en un punto" para asemejar la "carpa del rey persa".

Grecia Antigua

Otras Estructuras Seglares

Como hemos visto, en el periodo helenístico se prestaba menos atención a la arquitectura religiosa y más a las estructuras seglares. El ágora, un mercado abierto que estaba en el interior de la ciudad, era el centro del comercio y de la vida social. Contenía edificios como las *stoas* (refugios con columnatas), *bouleuterions* (habitaciones para las asambleas del consejo), *prytaneions* (oficinas administrativas) y *balaneia* (baños). Fuera del ágora las ciudades eran puramente residenciales, y las casas, en su conjunto, no eran pretenciosas —la gente pasaba mucho tiempo fuera, o en lugares de asamblea pública. Los edificios relacionados con el deporte (gimnasios, estadios, etc.) eran particularmente prominentes. Las competiciones atléticas formaban a menudo parte de festivales religiosos, especialmente los juegos panhelénicos o Festivales —que comprendían los juegos olímpicos, píticos, ístmicos y nemeos— que se celebraban cada cuatro años y se conocían como Olimpiadas. Generalmente las mujeres no tenían permitido participar, e incluso los espectadores eran exclusivamente hombres.

Stoas de dos pisos

Una *stoa* era una estructura de columnas con un tejado que ofrecía cobijo frente al viento y la lluvia y proporcionaba un sitio para caminar y hablar. Las stoas se construyeron para ser arquitectónicamente grandiosas y, en muchos casos, portaban columnatas superpuestas. En este caso, la Stoa de Atalo II, en Atenas (c. 150 a. C.), el piso inferior es dórico y el superior jónico.

Tejados de las stoas

El tejado, con caballete, de una *stoa* está generalmente soportado por una fila de columnas jónicas colocadas a lo largo del centro del edificio. Las *stoas* se colocaban frecuentemente alrededor de las ágoras o en un *temenos*.

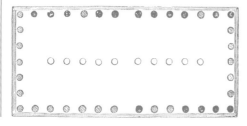

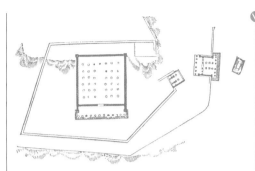

Salas de reuniones

Los griegos tenían salas de reuniones cuadradas —similares a las salas hipóstilas egipcias— que estaban techadas, bordeadas con asientos y contenían un gran número de columnas. El ejemplo mejor conocido es el Telesterion, o Sala de los Misterios en Eleusis, construido principalmente en los siglos V y IV a. C.

Estadios

El estadio, o *stadion*, era una pista para carreras a pie. La pista en sí misma era recta y nivelada, y tenía una longitud de unos 183 m (600 pies). Los atletas generalmente daban la vuelta rodeando un pilar o poste en cada extremo. Los lados estaban terraplenados, mientras que uno de los extremos —en tiempos posteriores— portaba asientos para los espectadores.

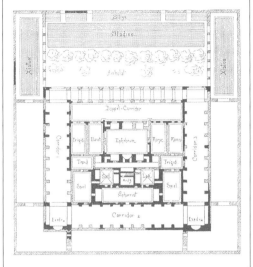

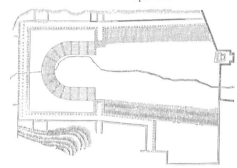

Gimnasios

Un gimnasio propiamente dicho era un amplio espacio abierto, utilizado por chicos y hombres para cualquier tipo de ejercicio. A menudo estaba rodeado por columnatas (*stoas*). Sin embargo, la palabra también se utiliza para referirse al patio y a los edificios que lo rodean, que incluyen baños, vestidores y salas de lectura.

Hipódromos

Un hipódromo era un edificio para carreras de caballos y carros, estando éstas entre las competiciones griegas más prestigiosas. No ha sobrevivido ningún hipódromo griego, pero parece que se parecían a los circos romanos en que tenían forma de U. La carrera empezaría al final de la U y se desarrollaría alrededor de una barrera central. Aquí, en el hipódromo de Olimpia, una carrera de carros totalizaba doce vueltas a la pista, mientras que una carrera de caballos era, generalmente, de una vuelta.

Palestras

La *palaestra* era similar al gimnasio, de hecho, a menudo se intercambian las palabras. Pero era, hablando con propiedad, una escuela privada de lucha griega. Esta *palaestra*, en Olimipia, consiste en un patio abierto cercado por una columnata, con vestidores y baños detrás.

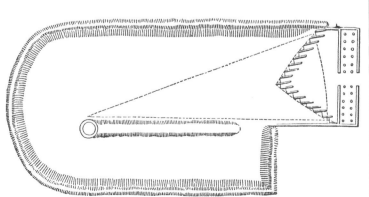

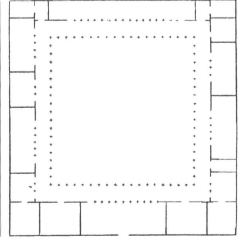

Antigua Roma *siglo III a. C–h. 340 d. C.*

Roma republicana

A lo largo de los siglos III y II a. C., la preocupación de Roma era conquistar a sus enemigos y expandir su imperio en casa y fuera de ella. Durante la república, Roma fue gobernada por una oligarquía de patricios que dominaban el Senado y la Asamblea. El periodo terminó con las Guerras Civiles y la ascensión del Emperador Augusto en 27 d. C. Fue en la Roma Republicana donde surgió una nueva forma de arquitectura construida según las tradiciones etruscoitalianas, adoptando el estilo clásico griego pero usando los métodos de construcción romanos. Lo poco que sobrevive de este periodo desprende una esencia de innovadora búsqueda de nuevos materiales de construcción, tipos de edificio y expresión decorativa. A través de esta búsqueda, los romanos fueron capaces de forjar su propio estilo arquitectónico.

Circo Máximo (siglo IV a. C.)

Los circos se usaban para las carreras de caballos y las luchas de gladiadores. El Circo Máximo de Roma data de principios del siglo IV, aunque fue posteriormente modificado. Construido en un terreno llano, tiene 600 m (1.968 pies) de largo y estaba totalmente rodeado de asientos, excepto en donde estaban las *caracares* (puertas de salida). Tenía un muro bajo llamado *spina*, con meta (o postes para dar la vuelta) en cada extremo. Alrededor de la *spina* se celebraban las carreras.

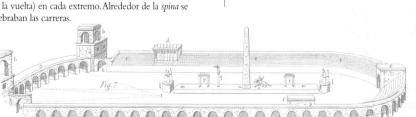

Capitel corintio, Templo de Vesta, Roma

Los primeros capiteles corintios romanos tendían a ser más achaparrados que los ejemplos posteriores, con hojas de acanto más carnosas y flores más grandes en el ábaco. Este ejemplo es del templo de Vesta, Roma, donde había veinte capiteles similares sobre columnas estriadas.

Opus incertum

Los primeros edificios republicanos se realizaban con frecuencia con una mezcla concreta de mortero y pequeñas piedras sin pulir y, a veces, con ladrillos cruzados. Esta combinación (conocida como *opus incertum*) se usó del siglo II hasta principios del siglo I a. C.

Basílica Aemilia (h. 179 d. C.)

Quedan muy pocos restos de la Basílica Aemilia, aparte de ciertos fragmentos como éstos. Se sabe, por las medallas y excavaciones, que presentaba su lado más largo al foro, pero que estaba oculta a la vista debido a una columnata a dos alturas que alojaba tiendas. Probablemente se iluminaba mediante un clerestorio.

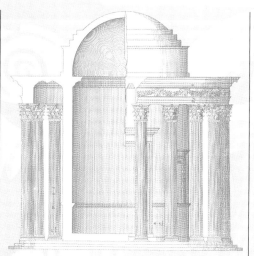

Templo de Fortuna Virilis (siglo I a. C.)

Éste es un templo jónico *tetróstilo* (pórtico de cuatro columnas). El podio está hecho de toba, una piedra volcánica, recubierta de travertina, una caliza de las cercanías de Tívoli. Las paredes también son de toba, pero están recubiertas de estuco.

Templo de Vesta (siglo I a. C.)

Este templo circular de la primera mitad del siglo I a. C. es descendiente, en planta, de las cabañas circulares etruscas. Su alzado, sin embargo, es griego. Las columnas y muros están hechos de mármol pentélico traído de Grecia. Las escaleras que lo rodean, la decoración clásica y el material sugieren que el arquitecto pudo ser griego. Ha perdido la entabladura, y la cúpula que vemos aquí es pura conjetura.

Planta, Templo de Fortuna Virilis

Esta planta ilustra la extrema axialidad del templo, lo cual es herencia etrusca. Es un templo pseudoperíptero temprano: las columnas rodean al edificio, pero están adosadas a la pared de la cella, o santuario.

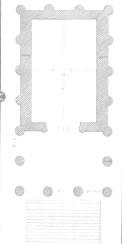

Friso bucranium, Templo de Fortuna Virilis

Este friso tan decorativo de cabezas de buey, o *bucranium*, guirnaldas y figuras humanas viene del Templo de Fortuna Virilis (siglo I a. C.).

El foro

Los pueblos romanos tenían dos vías principales, la *decumanus maximus* y la cardo. El foro estaba situado donde éstas dos se cruzaban, y era un irregular grupo de edificios comprendiendo el centro social, religioso y político de un pueblo romano. El foro combinaba los mercados axiales etruscos con las ágoras con columnas de los griegos.

Antigua Roma

Pompeya

Pompeya, que surgió al sur de Nápoles en el siglo III a. C., fue primero dañada por los terremotos de 63 d. C. y luego preservada bajo la gruesa capa de ceniza emitida por el volcán Monte Vesubio en su erupción de 79 d. C. Las excavaciones comenzaron a finales del siglo XVIII, y revelaron un asentamiento romano temprano de gran riqueza arquitectónica. El trazado de calles, casas y monumentos públicos se conservó intacto e incluía muchos edificios del periodo republicano. Los ejemplos supervivientes son, a menudo, de los más antiguos en determinados tipos de edificios romanos, como la basílica y los baños. El sur de Italia había estado fuertemente influenciado por los colonos griegos. Pompeya no fue una excepción, ya que las casas de sus acaudalados, por otra parte tan características de la ciudad, revelan fascinación por el estilo griego.

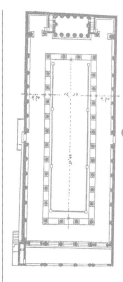

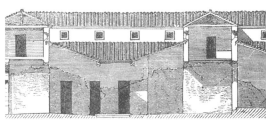

Domus (siglo II a. C.)

La casa más antigua, o *domus*, consistía en habitaciones agrupadas alrededor de un patio, y provenía de los modelos etruscos. La moda griega llevó a extender el atrio y formar un segundo patio ajardinado, o peristilo, alrededor del cual se agruparon más habitaciones, como en este ejemplo, conocido como la Casa de Pansa. Pudo añadirse un segundo piso, y el frontal a la calle pudo alquilarse como comercios.

Basílica

Las basílicas probablemente descienden de las ágoras con columnas, las cuales se cubrieron gradualmente. Funcionan como lugar de uso comercial y para celebrar juicios. En este ejemplo de Pompeya se entra por el lado corto, y tiene un tribunal, o plataforma, para hablar en público.

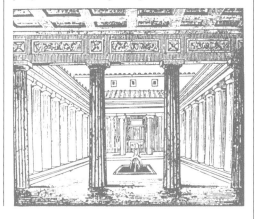

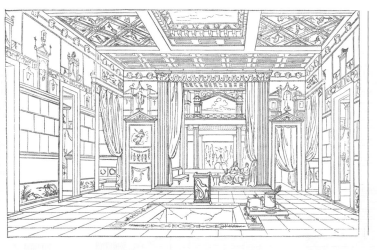

Atrium tuscanium

En este *atrium tuscanium* (es decir, sin columnas) uno toma conciencia del lujo con que vivían los acaudalados propietarios. Las paredes y techos tenían frescos, y se colgaron cortinas para dividir el *tablinium* del atrio. Los suelos estaban a menudo decorados con mosaicos.

Atrio

Los atrios eran a cielo abierto (*compluvium*), permitiendo que el agua de lluvia se almacenara en una piscina (*impluvium*) que estaba debajo. Gradualmente se introdujeron columnas helenísticas de muchas formas. En este ejemplo, una columnata continua rodea el *impluvium*, y esto se conoce como atrio corintio.

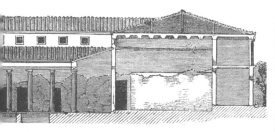

Decoración de las paredes

Las casas más antiguas estaban decoradas con un patrón de frisos y escayola. La moda de pintar las paredes llevó al Primer Estilo Pompeyano (h. 200-90 a. C.) a pintar frescos, como se muestra en este ejemplo de simulación de divisiones arquitectónicas en la pared. El Segundo Estilo Pompeyano (h. 70-15 a. C.) generalmente incluye columnatas a través de las cuales se entrevé un paisaje ilusionista al fondo.

Peristilo

El peristilo era una columnata que rodeaba un jardín, a menudo decorado con una fuente y una estatua. Había pocas ventanas al exterior del edificio, y el peristilo y el atrio eran los únicos medios para dejar entrar la luz. Los peristilos perdieron gradualmente uno o más de sus lados para permitir al propietario ver el paisaje de detrás.

Planta de una casa

La casa romana era simétrica en planta. La habitación más importante era el *tablinium*, que estaba entre el atrio y el peristilo, y marcaba la división entre las áreas públicas y las privadas. A cada lado había ala, o corredores. Los cubicula (dormitorios), los triclinia (comedores) y la cocina estaban más allá.

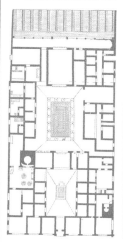

Frescos y bóvedas

Este *tepidarium* de los Baños Pompeyos (h. 100 a. C.) indica el nivel de decoración interior. Las paredes están pintadas con frescos y el techo incorpora una primitiva bóveda en barril.

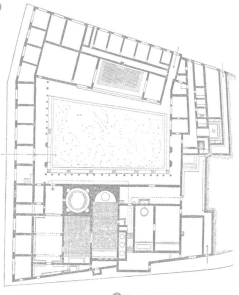

Baños de Estabia (siglo II a. C.)

Éste es uno de los ejemplos de baños supervivientes. La planta es irregular, pero presenta las características básicas de complejos posteriores, incluyendo una palestra (patio para ejercicios) y *natatio* (piscina). Hay instalaciones separadas para hombres y mujeres, cada una con su propio *apodyterium* (vestuario), *tepidarium* (sala caliente) y *caldarium* (sala de vapor). Los baños se calentaban por medio de un brasero. Los baños masculinos son más elaborados y contienen uno de los primeros domos de hormigón conocidos cubriendo el *frigidarium* (baño frío).

Antigua Roma

Edificios Fuera de Roma

Del siglo III al siglo I a. C., la arquitectura republicana fuera de roma mostraba las mismas tendencias en materiales y tipos de construcción que la capital. Los romanos carecían de las grandes canteras de mármol disponibles para los griegos, así que en su lugar explotaron sus recursos naturales de toba, travertina y peperino. En estas fechas también se desarrolló y estandarizó la producción de ladrillo cocido.

El desarrollo del hormigón, extremadamente duradero, influyó tanto en la construcción de edificios antiguos como nuevos. El hormigón nunca estaba expuesto, sino cubierto por una capa exterior de ladrillo o estuco pintado.

Los templos que no estaban en Roma y pertenecían a este periodo fundieron las tradiciones etrusco-italianas con los tres órdenes clásicos helenísticos.

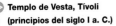

Templo de Vesta, Tívoli (principios del siglo I a. C.)
El Templo de Vesta, que era circular, está encaramado en un barranco en Tívoli, y está dedicado a la diosa de la tierra. Los templos de este periodo están a menudo colocados de modo dramático en el paisaje, con vistas panorámicas del campo circundante.

Fusión romana y griega, Templo de Vesta
La decoración del Templo de Vesta, en Tívoli, es esencialmente griega, con sus capiteles corintios (arriba) y sus frisos de cabezas de buey. Su construcción en toba local, travertina y *opus incertum* es típicamente romana, como lo son su podium, las puertas y ventanas (más arriba) y la escalera axial opuesta a la entrada de la cella.

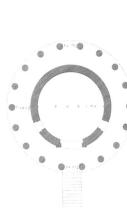

Planta, Templo de Vesta
La planta deriva del Templo de Vesta de Roma. La principal diferencia es que en Roma las escaleras rodean la cella en todos sus lados, mientras que aquí son tratadas axialmente.

Santuario de Fortuna Primigenia, Palestrina (h. 80 a. C.)
Este templo, fuera de Roma, estaba dedicado a la diosa Fortuna. Sus dos partes, un foro en la parte baja y un santuario en la parte alta, están conectadas por un sistema de escaleras y rampas simétricas, trazadas a lo largo de siete terrazas. El lugar requería el uso de bóvedas de hormigón como efecto visual.

El arco romano
Los romanos desarrollaron el arco de medio punto con pilares aislados para estabilizarlo. De esta forma básica derivan la bóveda de cañón (mostrada aquí), la bóveda cruzada y la cúpula.

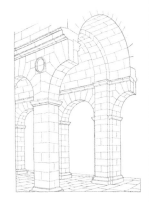

Acueducto, Segovia (h. 10 d. C.)
Los acueductos se utilizaban para transportar agua del campo a la ciudad. El agua a menudo se almacenaba en canales subterráneos, pero cuando el terreno lo imponía se creaban puentes monumentales en su lugar. Este ejemplo es un detalle del acueducto de Segovia, España, que consiste en una doble hilera de 128 arcos de 30 m (100 pies) de alto, con albañilería tosca.

Basílica, Fano (h. 27 a. C.)
Vitrubio escribió el único tratado de arquitectura antigua romana que se conserva, *De Architectura*. Su único edificio conocido, una basílica, sobrevive en Fano, en la costa del Adriático. La planta es rectangular y la entrada, orientada al foro, está en el lado largo opuesto al tribunal, donde los magistrados impartían justicia. Prescribió que las basílicas debían construirse en lugares cálidos, para el confort de los visitantes.

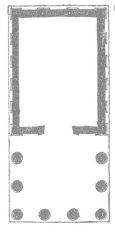

Templo de Hércules, Cori (finales del siglo II a. C.)
Este templo pseudoperíptero (ver página 105) de Cori, al sur de Roma, tiene un orden dórico continuo alrededor de la cella, que está adosado a las paredes. El profundo pórtico, con sus columnas densamente colocadas, da un tratamiento deliberado al espacio del frente del edificio; en contraste, la parte trasera no está adornada.

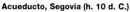

Antigua Roma

Edificios augustos

Cuando Augusto llegó al poder en 27 a. C., después de una guerra civil, trajo consigo un periodo de paz y prosperidad, conocido como la pax romana, que duró 200 años. Empezó a reconstruir la infraestructura de Roma y el imperio, construyó calzadas, puentes y acueductos e instó a los ricos a construir en beneficio de la ciudad. Por desgracia, sobreviven muy pocos de estos edificios seglares. Augusto siguió el ejemplo de su padre adoptivo, Julio César, con mucho respeto, reconstruyendo el foro y terminando el Teatro de Marcelo, el primer y más visible ejemplo de la combinación, en Roma, de arcos y un orden aplicado. Hubo avances en el uso del cemento: la *pozzolanza*, una arena volcánica, se empezó a usar con más frecuencia y se desarrolló un sistema de secado más lento. Sin embargo, el Periodo Augusto siguió siendo esencialmente de gusto conservador.

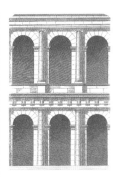

Teatro de Marcelo, Roma

El exterior semicircular del Teatro de Marcelo (dedicado a la memoria del nieto de Augusto, Marcelo, en 13 a. C.) consistía en dos hiladas de arcos que actuaban como soportes para los asientos.
La combinación de los arcos estructurales y los órdenes decorativos es la quintaesencia romana.

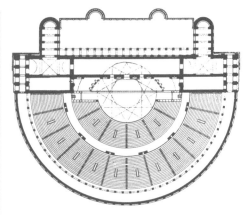

Teatros romanos

Los teatros romanos difieren de sus antecesores griegos en que eran semicirculares, en lugar de circulares, y estaban cercados por un muro, el *scaenae frons* (ver página 133), en lugar de abiertos al campo en su lado recto. La *cavea*, o asientos, estaba construida sobre una subestructura arqueada con rampas radiales y corredores para facilitar el acceso, de modo que el teatro pudiera colocarse en un terreno llano en lugar de una colina.

Órdenes superpuestos, Teatro de Marcelo

Sólo se conservan dos de las plantas del Teatro de Marcelo, sobre cuyos arcos están superpuestos los órdenes jónico y dórico. Se desconoce si existía una tercera planta corintia o si simplemente había una planta ática. El dórico romano siempre tenía basa.

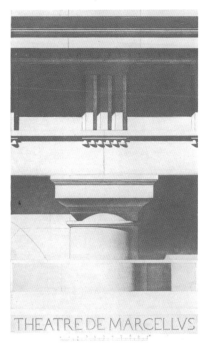

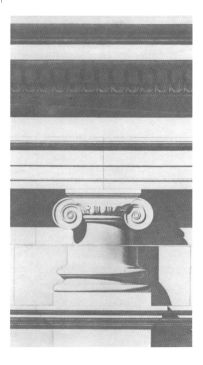

THEATRE DE MARCELLVS

Pirámide de Cestio, Roma (h. 12 a. C.)

La pirámide de Cestio representa una forma más antigua de cámara funeraria que el mausoleo de Augusto. Construida de cemento, está recubierta de mármol, y contiene una cámara pintada.

Arco de Tiberio, Orange, Francia (Siglo I a. C.)

El arco del triunfo era de naturaleza puramente simbólica, no funcional. Los supervivientes más antiguos son del reinado de Augusto, e incluyen el Arco de Tiberio, en Orange.

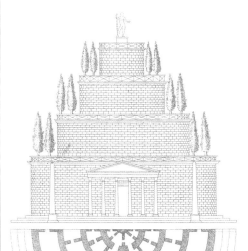

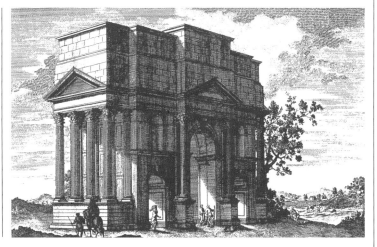

Mausoleo, Roma (28-23 a. C.)

Augusto construyó una tumba familiar dentro de los muros de la ciudad, rompiendo la norma que impedía el enterramiento en el interior de Roma. El mausoleo tiene la forma cilíndrica de las tumbas etruscas, está tapado por un túmulo, cubierto de ciprés, y una amplia efigie del emperador.

Puente de Augusto, Rimini (siglo I d. C.)

Los romanos explotaron las propiedades hidráulicas de su hormigón, que fraguaba debajo del agua, para crear puentes de gran resistencia y apariencia atractiva. Este puente de Rimini, en el adriático, es un ejemplo. Tiene cinco arcos de distinto tamaño e inmensos pilares.

Antigua Roma

Templos Augustos

Augusto afirmó haber encontrado en Roma una ciudad de ladrillos y haber dejado una ciudad de mármol. Esto es cierto, sobre todo, en los muchos templos que construyó o restauró. En su biografía, *Res Gestae Divi Augusti*, alegó haber reconstruido, sólo en Roma, ochenta y dos templos en sólo un año. Los templos de este periodo son conservadores. Se construyeron según la tradición republicana, es decir, con planta etrusca y lenguaje clásico griego. Las plantas de los templos Augustos varían, pero todos muestran una tendencia a ser más altos que largos o anchos. Los altos podios, tan característicos de los templos, servían exclusivamente para enfatizar este aspecto. La mayoría de los templos augustos son corintios, lo que concuerda con el gusto por el detalle elaborado y el uso masivo del mármol.

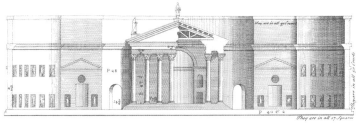

Templo de Marte Ultor, Roma (dedicado en 2 d. C.)

Los romanos explotaban continuamente la arquitectura en favor de la política. En la Batalla de Filipo (42 a. C.) Augusto juró vengar la muerte de Julio Cesar y construir un templo en su memoria. El Templo de Marte Ultor (El Vengador), en el Foro de Augusto, fue construido como regalo para la ciudad.

Planta, Marte Ultor

La planta del Templo de Marte Ultor, con su fuerte énfasis frontal, su simetría y su aproximación axial, es típicamente romana. Es un templo octóstilo (pórtico con ocho columnas) y es casi cuadrado. Está colocado contra una pared trasera de 47 m (155 pies) de largo, y, desde un alto podio, domina el recinto de la columnata que está en el frontal.

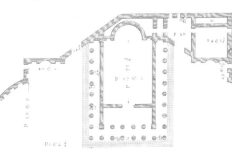

Uso del mármol, Templo de la Concordia, Roma (dedicado en 10 d. C.)

Antes de que se abrieran las canteras de Luna en 20 a. C., el mármol era un material de construcción caro. Bajo el mandato de Augusto, el mármol de Luna se utilizó masivamente, y se explotó su blancura en contraste con el mármol coloreado, de importación. El Templo de la Concordia muestra su opulencia al estar cubierto de mármol.

Foro de Augusto, Roma

Augusto amplió el foro en los ángulos rectos, adicionalmente a los cambios de su predecesor Julio César. Como en el foro de César, el templo está colocado al final de un patio con columnata, con patios semicirculares en un eje transversal. En lugar de utilizar un plano asimétrico, como habría hecho un arquitecto griego, el arquitecto eligió disfrazarlo con una planta axial.

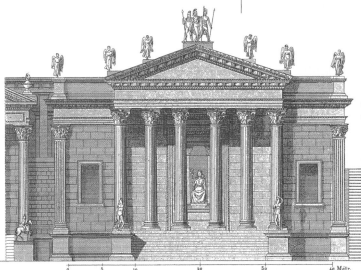

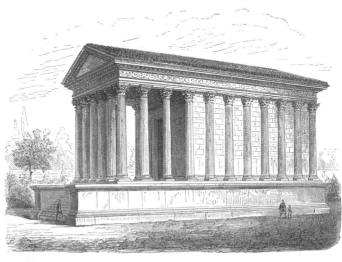

Maison Carrée, Nîmes, Francia (1-10 d. C.)

Los largos muros del Maison Carrée soportan la estructura. Las columnas a lo largo de las paredes son meras sombras del sistema de entramado griego, ya que habrían soportado el tejado, pero en su nuevo papel decorativo no lo hacen.

Templo de Cástor y Póllux, Roma (dedicado en 6 d. C.)

Bajo el mandato de Augusto, el uso de los órdenes se estandarizó gradualmente —en particular el orden corintio. El capitel corintio del Templo de Cástor y Póllux se convirtió en el modelo estándar, con su arquitrabe de ricas molduras y su proyectada cornisa con modillón.

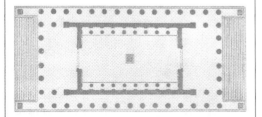

Detalle del arquitrabe, Templo de Cástor y Póllux

Se necesitaba la habilidad de los artesanos griegos para trabajar con el mármol, tan característico en la arquitectura augusta. Éstos dejaron su huella en los opulentos y precisos detalles clásicos de muchos templos. Este arquitrabe puede haber sido tallado por un artesano griego.

Escaleras, Maison Carrée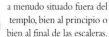

Los escalones de los templos constituyen un modo de controlar el acercamiento axial. En el Maison Carrée hay unos pequeños muros a cada lado que no permiten otro acercamiento, y al mismo tiempo proporcionan más superficie para la decoración escultórica. El altar, o ara, estaba a menudo situado fuera del templo, bien al principio o bien al final de las escaleras.

Planta, Templo de Cástor y Póllux

El Templo de Cástor y Póllux, como muchos templos augustos, ocupó el lugar de un templo más antiguo, lo que puede explicar su poco frecuente planta. Era períptero y octóstilo, con un doble podio. El podio se alzaba perpendicular al suelo del foro, y era frecuentemente utilizado por los oradores.

Antigua Roma

Los flavios

El emperador Vespasiano (gobernó de 69-79 d. C.) fundó la única dinastía imperial, los flavios. Como sus predecesores, renunció a la austeridad de los periodos republicano y augusto. Su legado es el de la extravagancia que sólo puede producirse en un periodo de paz y plenitud. La arquitectura doméstica y palaciega produjo nuevas formas en estancias y bóvedas, aunque es en los baños donde los romanos pudieron apreciar más esta revolución. El control de las técnicas del hormigón y las bóvedas permitió espacios sin soporte cada vez más grandes, como la estancia octogonal, con iluminación desde el techo, del Domus Aurea de Nerón. En 64 d. C. el fuego destruyó gran parte de la ciudad y Nerón promulgó una legislación con referencia a su reconstrucción; prohibió el uso de madera y recomendó suelos y techos de cemento, con arcadas en los niveles inferiores.

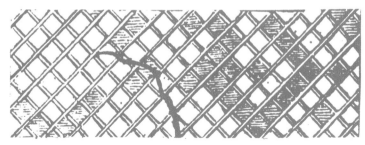

Opus reticulatum

Muchos edificios de hormigón de este periodo eran encofrados en toba en forma de pirámide, colocados diagonalmente. En el estrado del edificio se erigía un *opus reticulatum*, en el cual se vertía cemento. Una vez que se había asentado, no tenía propósitos estructurales, sino que actuaba como una superficie homogénea sobre la que aplicar mármol o estuco.

El orden toscano

El origen del orden toscano está en los etruscos, especialmente en sus tumbas. Aunque los romanos lo perciben como específicamente italiano, el orden toscano de los monumentos romanos está, de hecho, más cerca del orden dórico griego que de cualquier ejemplo etrusco. Al contrario que en el orden dórico, el orden toscano tiene frisos lisos y cornisas sin mútulos, aunque la mayor diferencia es que tiene intercolumnios más grandes. Este orden se percibía como el menos elaborado.

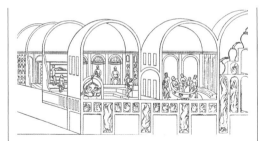

Hypocaustum

Los romanos desarrollaron un sistema de calefacción que consistía en distribuir el calor de un hornillo central por medio de conductos bajo el suelo y por las paredes. Este sistema es típico de los baños, de los cuales sobrevive alguno de este periodo. Se sabe que el Palacio de Domiciano tenía este sistema de calefacción, conocido como *hypocaustum*.

Arco de Tito, Roma (después de 81 d. C.)

Fue terminado durante el reinado de Domiciano. Este arco, rodeado de columnas adosadas y terminado en un ático, fue dedicado al emperador Tito por su victoria sobre Jerusalén. Lo corona una cuadriga, o escultura de una carroza con cuatro caballos.

Orden compuesto, Arco de Tito

El orden compuesto, inventado por los romanos, es una mezcla del orden corintio con los capiteles del orden jónico, y posiblemente es tan antiguo como el reinado de Augusto. Este ejemplo, el Arco de Tito, es uno de los ejemplos de edificio público más antiguos que se conocen. Este orden se utilizaba frecuentemente, y se asocia particularmente a Roma.

Orquesta

El propósito de la orquesta, área semicircular plana, de los teatros romanos no era el mismo que el de sus prototipos circulares griegos. En lugar de actuar como escenario, servía para acomodar a los miembros más privilegiados de la sociedad.

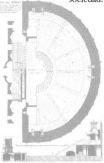

Scaena frons

El muro de cerramiento posterior, o *scaena frons*, de los teatros romanos es una de sus características más distintivas. Estaba decorada con estatuas y nichos. Detrás estaba el *scaenae*, o actual camerino, y, enfrente, el *proscaenium*, o escenario mismo.

Palacio imperial de Domiciano (inaugurado en 92 d. C.)

La colina romana conocida como el Palatino fue el lugar elegido para construir el Palacio Imperial de Domiciano, y su arquitecto fue uno de los pocos arquitectos romanos conocidos, Rabirus. El palacio fue la residencia oficial de todos los emperadores romanos de los siguientes tres siglos. El diseño combinaba estancias públicas y privadas alrededor de patios ajardinados, los cuales se colocaban simétricamente sobre una planta irregular.

Antigua Roma

El Coliseo, Roma

El Coliseo, o Anfiteatro Flavio, lo comenzó Vespasiano en 70 d. C. como regalo para la ciudad de Roma. Lo inauguró su hijo Tito en 80 d. C., y lo terminó Domiciano. Se construyó sobre el lago artificial de los jardines ornamentales del Domus Aurea de Nerón. El subsuelo arcilloso constituía una base ideal para el inmenso peso del edificio. El coloso cercano, una enorme estatua de Nerón, puede ser el origen del nombre del anfiteatro. En contraste con el extravagante egoísmo de Nerón, Vespasiano, astutamente, donó el anfiteatro a los romanos para que disfrutaran de las luchas de gladiadores, y de ese modo creó el primer anfiteatro permanente de la ciudad. Es esencialmente conservador en planta y decoración, pero su increíble tamaño, 188 x 156 m (616 x 512 pies), y la logística necesaria para construir a esa escala, lo hacen único.

Materiales

Los materiales se escogieron exprofeso para un diseño de ese peso y tamaño. La cimentación es de hormigón, las paredes radiales de toba, si bien la parte superior es de hormigón recubierto de ladrillo, y el exterior es de travertina.

Subestructura arqueada

Se utilizó una subestructura de arcos para soportar las tres plantas de asientos. Las escaleras radiales (*vomitoria*) llevaban a la gente a sus asientos, siendo conocida cada cuña como *cuneus*. El anillo exterior de corredores, aparte de facilitar el movimiento de las masas, funcionaba como contrafuertes para contrarrestar el empuje del edificio hacia el exterior.

Velarium

En el ático hay unos agujeros que sujetaban las ménsulas que a su vez soportaban un toldo llamado *velarium*. Éste se extendía por todo o parte del anfiteatro para proteger a los espectadores del sol. Se sujetaba mediante un sistema de poleas que se ataba al suelo, fuera del anfiteatro.

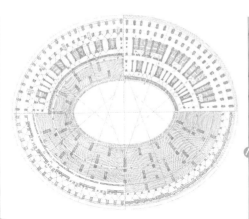

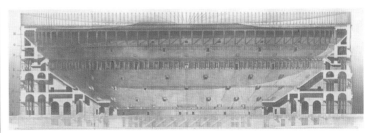

Planta

El desafío esencial del diseño era cómo facilitar el flujo de un máximo de 50.000 (posiblemente rebeldes) espectadores. El Coliseo tiene una planta elíptica, con ochenta paredes radiales y setenta y seis entradas numeradas. Había cuatro pórticos de acceso al palco imperial.

Asientos

Los ricos se sentaban en los primeros tres pisos, donde los asientos eran de mármol, pero los pobres se sentaban en el ático, donde sólo había una pared de contención y los asientos eran de madera para evitar la sobrecarga. Debajo, el suelo del Coliseo consistía en una serie de corredores y pasajes de servicio donde permanecían los animales, participantes y decorados antes del espectáculo.

Decoración exterior

La combinación de arcos y órdenes superpuestos del exterior se inspiró en el Teatro de Marcelo. El ático tiene ventanas, en paneles alternos, para permitir la entrada de luz en la sección superior de la zona de asientos. Entre las ventanas había escudos de bronce.

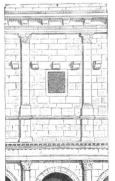

Jerarquía de los órdenes

Las columnas de tres cuartos del exterior son, por este orden, toscanas, jónicas y corintias, con una pilastra corintia en el ático. Fue esta "jerarquía" la que tanta influencia tuvo en los arquitectos renacentistas.

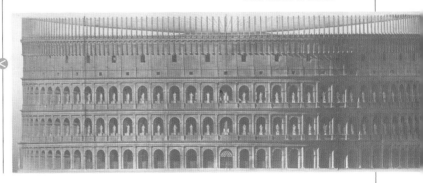

Historia posterior

Hacia el siglo VI d. C. su arena ya no era lugar de lucha de gladiadores. Durante el periodo medieval, el Coliseo se fortificó y se convirtió en un castillo. Consecuentemente, su bella travertina se utilizó como cantera para otros edificios de Roma. En el siglo XVIII se consagró a la Pasión de Jesucristo y se santificó por la sangre de los mártires que murieron allí en la era precristiana.

Antigua Roma

Trajano

El soldado español Trajano se convirtió en emperador en 98 d. C. Se lo conoce como uno de los grandes constructores, pero, por desgracia, apenas se conserva nada de su obra, aparte de los Mercados de Trajano. Estas calles de ladrillo y hormigón, dedicadas a tiendas, ascendían por el Quirinal, sobre el Foro de Trajano. Construyó unos baños, en el Domus Aurea de Nerón, que seguían el modelo de los baños de Tito, desarrollando más tarde las estancias subsidiarias. También desarrolló el puerto de Portus y los muelles de Roma. Pero sus más grandes proyectos los reservó para el Foro Romano. En general, sus edificaciones eran conservadoras, incluso podría describirse el Foro como retrógrado en decoración, ya que imita al Foro de Augusto.

Bibliotecas, Roma

A cada lado de la Columna de Trajano, y enfrente del Templo de Trajano, había dos bibliotecas: una griega y una latina. Dentro, los nichos con aparadores contenían los rollos de papel. Puede que se eligiera hormigón recubierto de ladrillo para minimizar el riesgo de incendios.

Estatua,
Columna de Trajano

El podio de la Columna de Trajano contiene la cámara mortuoria en que fue enterrado el emperador. A la estatua de Trajano, de bronce dorado, que estaba arriba del todo, se llegaba por medio de unas escaleras de caracol interiores. Esta estatua fue posteriormente sustituida por una de San Pedro.

Columna de Trajano,
Roma (h. 112 d. C.)

Con un alzado de 47 m (155 pies), esta monumental columna de mármol de Luna se construyó para conmemorar las victorias de Trajano en las Guerras Dacias. Existen otras columnas anteriores, pero la originalidad de ésta está en el friso escultórico que, en forma de espiral ascendente, se extiende desde el podio hasta el capitel.

Arco de Trajano,
Benevento (h. 115 d. C.)

El Arco de Trajano en Benevento, centro de Italia, sigue el modelo del Arco de Tito en Roma. Es un arco individual de orden compuesto, y tiene un ático encima. Su característica principal es la cantidad de superficie esculpida que lo cubre.

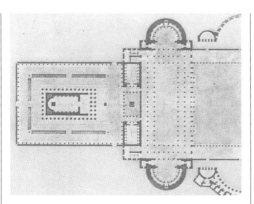

Corte transversal, Basílica Ulpia

La nave central estaba completamente rodeada de una doble columnata, a través de la cual se podían ver sendos ábsides en los extremos. Encima de la columnata probablemente había galerías. La Basílica era famosa, incluso en la antigüedad, por su tamaño y belleza, y pudo servir de modelo para las primeras iglesias cristianas.

Foro de Trajano, Roma (h. 100-12 d. C.)

Esta extensión final del Foro Romano fue el añadido más grandioso de todos. En detalle y decoración sigue el patrón del Foro de Augusto, pero en planta rompe con las tradiciones. Donde uno podría esperar ver un templo se encuentra con la Basílica Ulpia colocada axialmente mostrando todo su ancho.

Basílica Ulpia, Roma (h. 100-12 d. C.)

Ésta era la monumental vista lateral que hubieran tenido los visitantes del foro. Las pequeñas ventanas, situadas a la altura del clerestorio, permitían la entrada de luz en el cuerpo del edificio.

Templo de Trajano, Roma

Después de la muerte de Trajano, su sucesor, Adriano, encargó un templo para divinizar al emperador y a su mujer. Este templo completó el foro en su extremo occidental.

Decoración escultórica, Templo de Trajano

Este detalle escultórico es del Templo de Trajano, e ilustra la extremada delicadeza de los relieves esculpidos que pueden encontrarse en muchos de los monumentos de esta época.

Antigua Roma

Adriano

El reinado de Adriano, 117 a 138 d. C., fue testigo de la culminación de un buen número de tendencias arquitectónicas de la Roma de finales del periodo imperial. Notable fue el completo desarrollo de la técnica de hormigón y ladrillo, como puede verse en esta villa de Tívoli. Allí, el juego de curvas y contracurvas en los espacios como su isla de retiro, el Teatro Marítimo, es casi barroco por su plasticidad y sentido del movimiento. En los pabellones de la Piazza D'Oro se pueden ver las primeras expresiones de estos complejos interiores, pero en el exterior del edificio. La profunda admiración de Adriano por Grecia se nota en la arquitectura a él asociada. Tal era la nostalgia por la gloria de Grecia, que vivió en Atenas y encargó varios edificios allí. No sólo fue un notable benefactor, sino que también diseñó el Templo de Venus y Roma, entre otros edificios.

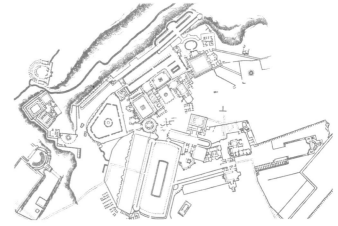

Un retiro en el campo: Villa Adriana, Tívoli (h. 118-34 d. C.)
El nombre de Villa Adriana es un tanto confuso para lo que en realidad es un palacio. Situado a las afueras de Tívoli, en el campo, comprende una serie de edificios y espacios interconectados cuya característica arquitectónica más reseñable es el uso de curvas y contracurvas, fáciles de obtener con el uso de hormigón y ladrillo como materiales de construcción. En todo el complejo hay una deliciosa mezcla de agua y escultura, todo ello con el verde telón de fondo del campo.

Templo de Venus y Roma, Roma (consagrado en 135 d. C.)
Este doble templo períptero consiste en dos enormes templos decástilos colocados espalda con espalda y construidos, en mármol con vetas azules de Proconnesus, por artesanos de Asia Menor.

Fachada, Templo de Venus y Roma
Se sabe que lo diseñó el propio Adriano. Se dice que el arquitecto Apolodoro osó criticarlo (posiblemente por su desgarbado tamaño), lo cual le costó la vida. Colocado en un plinto de pequeña altura, como un templo griego, tiene una columnata continua alrededor. Ésta cuenta con veinte columnas en cada uno de los lados largos.

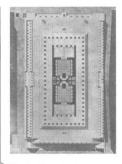

Planta, Templo de Venus y Roma

Los lados largos del Templo de Venus y Roma tenían columnatas. Los lados cortos estaban abiertos.

Templo de Diana, Nîmes (h. 130 d. C.)

El así llamado Templo de Diana, en Nîmes, Francia, se construyó enteramente de sillares (roca cortada en cuadrados). Para soportar el peso de la bóveda de cañón se colocaron nervaduras que soportaban el empuje hacia abajo, desviando parte hacia las paredes de los pasajes laterales.

Artesonado en rombos, Templo de Venus y Roma

El Templo de Venus y Roma fue reconstruido por Maxentius después del incendio de 283 d. C., que quemó el tejado y la cella del templo original de Adriano. El artesonado en forma de rombos de los ábsides de los templos sobrevivió, y ha sido de gran influencia para generaciones posteriores.

Pons Aelius, Roma (134 d. C.)

Adriano encargó un puente que consistía en siete arcos para unir el área del Campo de Marte, Roma, con su mausoleo.

Mausoleo de Adriano, Roma (completado en 140 d. C.)

El mausoleo de Adriano se parece mucho al modelo del de Augusto, que para entonces estaba terminado. La diferencia más significativa es la base cuadrada del podio. También es más rico en estatuas y accesorios dorados.

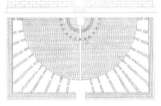

Antigua Roma

El Panteón, Roma

El Panteón lo construyó Adriano hacia 118-28 d. C., sobre un antiguo templo del cónsul Marco Agripa. Aparentemente estaba dedicado a todos los dioses, pero las razones de Adriano para construirlo y la curiosa inscripción del templo de Agripa, en el pórtico, siguen siendo un enigma. Es uno de los grandes edificios supervivientes de la antigüedad, debido, en parte, a lo bien conservado que está. Su conservación hay que agradecérsela al Papa Bonifacio, que lo preservó y convirtió en una iglesia en 609 d. C. Sin embargo, su supervivencia no explica la increíble influencia que ha ejercido a lo largo de la historia de la arquitectura, que se debe más bien a su diseño técnicamente innovador, a su gran tamaño y a su interior, sobrecogedoramente inspirador.

Exterior
El templo consiste en un cilindro, dividido en tres estratos coronados por una cúpula poco marcada, adosado a un pórtico de ocho columnas de ancho y tres de profundidad. Es probable que al principio el exterior estuviera cubierto de estuco, pero ahora es de hormigón cubierto con ladrillo.

Interior
Interiormente no hay tres estratos, sino dos. Después brota el arco de la cúpula, que está coronada con una abertura al cielo conocida como *oculus*. Ésta es la única fuente de luz del edificio.

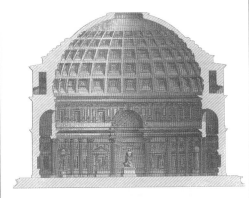

Decoración romana
El Panteón refleja un nuevo y característicamente romano énfasis en el espacio interior y la decoración. Esto se debe a la liberalización del diseño a través del uso de hormigón decorado, lo que permitió que los edificios tuvieran una gran variedad de tamaños y plantas distintos.

Escala y proporción
El tamaño de la cúpula del Panteón no fue superado hasta el Renacimiento. Su anchura, de 43 m (141 pies), es igual que la distancia del *oculus* al suelo —el efecto es el de una esfera que ha sido achatada en su mitad inferior para crear un cilindro.

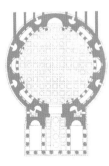

Planta
La acomodación de una fachada de templo convencional a una cella circular es incómoda. Originalmente, el Panteón estaba en el interior de un recinto de columnas, donde la unión de las dos partes del edificio se disimulaba detrás de una pared de columnas.

Interior de mármol coloreado
Las paredes están lujosamente decoradas con mármoles coloreados, lo que refleja el creciente gusto por los caros mármoles del imperio, en contraste con la decoración con frescos y mosaicos. La decoración clásica mostrada aquí es estructuralmente irrelevante.

Estructura
El núcleo del edificio es de hormigón. El agregado del hormigón varía, siendo un pesado basalto en los cimientos, toba para los muros medios y piedra pómez, más ligera, en la cúpula. En toda la estructura hay huecos, visibles o invisibles, para aligerar la carga de las paredes y de la cúpula.

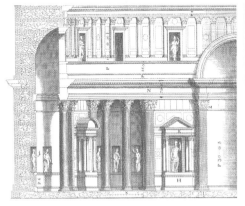

Artesonado
La cúpula tiene cinco estratos, cada uno de veintiocho artesones. Éstos son decrecientes en tamaño a medida que se acercan al *oculus*, lo que da la impresión de una altura mayor y aligera la carga de la cúpula.

Exedra
Opuesto a la puerta, y sobre el único eje del edificio, hay un ábside. A ambos lados hay *exedrae*, o nichos, cuadrados y semicirculares dispuestos alternativamente. Estos vacíos están semiocultos tras columnas.

Antigua Roma

El Periodo Severiano en Roma

Los emperadores Severianos alcanzaron el poder en 193 d. C., después de un periodo de guerra civil. La decreciente importancia de roma, en contraste con el resto del imperio, parece que sólo les inspiró para construir proyectos aún más grandes. Su mayor contribución a la arquitectura de Roma fueron los inmensos baños, o *thermae*. De hecho, las raíces esenciales del diseño de los baños de finales del imperio residen en los baños de Tito y Trajano, del siglo I d. C. La simetría y las secuencias de estancias ya estaban definidas. Lo que es nuevo es el tamaño de las construcciones de los *severianos*: los baños de Caracalla se construyeron sobre 20 ha (50 acres) y podían albergar a 1.600 bañistas a la vez. El uso de cúpulas y bóvedas de hormigón permitió que estos espacios se expandieran sin soporte interno.

El Arco de Séptimo Severo (203 d. C.)
Este arco del triunfo, en el Foro Romano, tiene un diseño bastante convencional. Su colocación sobre series de escalones enfatiza su función ceremonial. Sin embargo, el uso de columnas adosadas rodeando las tres aberturas es nuevo en el diseño de arcos triunfales.

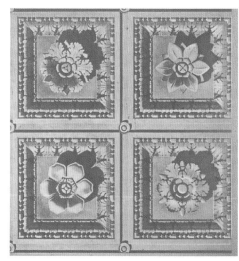

Artesonado, Arco de Séptimo Severo
El Arco de Séptimo Severo tiene un alto nivel de decoración escultórica. La bóveda en cañón de cada arcada está artesonada, de manera elaborada, con flores rodeadas de hojas de acanto y motivos de huevo-dardo.

Septizodium (203 d. C.)
El propósito del Septizodium atormentó a las generaciones posteriores, hasta que fue destruido en 1588. Consistía en tres hileras de columnas independientes ordenadas jerárquicamente. Ahora se cree que sólo servía como pantalla para los suntuosos edificios del Palatina. Este grabado muestra el aspecto que debía tener.

Baños de Dioclecianos (298-305 d. C.)

Los Baños de Caracalla (216 d. C.) fueron los primeros en incluir amplios jardines alrededor del complejo de baños central. Aquí, en los Baños de Diocleciano (298-305 d. C.), se distribuyeron uniformemente estructuras secundarias, como bibliotecas, teatros y salas de lectura, alrededor del perímetro. Los propios baños miraban a las zonas ajardinadas.

Decoración de los baños

Los baños del imperio tardío son la personificación de la arquitectura de hormigón, con sus espacios arqueados de formas y tamaños variados. El interior de los baños estaba ricamente decorado con mármol, mosaicos y frescos, y deslumbraba al visitante con su juego de luces y espacios.

Baños de Caracalla (dedicados en 216 d. C.)

Los baños del imperio tardío son notables por su simetría. Los Baños de Caracalla (216 d. C.) están dispuestos sobre dos ejes, uno con la piscina y los baños, y el otro con los patios de ejercicio y las estancias de servicio duplicadas a cada lado. El hormigón y los ladrillos permitieron estancias de formas más flexibles, como el *caldarium* circular. Esta habitación se proyecta desde el bloque central para atrapar el sol de la tarde.

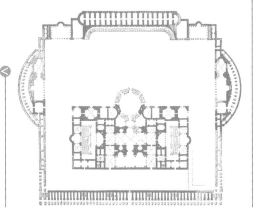

Orden corintio

El orden corintio fue el más utilizado por la arquitectura romana. Difería del corintio griego en que su entabladura y capitel estaban más ornamentados, y más particularmente, por la introducción de modillones —soportes horizontales que sujetaban una cornisa más profunda. A veces se introducía artesonado entre estos para causar una mayor impresión desde el suelo.

Antigua Roma

El Imperio Severiano

Mientras Roma iba en declive, en el extenso Imperio Severiano (193-305 d. C.) se desarrollaron nuevos tipos y estilos de edificios. Los romanos exportaron su arquitectura a las provincias del imperio, pero éstas la modificaron en función de las prácticas y recursos locales. Fuera de Roma rara vez se usaba el cemento, lo que limitaba las posibilidades. La cúpula del mausoleo de Diocleciano, en Split (actual Croacia), por ejemplo, tiene una compleja forma de abanico y está totalmente construida en ladrillo, lo que restringe las dimensiones globales. Mucho después de la muerte de la piedra tallada en Roma, las provincias seguían usándola, aunque los provincianos también adquirieron el gusto por los mármoles importados. Surgió una nueva libertad en el uso de los órdenes clásicos, en particular la manipulación de la entabladura para crear formas novedosas.

Decoración interior, Templo de Baco

El interior del Templo de Baco tiene una de las decoraciones supervivientes más ricas. Cada trozo de sus paredes de piedra caliza está embellecido con ornamentación clásica. Está dividido por columnas gigantes que se elevan hasta lo más alto del edificio. Entre las columnas, la pared está subdividida en dos filas de nichos: unos con frontispicios y los otros redondeados.

Templo de Vesta, Baalbek (siglo III d. C.)

El impresionante Templo de Vesta tiene una cella redonda enclaustrada por una cúpula de albañilería. Puede que fuera la necesidad de reforzar esto lo que llevara al diseñador a rodearla de columnas corintias de cinco lados con arquitrabes curvos, pero lo cierto es que creó un juego barroco de curvas y contracurvas.

Nichos, santuario de Baalbek

Alrededor del patio del santuario de Baalbek se alternan *exedrae* (nichos) rectangulares y semicirculares. Toda la superficie de los muros está decorada con pilastras y entabladuras o con dos filas de nichos.

Templo de Baco, Baalbek, (siglo II d. C.)

El alzado del templo, situado muy cerca del santuario de Baalbek (actual Líbano), es característicamente romano, con un profundo porche y una amplia cella sobre un alto podio. Pero su excepcional altura es más helenística. Es uno de los templos mejor conservados del mundo.

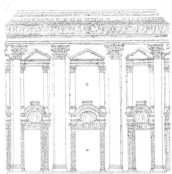

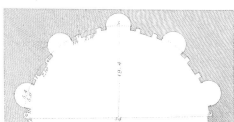

Cornisamiento de columnas, Palacio Diocleciano, Split (h. 300-6 d. C.)

Encima de la entrada al Palacio de Diocleciano está el probablemente primer ejemplo occidental de cornisamiento de columnas. Pueden, en cualquier caso, encontrarse ejemplos anteriores en Siria.

Arquitectura fortificada, Palacio de Diocleciano

La influencia de la arquitectura militar en el Palacio de Diocleciano es evidente, dados sus increíblemente gruesos muros y las torres vigía de cada esquina, desde las que se podía proteger el complejo.

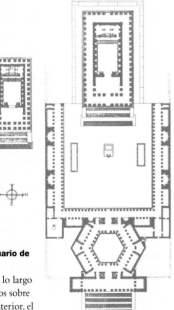

Planta, santuario de Baalbek

Construido a lo largo de varios siglos sobre un templo anterior, el santuario de Aalbek está en medio del Templo de Júpiter, colocado en un patio rectangular al que se accede a través de un antepatio hexagonal. Cerca está el Templo de Baco.

Planta, Palacio de Diocleciano

La planta del Palacio de Diocleciano se asemeja al *castrum* romano, o ciudad fortificada. El complejo está intersectado por dos calles con columnatas. Los dos cuartos más cercanos al mar comprenden el mausoleo del emperador, el templo y la vivienda, mientras que los otros dos cuartos probablemente alojaban a la guardia.

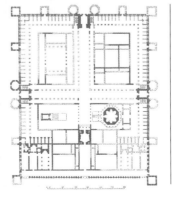

Arcos brotantes, Palacio de Diocleciano

En el patio de entrada al Palacio de Diocleciano hay una arcada con columnas, en la que los arcos brotan de capiteles corintios. En el mismo patio podemos ver la curvatura de la cornisa, que se repite en la fachada del mar y se conoció como ventana Diocleciana.

Antigua Roma

El Imperio Tardío

El emperador Constantino hizo dos cambios significativos durante su reinado, que tuvieron un duradero efecto en la arquitectura de Roma. En 313 d. C. reconoció la legitimidad del cristianismo, convirtiéndose él mismo, y en 330 d. C. hizo de Constantinopla su capital. Con el Imperio bajo una amenaza creciente por parte de las tribus del norte y una, políticamente, inestable Roma, los materiales antiguos se reutilizaron y la práctica de ciertas técnicas, como el tallado de la piedra, se hizo menos sofisticada. Sin embargo se construyó mucho, incluyendo la muralla Aureliana alrededor de Roma. El emperador Maxentius incluso se construyó una nueva villa y un hipódromo cerca de la Vía Appia. El Imperio Tardío (306-h.340 d. C.) fue un punto de transición entre el mundo imperial y bizantino, como muestran edificios como el Templo de Minerva Médica, con su cúpula y sus ábsides, cilíndricos y proyectados.

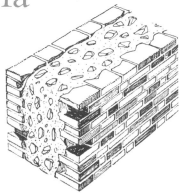

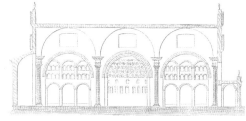

Opus testaceum

Aunque el *opus testaceum*, u hormigón recubierto de ladrillo, se usaba desde los tiempos de Augusto, en el imperio tardío se había convertido en el material de construcción predominante —hasta el punto de que, aparte de en los arcos de triunfo, rara vez se usaba la piedra.

Vanos laterales, Basílica de Maxentius

Los tres vanos laterales de cada lado de la nave tienen un propósito estructural. Actúan como refuerzos para soportar el inmenso empuje de la bóveda de hormigón, y quedan a la espera de la arquitectura bizantina y medieval.

Bóvedas cruzadas, Basílica de Maxentius

El cruce de las bóvedas, aquí, está a 35 m (115 pies) de alto y 25 m (82 pies) de ancho. Para acortar el recorrido, el arquitecto utilizó inmensas columnas de mármol Proconeso, adosadas a los pilares desde los que brotan los arcos.

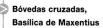

Basílica de Maxentius, Roma (307-12 d. C.)

La Basílica de Maxentius fue, de hecho, terminada por Constantino, el cual cambió el eje del edificio añadiendo una nueva entrada y un ábside en los lados largos. Su diseño proviene de los *frigidarium* de los baños imperiales.

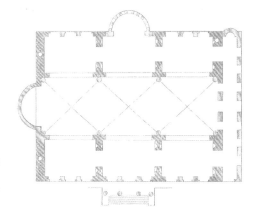

Relieves esculpidos, Roma (h. 312-15 d. C.)

El relieve esculpido del Arco de Constantino es una mezcla de viejo y nuevo tomado de monumentos de los siglos I y II d. C. La escultura contemporánea es a menudo tosca en comparación con trabajos anteriores. Esto puede deberse a la pérdida de habilidad en el trabajo en piedra, ya que ahora se usaba mucho menos frecuentemente.

Campo dei Vaccino, Roma

Después de que Constantino trasladara la capital a Constantinopla en 330 d. C., Roma cayó en declive. Sus gloriosos monumentos quedaron enterrados, sobresaliendo lo justo para ser observados por las generaciones futuras mientras pastoreaban sus vacas, así que comenzó a conocerse como el Campo dei Vaccino, o campo de vacas.

Un mausoleo constantino (h. 350 d. C.)

El emperador construyó un mausoleo en Roma para su hija Constanza. La cúpula se asienta en un cilindro perforado por ventanas, soportado por dobles columnas y rodeado por un deambulatorio.

Arco de Constantino: el último arco de triunfo

Este arco se construyó para conmemorar la victoria del emperador sobre su rival Maxentius en el Puente Milvia, en 312 d. C. Es el último arco de triunfo que se construiría en Roma, pero también el más grande. Toma su forma del de Séptimo Severo, pero articula la división tripartita de un modo más claro en la planta ática.

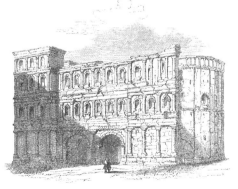

Puerta Negra, Trier (principios del siglo IV d. C.)

La Puerta Negra de Trier, en Alemania, fue construida como entrada obligatoria a la ciudad. A pesar de su arco y decoración tradicionales, se aprecia un juego de luces y sombras y de huecos y agrupaciones que anuncian una nueva era.

Paleocristianismo y Bizantinismo
h. 313–1453

La Basílica

El cristianismo fue oficialmente reconocido en 313, cuando Constantino I, Emperador de Roma, promulgó el Edicto de Milán. Para el 326 se había convertido en la religión oficial del Imperio Romano. Con su nueva capital en Bizancio —rebautizada como Constantinopla (ahora Estambul)— el imperio se extendía desde Milán y Colonia, en el oeste, hasta Siria, en el este, y hasta Grecia y Egipto, en el sur. La religión emergente necesitaba una nueva arquitectura, por lo que adoptó una de las tipologías romanas más características: la basílica —un salón de asambleas que podía servir como cualquier cosa, desde mercado hasta corte de justicia. Al ser un estilo arquitectónico oficial y público, sin asociaciones paganas, era adecuado para adaptarlo a las necesidades cristianas. En todo el imperio se exhibieron basílicas, que variaban en función de las tradiciones locales.

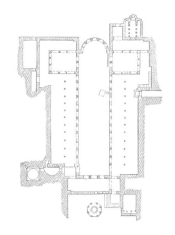

Crucero, San Demetrio, Tesalónica (finales del siglo V)
En algunas iglesias basílicas, se añadían extensiones laterales entre el ábside y la nave para formar una planta en cruz. El crucero de San Demetrio, en Tesalónica, está dividido en nave principal y naves laterales, como el cuerpo principal de la iglesia.

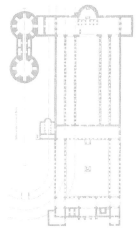

Planta, San Pedro, Roma (319-22)
San Pedro, construida por Constantino, tenía un "crucero continuo" ininterrumpido que alojaba las reliquias del apóstol. La iglesia está orientada a occidente (su ábside está en el extremo occidental), lo que la hace inusual ya que la mayor parte se orientaba al este. En el extremo opuesto hay un *narthex*, o antesala, que cruza las naves principal y laterales llevando a un atrio.

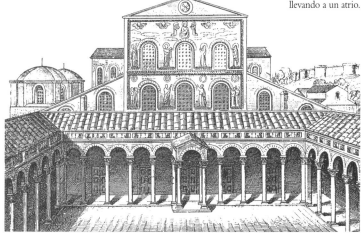

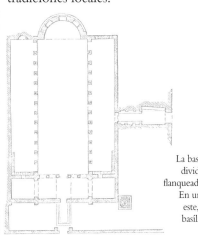

Planta de basílica
La basílica era una sala rectangular con su interior dividido, longitudinalmente, en una nave central flanqueada por dos o cuatro naves laterales, o pasillos. En uno de los extremos de la sala, casi siempre el este, se proyectaba un ábside semiesférico: en las basílicas romanas alojaba un tribunal, pero en las iglesias cristianas contenía el santuario.

Atrio y fachada, San Pedro, Roma
El atrio era un antepatio situado enfrente del narthex, rodeado de pórticos con columnas. Proporcionaba un lugar retirado para los catecúmenos (creyentes no bautizados), los cuales podían participar en la primera parte del servicio religioso, pero no en la Misa de los Creyentes.

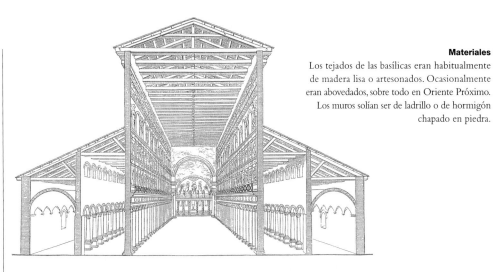

Materiales

Los tejados de las basílicas eran habitualmente de madera lisa o artesonados. Ocasionalmente eran abovedados, sobre todo en Oriente Próximo. Los muros solían ser de ladrillo o de hormigón chapado en piedra.

Exteriores

Como muestra la fachada de San Pedro (abajo, izquierda), los exteriores de las basílicas paleocristianas eran extremadamente simples. Esto era igualmente cierto en el Oriente Próximo, donde los sillares (piedras cortadas) eran la materia de construcción principal. La iglesia del siglo V en Trumanin (abajo) era típicamente siria, ya que tenía en la entrada un porche con columnas, o *propylaeum*, flanqueado por dos torres.

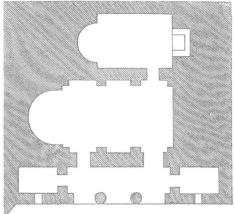

Basílicas posteriores

La basílica demostró ser una forma asombrosamente duradera y flexible para la arquitectura de iglesias, y continuó usándose a lo largo de todo el paleocristianismo y el periodo bizantino, como por ejemplo en las catacumbas de Turquía (este ejemplo es de la Capadocia), donde las basílicas, sin naves laterales, fueron talladas directamente en la roca.

Paleocristianismo y Bizantinismo

Interiores paleocristianos

En contraste con sus sencillos exteriores, los interiores de las iglesias paleocristianas (siglos III a V) eran espléndidos y fusionaban el color, la luz y los materiales preciosos. Cada superficie estaba cubierta de una rica decoración: revestimientos de mármol, frescos y mosaicos en las paredes, conteniendo los dos últimos figuras; las columnas y los pilares de las arcadas también eran de mármol, y terminaban en capiteles dorados; los tejados (de madera lisa o de artesones) estaban dorados; los suelos estaban a menudo cubiertos de mosaicos de mármol; los arquitrabes, entabladuras y mamparas también podían ostentar tallas de formas geométricas o de hojas; los altares eran de oro y plata, con incrustaciones de joyas; y en el ábside, la media cúpula estaba cubierta con un gran fresco o mosaico, a menudo de Cristo y los profetas. Particularmente en el Imperio Occidental, los capiteles, columnas y entabladuras eran a menudo despojos de edificios romanos.

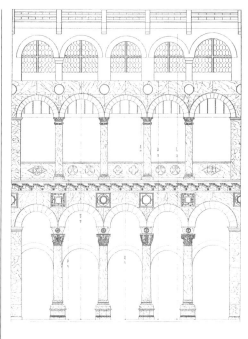

Ábside

Al final de la arcada, el ábside, generalmente abovedado y articulado con un arco del triunfo, aloja el santuario y el *synthronon* —asiento concéntrico para el clero. Bien dentro o bien delante del ábside, el sagrario, o altar mayor, de la iglesia está protegido por un elaborado dosel —el *baldacchino*, o *ciborium*.

Clerestorio

Los tejados de las naves laterales estaban a menor altura que el de la nave principal, permitiendo poner ventanas en la parte superior de las paredes de la nave —el clerestorio— para iluminar el interior desde arriba.

Galería

Las naves laterales estaban a veces coronadas por una segunda altura, o galería (a menudo diseñado para las mujeres, y llevando el nombre de *gynaecea*). Si no existían semejantes galerías, los hombres y las mujeres se sentaban en lados opuestos de la nave.

Arcada

La nave y los pasillos estaban separados por filas de columnas o pilares coronados por arcos, formando una arcada, o por una entabladura —bandas horizontales de albañilería tallada.

Capiteles y almohadones

Construida con despojos, la nave de San Demetrio, Tesalónica, despliega buena cantidad de capiteles. Este capitel *protomai* dividido en dos contiene hojas de acanto coronadas con medias figuras de águilas. Encima, un almohadón forma la transición del capitel circular a la base cuadrada de la arcada.

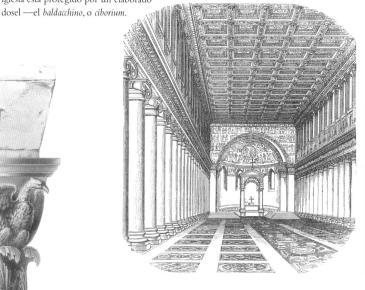

Interiores de Próximo Oriente

En contraste con los interiores de las regiones del oeste y del centro, los interiores del Próximo Oriente tendían a ser austeros, con arcadas achaparradas de pilares cortos y espaciados.

Ventanas

Las ventanas de las basílicas paleocristianas añadían misticismo al dar una luz etérea y opaca, bien a través de paneles de piedra con perforaciones decorativas, o bien a través de cristal (mica) o alabastro coloreados. Por la noche, el mármol y el cristal, así como la plata y el oro, destellaban a la titilante luz de las velas.

Mobiliario litúrgico

A veces el santuario estaba elevado en una plataforma, o *bema*, reservada para el clero. Ésta estaba separada de la nave por un pequeño parapeto llamado *iconostasis*. Desde aquí, el clero podía avanzar por un pasillo elevado, o solea, que se proyectaba dentro de la nave hasta el púlpito, o ambo.

Ambo

El ambo era una plataforma elevada desde la que se leían las Epístolas y el Evangelio. Generalmente de piedra, estaba —como el resto del mobiliario litúrgico— ricamente decorado con paneles ornamentales.

Opus sectile

Las paredes y suelos de muchas iglesias presentaban su superficie decorada con *opus sectile* —piedras de mármol cortadas para formar figuras geométricas. Otros suelos estaban cubiertos con baldosas o pavimentos de mármol.

Paleocristianismo y Bizantinismo

Plantas centralizadas

La arquitectura paleocristiana tomó también la planta centralizada, ya fuera circular, en forma de cruz o poligonal, de los edificios romanos. En la arquitectura romana, esta forma era más prominente en los mausoleos, y esta tradición influenció fuertemente la arquitectura funeraria paleocristiana, particularmente en las tumbas monumentales construidas como memoriales. Al principio, los relicarios se conmemoraban en el interior de las iglesias, como en San Pedro en Roma, pero gradualmente se independizaron y contaron con su propio santuario martirial aislado, generalmente de planta centralizada. A su vez, las plantas centralizadas fueron absorbidas gradualmente por la arquitectura de iglesias, y las capillas palatinas, en particular, empezaron a tomar formas circulares, octogonales o cuatrifolias.

Baptisterio laterano, Roma (h. 315)

El paleocristianismo vio surgir edificios independientes para el bautismo. Éstos a menudo exhibían la planta centralizada de los baños, que inicialmente se adaptaron para ese propósito. Estos edificios eran a menudo octogonales, simbolizando el ocho la regeneración, ya que el mundo comenzó el octavo día después de la Creación.

Mausoleo

Las tumbas paleocristianas siguen la tradición romana de los mausoleos, los cuales también tenían una planificación central. Diferían, sin embargo, en que generalmente estaban construidos cerca del camposanto de una basílica. Muchos tenían un área central delimitada por columnas, con un pasillo, o nave, rodeándola.

Corte transversal, Santa Constanza, Roma (h. 350)

Santa Costanza, construida por Constantino para su hija Constanza, comprende una bóveda circular soportada por una arcada de doce pares de columnas que forman una especie de *baldacchino*, el cual está rodeado por un deambulatorio abovedado. El área central, iluminada por un clerestorio, está coronado por una cúpula debajo de un tejado de madera.

Interior, Santa Constanza

El interior de los mausoleos estaba ricamente decorado, como en Santa Constanza. Aquí, la decoración en mosaico cubre las paredes en un esquema que comienza con figuras geométricas, luego pasa a vides, y culmina sobre el sarcófago, opuesto a la entrada, con la cúpula dorada del Cielo, con escenas del Antiguo Testamento en la cúpula.

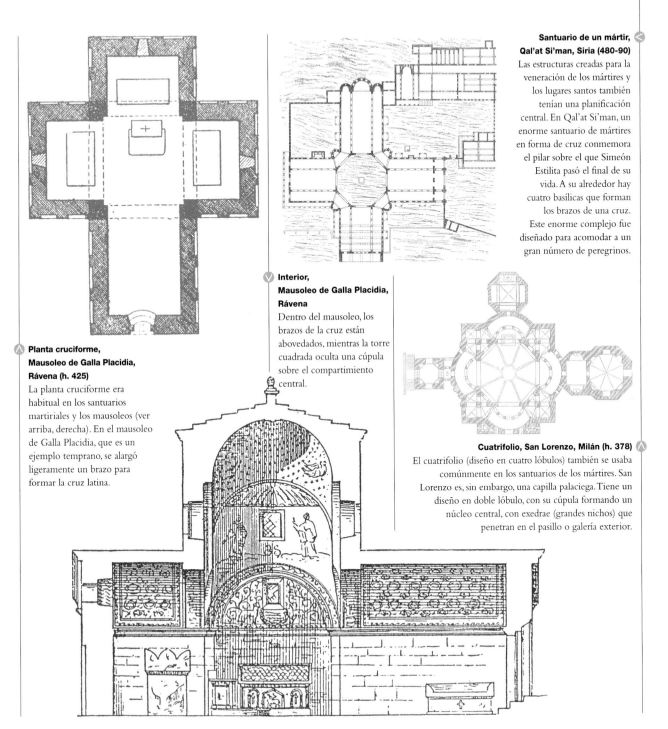

Santuario de un mártir, Qal'at Si'man, Siria (480-90)

Las estructuras creadas para la veneración de los mártires y los lugares santos también tenían una planificación central. En Qal'at Si'man, un enorme santuario de mártires en forma de cruz conmemora el pilar sobre el que Simeón Estilita pasó el final de su vida. A su alrededor hay cuatro basílicas que forman los brazos de una cruz. Este enorme complejo fue diseñado para acomodar a un gran número de peregrinos.

Interior, Mausoleo de Galla Placidia, Rávena

Dentro del mausoleo, los brazos de la cruz están abovedados, mientras la torre cuadrada oculta una cúpula sobre el compartimiento central.

Cuatrifolio, San Lorenzo, Milán (h. 378)

El cuatrifolio (diseño en cuatro lóbulos) también se usaba comúnmente en los santuarios de los mártires. San Lorenzo es, sin embargo, una capilla palaciega. Tiene un diseño en doble lóbulo, con su cúpula formando un núcleo central, con exedrae (grandes nichos) que penetran en el pasillo o galería exterior.

Planta cruciforme, Mausoleo de Galla Placidia, Rávena (h. 425)

La planta cruciforme era habitual en los santuarios martiriales y los mausoleos (ver arriba, derecha). En el mausoleo de Galla Placidia, que es un ejemplo temprano, se alargó ligeramente un brazo para formar la cruz latina.

Paleocristianismo y Bizantinismo

Rávena

En 395, el Imperio Romano estaba nuevamente dividido. Mientras que al este el emergente Imperio Bizantino florecía, el oeste era objeto de constantes invasiones. Como consecuencia, Rávena, en la costa este de Italia, asumió una creciente importancia. En 402, Milán dejó de ser la capital occidental, y, a finales del siglo V, el rey ostrogodo Teodorico (495-526), fijó la corte en Rávena, manteniendo estrechos lazos con Constantinopla. Cuando Justiniano reconquistó Italia en el siglo VI, Rávena se convirtió en la sede de los virreyes bizantinos. Por consiguiente, se formó un puente político y geográfico entre el este y el oeste, y muchos de los edificios iniciados por sus gobernantes muestran la influencia del naciente estilo bizantino.

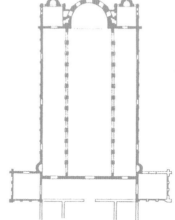

San Apolinar in Classe (532-49)

Aunque aparentemente es una basílica sencilla, con una sola nave lateral, San Apolinar in Classe incorpora una serie de elementos orientales: el *narthex*, con sus dos torres bajas proyectándose a los lados; un ábside exterior que es poligonal en lugar de esférico; y las sobresalientes cámaras laterales al lado del ábside, con sus absidiolas curvas (ábsides secundarios).

San Apolinar el Nuevo (h. 490)

Lo más notable de la basílica de San Apolinar el Nuevo son sus mosaicos, los cuales rompieron la tradición occidental al no mostrar escenas bíblicas, sino procesiones de figuras que avanzaban a lo largo de la nave: en la pared norte, veintidós santas, y en la sur, veintiséis mártires masculinos.

Mosaicos

Los mosaicos estaban hechos de pequeños cubos de piedra o cristal —*tesserae*. A veces se ponía pan de oro en la parte posterior del cristal transparente para crear un efecto rico y de un brillo trémulo. Cada vez más se cubrían todas las superficies con mosaicos, llegando a reemplazar molduras y cornisas, y fluyendo ininterrumpidamente sobre las paredes, arcos y cúpulas. Este mosaico muestra al emperador Justiniano.

San Vital (526-47)

San Vital es una iglesia de doble lóbulo que comprende dos octógonos concéntricos. Su núcleo está definido por ocho pilares con siete *exedrae* en medio, que se meten en el deambulatorio (un pasaje techado común en los claustros y alrededor del ábside de una iglesia). En la octava cara, el núcleo lleva directamente al interior del presbiterio, o ábside proyectado, flanqueado por dos capillas circulares.

Interior, San Apolinar in Classe

El interior de San Apolinar in Classe también muestra la influencia oriental: los chapados en mármol y los capiteles procedían, casi con seguridad, de los talleres imperiales, cerca de Constantinopla.

Campanile, San Apolinar in Classe

En el exterior está uno de los campanile, o campanarios, circulares más antiguos. A medida que ascendemos, las ventanas pasan de simples a dobles y de dobles a triples. En lugar de los altos ladrillos tradicionales de Rávena, la iglesia se construyó con unos ladrillos especialmente largos y finos, típicos de Constantinopla.

Cúpula, San Vital

La cúpula sobre el octógono central de San Vital no está hecha de ladrillo o piedra, sino de unos tubos huecos de teja insertados unos en otros. Esta técnica occidental creaba un estructura tan ligera que no se necesitaban contrafuertes o arcos para soportar la cúpula. El conjunto está cubierto por un tejado de madera.

Encajes y cestería

Muchas iglesias de la Rávena de los siglos V y VI presentaban capiteles bizantinos. Las naturales hojas de acanto corintias dieron paso a "encajes" y "cestería", menos naturales, con estilizadas hojas y cintas entrelazadas, todo ello profundamente tallado. Los capiteles bizantinos también tomaron nuevas formas, como el capitel "almohadón", o "cesta", casi semiesféricos.

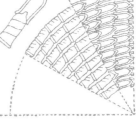

Paleocristianismo y Bizantinismo

Arquitectura bizantina temprana

El siglo VI fue el punto álgido del Imperio Bizantino. El reinado de Justiniano (527-62) vivió un periodo de expansión y prosperidad sin precedente. Con el Imperio Occidental amenazado, Constantinopla dominó como centro político y cultural —si no religioso. En un periodo de innovación arquitectónica, que vio desarrollarse las formas del paleocristianismo hasta convertirse en el estilo bizantino, lideró un enorme programa propagandístico a favor de la construcción. Mientras que la basílica siguió predominando en el oeste, en el este había una creciente tendencia hacia formas más complejas y, sobre todo, hacia la centralización, con compartimientos cuadrados abovedados introducidos en las plantas rectangulares de basílicas. Esta tendencia estaba en parte unida a la liturgia oriental, en la cual se remarcaba la entrada procesional del clero durante la Misa. Las nuevas plantas centralizadas dirigían la atención a la nave, que se convirtió en escenario de las procesiones, mientras que la congregación observaba desde las naves laterales, las galerías y el *narthex*.

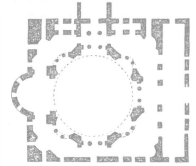

Santos Sergio y Baco, Constantinopla (527-36)
Construida por Justiniano, Santos Sergio y Baco es similar a San Vital, comprendiendo un doble lóbulo con octógono central y cuadrado exterior. Sin embargo, muestra mayor complejidad. Los nichos del núcleo interior son alternativamente cuadrados y redondeados, y tienen un eco en los nichos de la pared exterior.

Cúpula gallonada, Santos Sergio y Baco
La cúpula, que mide 16 m (52 pies) de diámetro, es una cúpula gallonada de dieciséis lados formada por pneles con caballetes. En lugar de estar escondida debajo de un tejado de madera, es visible externamente.

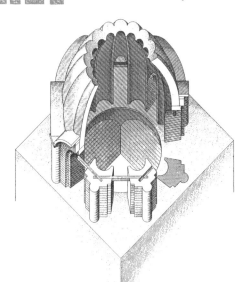

Capiteles plegados, Santos Sergio y Baco
En la planta baja de Santos Sergio y Baco, los capiteles están "plegados", y tienen puntiagudas guedejas que están profundamente menoscabadas, de tal modo que sobresalen con mucho relieve sobre el fondo oscuro.

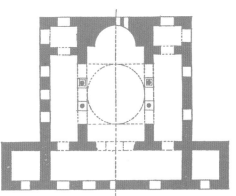

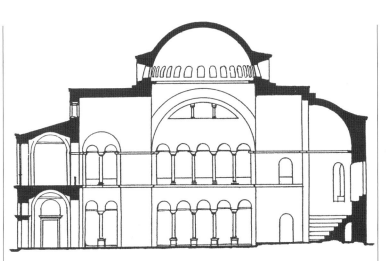

Basílica cupulada condensada, Qasr Ibn Wardan, Siria (564)

En Qasr Ibn Wardan, el deambulatorio de la bóveda del compartimiento central se reduce a pequeñas bóvedas de cañón, y está rodeada en tres de sus lados por naves laterales y galerías, que a su vez están conectadas con un *narthex* de dos hileras. Esta basílica cupulada condensada centra toda la atención en la nave.

Basílica cupulada: Santa Irene, Constantinopla (532)

Se introdujeron cúpulas en compartimientos cuadrados de la planta de la basílica para crear basílicas cupuladas, como en Santa Irene, en Constantinopla, construida por Justiniano en 532. Aquí, la cúpula descansa sobre cuatro arcos soportados por cuatro pilares, mientras que la nave este-oeste era de bóveda de cañón y estaba flanqueada por naves laterales y galerías.

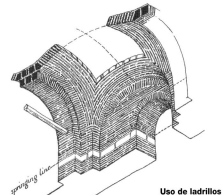

Uso de ladrillos

Otro elemento clave en la introducción de espacios abovedados fue el uso del ladrillo, con delgados ladrillos incrustados en gruesas capas de mortero. Donde las bóvedas de hormigón y piedra sólo podían abarcar pequeños espacios, el ladrillo podía usarse para crear bóvedas delgadas y ligeras que permitían espacios más amplios y flexibles, con menos y más delgados soportes.

Pechinas

La introducción de la planta centralizada con cúpula fue posible gracias a las pechinas —triángulos esféricos que se extendían entre los arcos. Mientras que los romanos sólo podían construir cúpulas sobre espacios circulares, las pechinas permitieron a los bizantinos construirlas sobre plantas cuadradas. Esta forma probablemente se originó en las arquitecturas egea y siria.

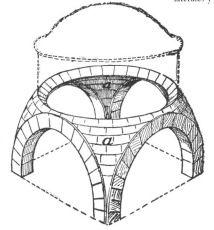

Paleocristianismo y Bizantinismo

Hagia Sofía, Constantinopla (532-37)

Hagia Sofía —que significa "sabiduría divina"— es el monumento más impresionante de la arquitectura bizantina. No obstante, es única —no volvió a construirse nada parecido. Construida por el Emperador Justiniano sobre una basílica en ruinas del mismo nombre, sus creadores no fueron maestros constructores, como era tradicional: Antemio de Tralles e Isidoro de Mileto eran más científicos que arquitectos, pero eran expertos en matemáticas y física. El resultado fue la fusión de una iglesia de doble lóbulo con una basílica cupulada, como si hubieran cortado Santos Sergio y Baco por la mitad y le hubieran intersectado un enorme compartimiento abovedado. Esta innovadora forma fue posible gracias al uso de un ladrillo delgado como material principal de construcción, con la excepción de los ocho enormes pilares, que estaban hechos de sillares. El desplome de la cúpula en 558, veinte años después de su finalización, sugiere que la iglesia fue un reto para la ingeniería y que se forzaron los límites tecnológicos del momento. Se reconstruyó en 563.

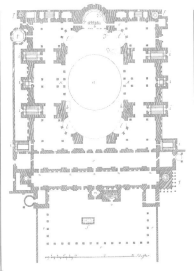

Núcleo

La cúpula se soporta al este y al oeste mediante dos semicúpulas, cada una flanqueada por dos *exedrae* también con semicúpulas. Finalmente, las bóvedas de cañón llevan a un ábside en el este y a un *narthex* en el oeste. Este núcleo de bóveda está rodeado por dos plantas de naves laterales, *narthex* y galerías, lo que consigue una planta más o menos cuadrada.

Planta

Hagia Sofía conserva la nave principal y las naves laterales de una basílica, pero sus arcadas interiores se curvan en cada extremo para formar un óvalo. Dentro de este espacio, sobre cuatro arcos soportados a su vez por cuatro enormes pilares, descansa una cúpula de 32,6 m (107 pies) de diámetro que se extiende sobre las paredes exteriores y está perforada para albergar naves laterales y galerías.

Exterior

En lugar de ocultarse bajo un tejado de madera, las cúpulas y semicúpulas estaban cubiertas de plomo. De este modo se ven claramente desde el exterior, sus volúmenes elevando la vista hacia el cenit de la cúpula central. Construido en ladrillo, el vasto exterior es austero y carece de decoración.

Corte transversal

En el interior, el armazón estaba recubierto de losas de mármol en verde, blanco, azul, negro y amarillo. Cuarenta ventanas, en la parte baja de la cúpula, permitían la entrada de luz al interior. También había ventanas en las semicúpulas, los *exedrae*, los flancos de la nave y en las naves laterales.

Interior

El amplio interior es un complejo juego de volúmenes cóncavos y convexos. La gran cúpula se eleva flotando y las arcadas de la nave y los exedrae forman pantallas sobre las naves laterales que la rodean, de modo que el núcleo parece expandirse hacia el exterior y hacia arriba.

Arcadas

Las arcadas se establecen en una cadencia de tres, cinco y siete, con la arcada de la nave principal comprendiendo cinco compartimientos a nivel del suelo y siete en la galería, con siete ventanas en el clerestorio, mientras que en los *exedrae* de cada extremo hay tres compartimientos a nivel del suelo coronados por siete en la galería.

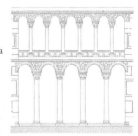

Mosaicos

Había mosaicos cubriendo las paredes, cúpulas, semicúpulas, bóvedas y plafones. Eran de patrones sencillos, no figurativos, e incluían follaje y cruces. La cúpula central estaba cubierta con un mosaico liso de oro.

Capiteles cubiformes

Los capiteles de la arcada principal son cubiformes —una forma que se produce por la compenetración de un cubo y una semiesfera. Tienen pequeñas volutas jónicas en ángulo, combinadas con estilizadas hojas menoscabadas.

Paleocristianismo y Bizantinismo

Arquitectura postjustiniana

La arquitectura bizantina temprana no volvió a alcanzar el esplendor y complejidad de Hagia Sofía. Después de la muerte de Justiniano, en 562, el imperio perdió gran parte de su territorio, incluyendo partes de Grecia, Siria, Palestina y el Norte de África. Durante el siglo VIII, los francos fueron ganando poder en occidente, formando una alianza con el Papa, quien en 800 coronó al rey franco Carlomagno como Emperador de Occidente. Creyendo que los problemas del Imperio Bizantino eran debidos a la ira divina por la idolatría de iconos, Leo III instituyó un movimiento iconoclasta en 726; los mosaicos de figuras del interior de las iglesias se sustituyeron por cruces, follaje y modelos geométricos. La austeridad del periodo se tradujo en iglesias más pequeñas y menos atrevidas. Sin embargo, los edificios clave del periodo justiniano confirmaron la tendencia hacia la centralización, por lo que predominaron la basílica cupulada y la iglesia de cruz cupulada.

San Nicolás, Mira (siglo VIII)

Como Santa Irene en Constantinopla, San Nicolás, en Mira, es una basílica cupulada. El énfasis longitudinal de las basílicas romanas se había reducido aún más. La nave sólo contenía un compartimiento central con cúpula y arcos de soporte al este y oeste, con naves laterales, con galerías, no sólo al norte y al sur, sino también al oeste.

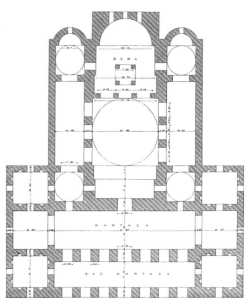

Iglesia de bóvedas cruzadas, Santa Sofía, Tesalónica (años 780)

En los 250 años posteriores a la muerte de Justiniano, la iglesia de bóvedas cruzadas fue muy popular. Se soportaba un compartimiento abovedado central mediante cuatro brazos abovedados en forma de cruz, que tenían casi igual profundidad. Este núcleo en forma de cruz estaba rodeado en tres de sus lados por narthex y naves laterales con galerías, formando un armazón exterior cuadrado.

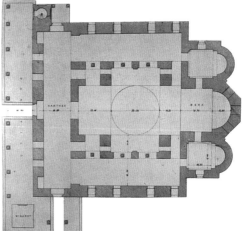

Planta, Santa Sofía

Ésta es una típica iglesia de bóvedas cruzadas, con su nave cruciforme unida por arcadas de pilares y columnas alternadas formando naves laterales con bóveda de cañón, mientras que naves laterales, *narthex* y galerías se comunicaban para formar un deambulatorio de dos plantas en forma de U. El brazo este del núcleo central forma un presbiterio, que termina en un ábside flanqueado por cámaras laterales con absidiolas.

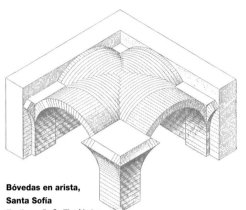

Bóvedas en arista, Santa Sofía

En Santa Sofía, Tesalónica, los pilares occidentales que soportan la cúpula están perforados con pequeños compartimientos abovedados en arista. Las bóvedas en arista, también conocidas como bóvedas cruzadas, no fueron un invento bizantino; se formaban con dos bóvedas de cañón que se cruzaban perpendicularmente, y se usaban frecuentemente para cubrir compartimientos cuadrados.

Planta del triple santuario, Dere Agzi, Licia (siglo VIII)

Cuando la liturgia bizantina estuvo terminada, en los siglos VII y VIII, la planta de las iglesias contenía, cada vez más, cámaras laterales, o *pastophoria*, flanqueando el ábside. En la estancia sur, o *diaconicon*, se guardaban los Evangelios, y en la estancia norte, o *prothesis*, se preparaba la Eucaristía, facilitando el ritual de entradas de la Misa.

Ladrillos y sillares

La albañilería consistía a menudo en bandas alternas de ladrillo y sillares, colocadas en hiladas. Esta técnica se utilizó en Constantinopla y el Egeo desde el siglo V. A veces, la albañilería de ladrillo se fortalecía con una única hilada de sillares.

Interiores postjustinianos

De acuerdo con la austeridad de los tiempos, un corte transversal de Santa Sofía revela una mayor simplicidad y solidez de formas, en comparación con las iglesias del siglo VI: los muros y pilares son más sólidos; las aberturas para ventanas y arcadas son pequeñas; y los espacios claramente definidos reemplazaron a los interiores complejos e interpenetrados.

Exteriores postjustinianos

El exterior de Santa Sofía, como el de las iglesias justinianas, es sencillo, con poca decoración, pero sus proporciones son más achatadas. Encima de un cubo sin adornar, un tambor perforado con ventanas ocultaba la cúpula. El ábside, semiesférico en el interior, es poligonal en el exterior. Ésta era una característica griega.

Paleocristianismo y Bizantinismo

Arquitectura del Bizantino Medio

El periodo que va del fin de la iconoclasia, en el año 843, a la ocupación latina de Constantinopla, en 1204, se conoce como Periodo Bizantino Medio. Los primeros 180 años bajo la dinastía macedónica fueron un periodo de oro: se recuperó el territorio en Grecia e Italia, se adquirieron nuevas tierras hacia el este y el renacimiento cultural vio surgir nuevas tipologías en la arquitectura de iglesias. Siguiendo al declive de la dinastía macedónica después de 1025, la dinastía Comnena se apoderó del poder en 1057, estableciendo una era de estabilidad, reflejada por un proceso de consolidación en la arquitectura. Este periodo también fue testigo de la formalización de la división que había estado surgiendo entre la Iglesia Ortodoxa Oriental y la Iglesia Católica Occidental, el Gran Cisma. Al mismo tiempo, la influencia de la Iglesia Oriental se expandió hasta Serbia, Bulgaria y Rusia.

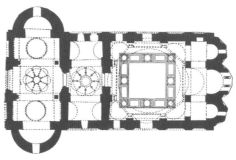

Trompa
Las trompas son una característica de la construcción armenia de iglesias desde el siglo VII. También fueron ampliamente utilizadas en al arquitectura islámica del siglo X. Consisten en un pequeño arco o nicho colocado en las esquinas de un compartimiento cuadrado para formar la base de una cúpula.

Octágono cupulado, Nea Moni, Chíos (1042-56)
Uno de los nuevos tipos de iglesia, muy popular en este tiempo particularmente en Grecia, era el octágono cupulado, como en Nea Moni, Chíos. Consistía en una nave cuadrada sin naves laterales. Las "trompas", que cruzan las esquinas de la nave, forman un octágono que soporta la cúpula circular.

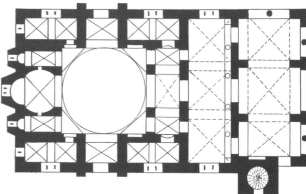

Iglesia en cubo cupulado con deambulatorio, Fethiye Camii / Santa María de Pammakaristos, Constantinopla (siglo XI)
La iglesia en cubo cupulado con deambulatorio es similar a las anteriores iglesias de cruz cupulada, pero su nave es más pequeña, y los brazos de la cruz se redujeron a arcos de pared. Los espacios circundantes también son más amplios y de un ancho uniforme, mientras que la zona de la galería fue eliminada, creando un deambulatorio simple alrededor del núcleo cupulado.

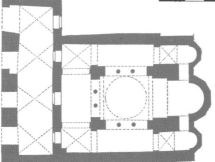

Octágono en cruz griega, Iglesia de Dafne (h. 1080)
El octágono en cruz griega era otra de las nuevas formas que utilizaban trompas, y se usaba fundamentalmente en Grecia. Desde el compartimiento central del octágono cupulado se proyectaban cuatro brazos, en bóveda de cañón, formando una cruz. El complejo estaba contenido en un rectángulo con grupos de compartimientos abovedados alrededor de cada esquina.

Cruz en cuadrado, Iglesia de Myrelaion, Constantinopla (920-21)
La planta más popular y duradera del periodo bizantino medio fue la cruz en cuadrado, o de cinco cúpulas. Consiste en un cuadrado cupulado con cuatro brazos abovedados formando una cruz griega, y un compartimiento abovedado en cada esquina. En el exterior esto se articulaba con el tambor de la cúpula central y los brazos en cruz abovedados elevándose por encima de los compartimientos de las esquinas.

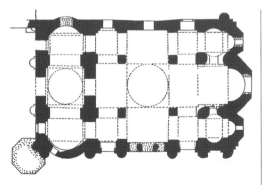

San Marcos, Venecia (1063)
A pesar del Gran Cisma, la influencia bizantina continuó siendo fuerte en Italia, que mantuvo estrechos lazos diplomáticos y comerciales con Constantinopla. Como en San Marcos, Venecia, algunos elementos de la Iglesia Ortodoxa fueron absorbidos por la Iglesia Occidental y combinados con el estilo románico durante el resurgimiento de las tradiciones paleocristianas, bajo el reinado de Carlomagno.

Exteriores del Bizantino Medio
El periodo Bizantino Medio fue testigo del aumento de la decoración del exterior de las iglesias. Los ladrillos se colocaban siguiendo modelos, y, en Grecia, unos delgados ladrillos enmarcaban bloques de piedra, en un estilo conocido como *cloisonné*. También se introdujeron nichos ciegos, ventanas retranqueadas con arcos y pilastras.

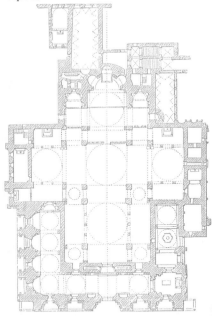

Planta, San Marcos
Originalmente San Marcos era una basílica. Se transformó añadiendo un crucero para formar una planta cruciforme, y tenía cúpulas sobre el compartimiento central y cada brazo. Tenía un *narthex* en forma de U que se extendía alrededor del brazo occidental. San Marcos tiene un interior altamente decorado, con mármoles y mosaicos que cubren todas las superficies.

Paleocristianismo y Bizantinismo

Arquitectura del Bizantino Tardío

En 1204 los francos saquearon Constantinopla, y el imperio empezó a caer en declive perdiendo territorio frente a las tribus circundantes. Se mantuvieron Nicea, Trebizonda, Arta y Tesalónica como baluartes bizantinos. Constantinopla fue recuperada en el 1261 por Miguel VIII Paleólogos, quien dio su nombre a la siguiente era (1261-1453) —el Periodo Paleólogo. Pero en 1453 Constantinopla fue tomada por los turcos otomanos y el imperio cayó. Sin embargo, la cultura bizantina se mantuvo fuerte. No surgieron nuevas formas, pero las variaciones sobre tipologías antiguas dieron como resultado un mayor cuidado de los exteriores y proporciones más verticales. Más notable fue la demanda de áreas separadas, para monumentos funerarios, que llevaron a adosar espacios auxiliares a las iglesias ya existentes, creando grandes e irregulares complejos.

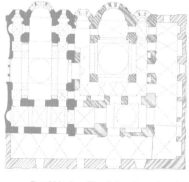

Santa Sofía, Trebizonda (1238-63)
Esta iglesia de cinco cúpulas tiene porches que se proyectan desde el norte, sur y este, una característica tomada, posiblemente, de la arquitectura georgiana. Los alargados compartimientos de su esquina oeste introducen un énfasis longitudinal que refleja el resurgimiento del estilo bizantino temprano en estas fechas, lo que llevó a la fusión de la planta centralizada y la de basílica.

Parakklesion, Theotokos Panachrantos Constantino Lips, Constantinopla
Entre 1282 y 1304, se añadió una pequeña iglesia en cubo cupulado con deambulatorio dedicada a San Juan Bautista a la parte sur de la diminuta iglesia de cinco cúpulas de Theotokos Panachrantos Constantino Lips (907). Fueron unidas mediante un *exonarthex* que se extendía a lo largo del extremo oeste de ambas iglesias, anexadas a una capilla funeraria, o *parakklesion*, por el sur.

Kilise Camii / San Teodoro, Constantinopla

Hacia 1320, la iglesia de cinco cúpulas Kilise Cami del siglo XI se amplió con un *exonarthex* (narthex exterior) de cinco compartimientos con tres cúpulas —una forma tradicional tesalónica. La elaborada fachada del *exonarthex* muestra grandes nichos enmarcando triples arcadas con parapetos, mientras que en la planta superior, cinco arcos ciegos semicirculares se disponen con una cadencia diferente.

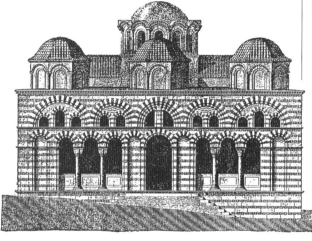

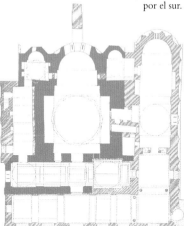

Kariye Camii / San Salvador en Chora, Constantinopla
Esta iglesia fue restaurada de 1315 a 1320, y su núcleo cupulado aumentando mediante un anexo en el norte, un *narthex* cupulado en el oeste y, a lo largo de todo su frente occidental, un *exonarthex* continuado por un *parakklesion* en el sur. Los *parakklesia* fueron incrementando su complejidad, adoptando formas de cúpula, bóveda de cañón, como aquí, e incluso plantas de cinco cúpulas.

Colorismo, Kilise Camii

Kilise Camii muestra un nuevo énfasis en el color, alternando ladrillos rojos con sillares blancos. La adopción, en Constantinopla, de esta técnica procedente de las provincias, probablemente Macedonia, indica el debilitamiento de la posición de la ciudad. En otros lugares también se introdujo el uso de piedras coloreadas.

Santos Apóstoles, Tesalónica

Esta iglesia de cinco cúpulas estaba enmarcada por un exonarthex, en forma de U, que tenía una cúpula en cada esquina. Su exterior está ricamente decorado, y su ábside, en facetas, tiene pronunciados nichos y una elaborada albañilería con bandas de doble zigzag.

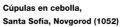

Silueta, Santos Apóstoles

Los altos y estrechos tambores de las cinco cúpulas de los Santos Apóstoles crean una dramática silueta, dando la impresión de que las distintas partes de la iglesia tratan de llegar cada vez más alto. Las cubiertas de teja de las cúpulas flotan sobre las arqueadas ventanas de los tambores para crear una línea de aleros ondulados que era particularmente popular en Grecia.

Cúpulas en cebolla, Santa Sofía, Novgorod (1052)

Santa Sofía, en Novgorod, combina las verticales proporciones de la arquitectura del bizantino medio y tardío con las cúpulas de cebolla características de oriente. Mucho después del declive del Imperio Bizantino, su cultura se conservó más allá de sus fronteras, en Rusia y los Balcanes, gracias a la Iglesia Oriental. Allí, su influencia continuó durante siglos.

Islámico *632–1800 D. C.*

Oriente Medio:

Arquitectura Islámica Temprana

El Islam, una de las tres religiones principales del mundo, fue fundado por el Profeta Mahoma, nacido y muerto en la Meca (actualmente Arabia Saudí) hacia 570 d. C. y 632 respectivamente. La arquitectura islámica comenzó en el siglo VII, en Oriente Medio. Al expandirse a los países vecinos —como Persia (ahora Irán) y Egipto, y hacia el oeste el Norte de África y España, y al norte hacia Asia— el estilo sufrió modificaciones regionales, pero permaneció identificable como islámico. Sus características distintivas son fáciles de reconocer en su tipología de edificio principal: la mezquita, o lugar musulmán para el culto.

Ésta incorpora arcos apuntados, cúpulas, minaretes, portales, patios cerrados y superficies elaboradamente decoradas que se asocian con el estilo islámico.

Arco apuntado, Mezquita de Al-Aksa

Las columnas de esta mezquita están conectadas mediante vigas. Todos los arcos de los pilares son puntiagudos —un uso temprano del arco apuntado— pero encima hay una serie de aberturas con su parte superior redondeada.

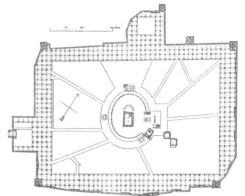

Ka'ba, Meca

La mezquita particular del profeta Mohamed fue reconstruida en la Meca, después de su muerte, como un pabellón en forma de tienda de campaña, con un tejado plano soportado por seis columnas. El principal lugar santo islámico es el Ka'ba de dosel negro, que está en el corazón del complejo sagrado amurallado del siglo VII.

Mezquita Al-Aksa, Jerusalén (637 d. C.)

La Mezquita Al-Aksa fue construida por el Califa Omar en 637 y, siendo contemporánea a la Cúpula de la Roca, es una de las mezquitas islámicas más antiguas. Contiene una simple celda abovedada sin decoración (*hujra*). En 691 fue ampliada por al-Walid con una amplia sala cuadrada con naves laterales que contenía columnas de mármol y piedra.

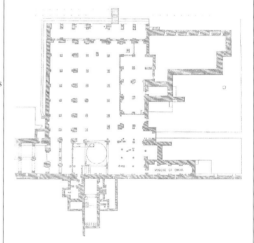

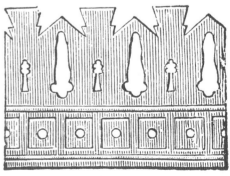

Almenaje exterior

Este detalle, de una almena exterior, forma un diseño geométrico que es más comparable a un bloque perforado que un ensamblaje de elementos separados.

Vista del interior de un patio, Mezquita Ibn Tulun, El Cairo

Una de las características más llamativas de todos los edificios islámicos es su acotado espacio interior (*sahn*), que en contraposición con los exteriores y las fachadas, cuenta con una atención especial. Es curioso que desde el exterior se pueda intuir la función y forma interior de un edificio islámico, al contrario de lo que ocurre con sus homólogos occidentales.

Jali

Una mampara perforada, conocida como *jali*, rellena las ventanas exteriores para reducir la entrada de luz y polvo. Las rejas de mármol, tallado en elaboradas formas geométricas, de las ventanas son una característica de las mezquitas tempranas. Las mamparas o rejas de madera, *masharabiyya*, son también de uso común en las casas de países islámicos.

Arco islámico temprano: detalle de pilares

Estos arcos se curvan hacia el interior en su base (la imposta), una característica completamente islámica. Los capiteles están tallados y los arcos cortados con motivos florales estilizados. Las superficies lisas de las paredes están embellecidas con arabescos: líneas rectas o curvas a semejanza de formas orgánicas.

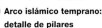

Planta, Mezquita Ibn-Tulun (876-79)

Esta completa y temprana mezquita del Cairo incluye todas las características que iban a tener las mezquitas posteriores: un patio cuadrado rodeado de arcadas, con corredores (*ziyadas*) adicionales y una sala de plegarias cubierta, con cinco naves laterales y con el santuario y el púlpito contra el muro exterior. Una fuente cupulada para abluciones ocupaba el centro del patio.

Arcadas

Este corte transversal de arcadas tiene la sala de plegarias a la izquierda. Las arcadas, con arcos apuntados, se sostienen sobre enormes pilares con columnas adosadas. Estos arcos están entre los primeros arcos apuntados de la historia de la arquitectura, y representan una evolución del primitivo entramado (poste y viga).

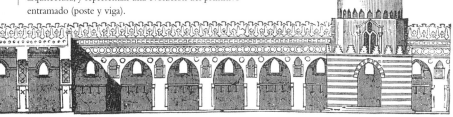

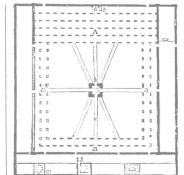

Islámico

La ciudad

Mientras que los edificios del islamismo temprano no tenían un estilo uniforme, los del Periodo Fatimí, Egipto (969-1171), vieron nacer un vocabulario arquitectónico común para los edificios sagrados y seculares: la cúpula, el arco conopial y la albañilería en piedra. Dos impresionantes puertas de entrada al Cairo, siglo XI, demuestran la habilidad de los constructores de fortificaciones. Entre los muros de la ciudad estaban las casas de la corte y los palacios; detrás de ellas están las tumbas y cementerios. La tumba persa de Sultaniya es una sofisticada forma de cámara cupulada, mientras que las tumbas de los mamelucos, fuera de los muros del Cairo, capturan la elegancia de la típica silueta islámica. Los mamelucos gobernaron Egipto desde 1250 hasta la conquista de los otomanos en 1516, y construyeron exquisitas mezquitas, madrasas (colegios) y tumbas.

Corte transversal, Tumba de Oljeitu, Sultaniya, Irán (h. 1310)
El octágono se eleva, mediante una serie de ménsulas, para formar una base circular para la cúpula. Ocho grandes arcos soportan la entabladura, en la cual la cornisa consiste en filas octagonales y circulares de estalactitas talladas, o *muqarnas*. Los muros interiores están decorados con ladrillos vitrificados de distintos tonos azules. La apuntada cúpula emerge desde el corto tambor octagonal, dentro del anillo de ocho minaretes que corona la galería, y está cubierta, por dentro y por fuera, de tejas vitrificadas.

Dargah, Tumba de Oljeitu
Esta vista de la tumba muestra las ruinas de las escaleras que flanquean la elegante entrada arqueada, o *dargah*. Esta característica del portal empezó a tener una mayor prominencia arquitectónica a partir de comienzos del siglo XIV.

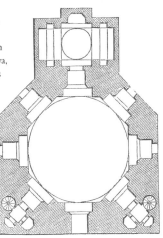

Planta octagonal, Tumba de Oljeitu
La tumba del sultán Oljeitu, en Sultaniya, noroeste de Irán, es un magnífico ejemplo de tumba islámica. Su planta es octagonal, con escaleras a cada lado de la entrada y una pequeña capilla (parte superior del plano) en la que yace el cuerpo.

Puerta de Bab an-Nasr, el Cairo (1087-92)
La espléndida y monumental puerta fortificada de Bab an-Nasr (Puerta de la Victoria), con sus torres cuadradas, fue construida por el visir fatimí alrededor de su palacio del Cairo. Las fortificaciones originales, de adobe, fueron reemplazadas por piedra. La forma de los grandes bloques cuadrados de piedra y de los altos techos abovedados de los amplios pasajes del interior de los muros fue refinada y sofisticada.

Puerta de Bab al-Futuh, el Cairo (1087)
La puerta de Bab al-Futuh (Puerta de las Conquistas) es otra puerta de los muros de la ciudad, al norte, y separa el palacio del resto de la ciudad. Estas redondeadas torres eran más efectivas para la defensa que las cuadradas. Tenían caños para verter aceite hirviendo sobre el enemigo, y aspilleras para disparar las flechas.

Cúpulas, tumba mameluca, el Cairo (siglo XIV)
Las formas de cúpula (oval, esférica y piramidal) y las formas de decoración (zigzag, patrones geométricos de estrellas, diseños florales) se muestran en estas pequeñas cúpulas mamelucas que protegen las lápidas.

Complejo funerario del Sultán Inal, el Cairo (1451-56)
La obsesión egipcia con la muerte salió a flote con una nueva apariencia bajo el reinado de los mamelucos. Este complejo funerario de mezquita, mausoleo, madrasa y khanqah (monasterio) era un intento de garantizar la **dominación de la élite mameluca. Los detalles arquitectónicos mamelucos se distinguen por su fuerte sentido del color y por el uso de ablaq: mármol de colores contrastantes en bandas.**

Tumba mameluca temprana, el Cairo (siglo XIV)
Las cúpulas características del periodo mameluco temprano son éstas. Tenían nervaduras y estaban elevadas sobre tambores de gran altura encima de altas fachadas. Los minaretes tenían plantas de diferente forma, con miradores abiertos y belvederes. En contraste, los muros bajos de las tumbas se mantenían deliberadamente sin adornos y con forma de acantilado.

Islámico

Mezquitas, Mausoleos y Madrasas del Islámico Medio Oriental

En su casa de Medina, (moderna Arabia Saudí), en 624, Mohamed estableció que la dirección de la oración (*quibla*) debía ser cara a la Meca. Todas las mezquitas posteriores tenían un pequeño nicho, o *mihrab*, que indicaba esta dirección; continúa siendo una característica de todas las mezquitas. A su lado está el púlpito (*mimbar*), con escalones que llevan al solio (trono con dosel), que se deja vacío como asiento para una autoridad ausente —Mohamed; el líder religioso (*imam*) ocupa el escalón superior. Estas características, establecidas desde el siglo VII, se expandieron posteriormente para incluir vastos patios y minaretes: las torres desde las que el *imam* llama a los musulmanes para la plegaria mediante las palabras "Alá es Grande y Mohamed es su Profeta". La mezquita tiene que disponer de un patio para acoger a la gente, un lugar para lavarse antes de rezar y un sitio amplio para las esteras sobre las que se ora. Las plegarias de los viernes al mediodía son en congregación, de ahí el nombre "Mezquita del Viernes". Las mezquitas son el centro religioso, social y político de la vida islámica.

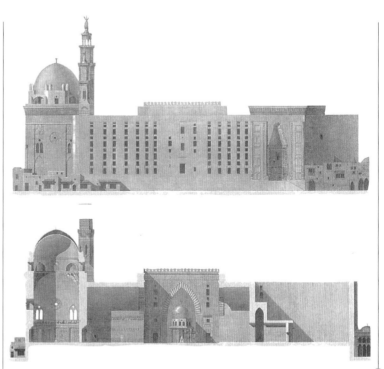

Alzado y corte transversal, mezquita-madrasa del Sultán Hasán
El mausoleo del sultán era una cámara cuadrada cupulada flanqueada por dos altos minaretes. Las estancias del colegio, que ocupaban nueve plantas de la madrasa, flanquean el patio abierto, con el portal de entrada a la derecha. El corte transversal muestra la alta cámara de la izquierda y el patio abierto en el centro, con su fuente cupulada.

Iwan, mezquita-madrasa del Sultán Hasán, el Cairo (1356-63)
Esta planta muestra como una mezquita puede combinarse con un mausoleo y con un colegio (madrasa) para formar un complejo consistente en salas abovedadas abiertas al patio (*iwan*) por uno de sus lados. El *iwan* reemplaza a la sala hipóstila, hasta entonces común las mezquitas. Este complejo particular sirve como ejemplo para ver la disposición de los cuatro *iwan* islámicos.

Muqarna
Era habitual un ostentoso despliegue en las madrasas funerarias reales. La elaborada *muqarna* (abovedado en estalactita o panal) del interior del portal de entrada formaba parte de este despliegue, como también los mármoles de colores contrastantes coronados por un friso con escritura cúfica (mostrado a la derecha).

Corte transversal, mezquita-madrasa del Sultán Hasán
Corte transversal, mezquita-madrasa del Sultán Hasán. El patio central es abierto, y tiene un gran nicho en cada una de las paredes que lo cercan —siendo el que está orientado a la Meca el más grande. Detrás está la tumba del fundador, cubierta con una cúpula que descansa sobre pechinas (*nasta'liq*).

Fuente de abluciones
En la gran fuente para las abluciones (*fisqiya; hannifiya; haud*) que está en el centro del patio es donde los musulmanes se lavan antes de entrar en la sala de oraciones. Es principalmente una estructura funcional, aunque también es un complemento de la arquitectura de mezquitas.

Islámico

Complejos de mezquitas de Egipto y Persia

En Egipto, los edificios tipo *iwan* se establecieron a finales del siglo XII. Esta forma era particularmente adecuada para los grupos de mezquita-madrasa erigidos en el Cairo antes del siglo XVIII. Por otra parte, la arquitectura islámica persa fue particularmente influenciada por las invasiones de los *seljuks* del siglo XI, que trajeron con ellos el minarete circular, la planta en cuatro iwan para los complejos de mezquita-madrasa, grandes espacios cupulados y complejos diseños ornamentales de ladrillo. En el posterior periodo safévida, del siglo XVII, la ornamentación con mosaicos de azulejos vitrificados se desarrolló especialmente en Isfahan (la capital safévida), con edificios que se distinguían por sus cúpulas azules y sus coloridas fachadas.

Madrasa del Shah sultán Huseín, Isfahan (1706-15)
La madrasa del sultán Huseín en Isfahan, con su cúpula en forma de bulbo y dobles arcadas a cada lado del portal de entrada, era similar a los patios de la madraza del Shah de Maidan, más antiguos. Estos estaban entre los edificios públicos más refinados de Persia.

Mezquita de Qaitbay, el Cairo (1472-74)
Este complejo funerario **debe su esplendor a la alta** calidad de su decoración y *ablaq* (bandas de **mármol listado**), la cúpula de piedra tallada del mausoleo del sultán, con sus arabescos y patrones **de estrellas entrelazados, y** las decoraciones del portal y el minarete. El mausoleo simboliza el poderío económico y el **estatus del sultán Qaitbay.**

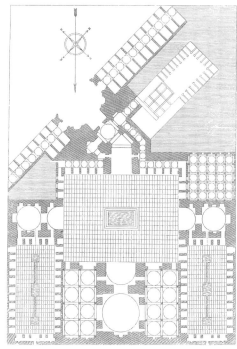

Maidan, Mezquita de Isfahan, Persia (1612–37)
Esta mezquita fue construida con su entrada en un ángulo para asegurar su correcta orientación hacia la Meca. El patio abierto (*maidan*) contenía fuentes y albercas. La sala de plegarias estaba dividida por un compartimento central coronado por una cúpula; los dos compartimentos exteriores contenían la madrasa.

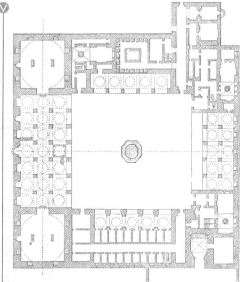

**Corte transversal,
Mezquita del sultán Barquq,
el Cairo (principios del siglo XV)**
Este corte transversal muestra
la cúpula ornamentada con un
patrón en zigzag, un elegante
minarete y la sencilla arcada de
arcos apuntados.

**Torre de las cornamentas,
Isfahan (principios del siglo XVII)**
La caza era un gran deporte en Persia, y las torres
de caza, como ésta, se erigían para celebrar el
éxito de las cacerías mediante festejos y banquetes
celebrados en su base. A menudo se adornaba con
la cornamenta de las bestias muertas.

Mezquita de Vakil, Persia (1750-79)
Esta mezquita de dos *iwan* contiene
una sala de oraciones que descansa
sobre cinco filas de columnas
salomónicas (esculpidas en espiral)
de piedra. El exterior era notable por
su *pishtaq* —portal monumental— y
por sus paneles de mosaico de
azulejo y sus paredes rosas.

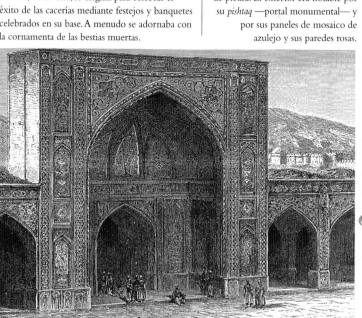

Planta, Mezquita del sultán Barquq
La mezquita del sultán Barquq, las cámaras sepulcrales
y el *khanqah* (monasterio) forman un complejo
funerario a las afueras de El Cairo. El complejo, de
principios del siglo XV, contiene dos mausoleos, un
monasterio, una mezquita y fuentes integradas
alrededor de un patio central. La sala de plegarias, de
tres naves, está flanqueada por los mausoleos, con las
celdas de los monjes en los otros lados.

Islámico

Arquitectura Islámica en España:
La Mezquita Árabe

La península Ibérica fue conquistada por los árabes en 711. En 755, Abderramán fundó un imperio árabe independiente en España, estableciendo su capital en Córdoba, donde construyó una gran mezquita —el primer edificio islámico en este país. Fue comenzada en 786 y terminada en 796, ampliándola entonces con otro módulo y completándose finalmente bajo el reinado de Almanzor en 987-90. La mezquita reflejaba el creciente esplendor de Córdoba, que en el siglo X era la ciudad más grande y próspera de Europa y su más sagrado lugar de peregrinaje. El dominio islámico de la península Ibérica continuó hasta 1492. Tenía influencias arquitectónicas que incluían características del estilo islámico del norte de África (Magrebí), así como tradiciones visigodas y romanas, más antiguas.

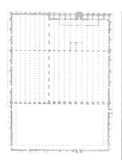

**Planta,
Mezquita de Córdoba**
La parte más antigua de la mezquita comprende el rectángulo de 11 pasillos. En 965 Al-Hakam II añadió catorce filas extra de columnas y un nuevo *mihrab*. A finales del siglo X se añadieron otras siete columnas en el lado este.

**Soporte de la cúpula
mediante nervaduras
de madera,
Mezquita de Córdoba**
La entrada al santuario tenía forma de arco de herradura. Encima había tres cúpulas soportadas por complejos sistemas de nervaduras hechos con madera ricamente tallada y pintada.

**Pantalla, Villaviciosa,
Córdoba (h. 1200)**
Esta pantalla estaba construida con arcos entrelazados descansando sobre columnas romanas. Los arcos son redondeados, no apuntados, demostrando la perdurabilidad de la influencia del arco romano y bizantino.

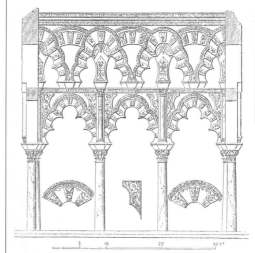

Mezquita de Córdoba
Este corte transversal de la mezquita muestra las arcadas de piedra y ladrillo, con columnas de mármol soportando los dobles arcos. La extensión del siglo X tiene arcos lobulados entrecruzados que soportan la cúpula del santuario, que está enfrente de la cámara poligonal que contiene el *mihrab*.

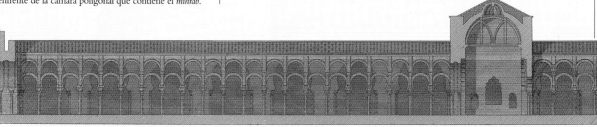

Interior, Mezquita de Córdoba

Esta vista muestra los arcos lobulados entrecruzados frente al muro de la *qibla*. El *mihrab* central es un profundo nicho poligonal con motivos florales e inscripciones, en mármol, del Corán y con mosaicos de oro y cristal en el marco rectangular del *mihrab*.

Trompa

Una trompa (sirdab) es una estructura, o pequeña bóveda, en la esquina de dos ángulos rectos, que va en aumento para formar una forma diferente: por ejemplo, cambiar de un cuadrado a un círculo u octágono.

Vista en sección, San Cristo de la Luz, Toledo (siglo XI)

Éste es uno de los más antiguos monumentos árabes de España: un pequeño edificio cuadrado con cuatro robustos pilares en el suelo, dividiendo el espacio en nueve compartimentos iguales. El central es más alto y termina en una cúpula.

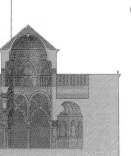

Arco de herradura, Sinagoga de Toledo (siglo XIII)

El interior de esta sinagoga de Toledo parece más una mezquita, con sus arcadas de ladrillo y escayola comprendiendo pilares octagonales que soportan arcos de herradura modelados en escayola, y decoración arabesca en las enjutas.

Arcos de herradura, Mezquita de Córdoba

El santuario también se reconstruyó en 965, y es un magnífico ejemplo de arquitectura islámica en España. Las columnas eran recicladas de edificios romanos y eran fuertes, pero bastante cortas, así que se puso una fila de columnas cuadradas en la cúspide de las más cortas. Se pusieron arcos de herradura encima de los pilares más bajos para reforzarlos. El ladrillo y la piedra se alternaban en los arcos, creando un patrón característico de rayas rojas y blancas.

Islámico

Arquitectura islámica en España: La Alhambra

Se construyó una ciudadela en Granada en 1248, que se completó en 1300. Entre sus muros fortificados están los dos palacios de la Alhambra —de la dinastía *nasrid*— los cuales se construyeron en dos fases principales en el siglo XIV. Juntos comprenden una combinación de grandes salas, o estancias estatales, para los sultanes, apartamentos privados de íntimas habitaciones con vistas a los patios con fuentes, piscinas y jardines. El efecto de conjunto es un brillante uso de la luz y el espacio, pero la arquitectura es principalmente un vehículo para la compleja y ornamental decoración en escayola de las arcadas y techos. El interés por las estructuras ligeras y altamente decoradas es un característica distintiva de la arquitectura islámica en España. La decoración en estuco tallado y azulejos incluye intrincados diseños geométricos y florales, así como inscripciones del Corán. El marcado contraste de colores claros y oscuros crea la ilusión de planos diferentes, demostrando que el arte islámico no está restringido a dos dimensiones.

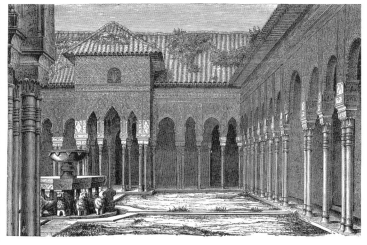

Vista
Patio de los Leones
Este patio abierto tiene un diseño cruciforme —una representación simbólica del paraíso— y, en cada extremo, muestra los sobresalientes pabellones de las habitaciones de palacio. El patio es un jardín interior con arbustos, hierbas aromáticas y una fuente de mármol en el centro, rodeada por doce estatuas de leones en piedra tallada.

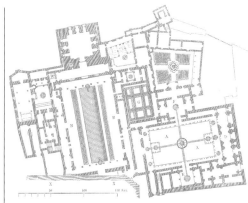

Arcadas, Patio de los Leones
Este detalle muestra la belleza de las arcadas, soportadas por estilizadas **columnas alternativamente** sencillas y pareadas. Los **capiteles tienen forma de cubo, con esquinas redondeadas, y adornados con imágenes de plantas entrelazadas. Los arcos están elevados (construidos sobre pilotes) y los sofitos están ricamente decorados con filigranas de escayola e inscripciones cursivas, donde las letras se alargan para formar un intrincado patrón.

Planta
La Alhambra consiste en dos palacios, cada uno con un patio oblongo. El más antiguo es el Patio de Alberca, o de los Arrayanes, de principios del siglo XIV, y tiene una sala de audiencias (el Salón de los Embajadores) y una sala de banquetes en el extremo norte. El otro es el Patio de los Leones (A), mediados a finales del siglo XIV, con sus salones circundantes.

Decoración árabe de las paredes

La ornamentación de la arquitectura islámica consiste en decorar superficies planas, dado que la decoración tridimensional o representativa está prohibida en el Corán. Los arabescos, intrincados patrones de plantas geométricas o estilizadas, podían ser de escayola labrada o estar pintados.

Ornamento

Tanto las inscripciones cúficas (de caracteres casi cuadrados) como cursivas (más fluida y curva) eran usadas como ornamentos. Los escritos son pasajes del Corán o proverbios. Una inscripción común en la Alhambra es *Wa-la ghaliba illa-Llah* —"No hay conquistador sino Dios". El ataurique (trabajos decorativos en escayola), mostrado en este detalle, es un estilizado motivo floral que deriva del acanto, aunque también aparecen palmitos griegos, piñas y conchas.

Trabajos en escayola

La escayola se usaba **en toda la decoración** de paredes, arcos, estalactitas de cornisa, capiteles y bóvedas de **panal. Los ornamentos** podían hacerse tanto cincelando la escayola **húmeda como usando** un molde.

Vista del Patio de los Arrayanes

Este patio era utilizado por embajadores e invitados distinguidos, y formaba parte del complejo palaciego más antiguo. Las habitaciones se abrían al patio, que estaba rodeado de una arcada con columnas de mármol. Tiene una alberca, en el medio, flanqueada por filas de macizos de mirto a ambos lados. En el extremo norte está la amplia y cuadrada sala del trono: El Salón de los Embajadores. El techo es abovedado y tiene mocárabes, o *muqarnas*, es decir, el techo está trabajado en forma de panal, y, en España, pintado en una amplia gama de colores o sólo dorado.

Islámico

Arquitectura Islámica en la India: Mezcla de Características Hindúes e Islámicas

Desde sus orígenes en la Arabia del siglo VII, el Islam se extendió rápidamente a través de Irán, Asia Central y Afganistán, llegando a la India en el siglo VIII. Sin embargo, no alcanzó el norte de la India hasta el siglo XII. Los invasores musulmanes trajeron consigo una desarrollada teoría de mecánica estructural, arcos apuntados, bóvedas, trompas y cúpulas, y temas decorativos basados en la caligrafía y los patrones geométricos. La arquitectura hindú nativa se basaba en el sistema de poste-viga utilizado en la construcción los templos, que estaban decorados con intrincadas tallas en madera. La interacción de las tradiciones de edificación hindúes e islámicas fue la que dio lugar a los magníficos edificios de los sultanatos de Delhi (pathan musulmanes), las mezquitas mogol y los mausoleos construidos entre los siglos XVI y XVIII.

Alminar, Qutb (finales del siglo XII)
Este alto minarete es una torre de la victoria. Tenía cuatro pisos, con dos redondeados pisos superiores de mármol blanco coronados con un kiosco sobre pilares. Los pisos bajos, de arenisca roja, estaban estriados y tenían fajas laterales talladas con inscripciones árabes.

Mezquita de Lall Durwaza, Jaipur (1400-50)
Esta mezquita tiene una atrevida y enorme puerta, que es lo bastante grande para no necesitar un minarete. Muestra la combinación de formas islámicas, como el arco apuntado, con características hindúes, como columnas cortas.

Tumba patah, Shepree (mediados del siglo XVI)
Es una mezcla de cortas y anchas columnas jainistas que soportan muros rectangulares para forman la base de un tambor octagonal, que, a su vez, soporta la cúpula de esta tumba.

Tumba de Khan-I Jihan Tilangani, Delhi (1368-9)
Este es un ejemplo de una tumba *pathan* con características islámicas. La cámara octagonal está rodeada por un porche abierto, estando cada lado del octágono perforado con tres arcos apuntados sobre pilares cuadrados. Esta mezcla de planta octogonal, porches con arcadas, piedras alero y torres cupuladas fue utilizada como modelo para futuros diseños de tumbas.

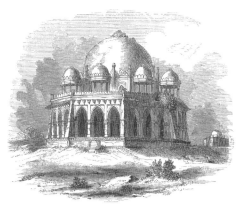

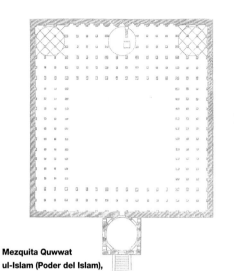

Mezquita Pathan, Mandu (1305-1432)

Esta planta muestra un patio cuadrado con tres naves en dos de sus lados, dos en otro y cinco en el de arriba, estando los últimos orientados a la Meca. El patio está delimitado por arcadas de once arcos. Cada una de las tres cúpulas está soportada por doce pilares equidistantes.

Exterior, Mezquita Pathan

Esta vista estaba orientada a la Meca y se distingue por tener pequeñas cúpulas en las naves y tres cúpulas grandes.

Alminar, Ghazni (principios del siglo XI)

Este alminar, o torre, es uno de los muchos pilares de la victoria erigidos por los conquistadores en el campo de batalla para mostrar la supremacía de la nueva religión islámica. Está hecha de ladrillo recubierto de decoración de terracota. Su sección transversal tiene forma de estrella en la base y circular en la parte alta.

Mezquita Quwwat ul-Islam (Poder del Islam), Delhi (1199)

Esta fue la primera mezquita de la India construida en el interior de una ciudadela hindú conquistada. Tenía un patio rodeado por una arcada de columnas hindúes y jainistas reensambladas, pero los muros eran islámicos y tenían arcos apuntados y ornamentación árabe. Tenía tres arcos grandes y ocho más pequeños.

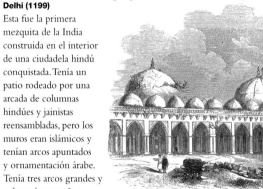

Pechina, Mezquita de la Vieja Delhi

Esta pechina, de la mezquita de la Vieja Delhi, muestra el abovedado de las muqarnas de estilo indio, las cuales se asemejan a estalactitas o a panales. Este es un método tradicional hindú de abovedado de pechina.

Islámico

Arquitectura Islámica en la India: Mezquitas, Tumbas y Palacios Mogoles

El periodo más rico de la arquitectura islámica en la india fue el periodo mogol, que duró desde el siglo XVI al XIX. El mayor logro de la arquitectura mogol fue, quizá, el Taj Mahal, en Agra, que necesitó de artesanos de todo el mundo islámico para su construcción, el tallado del mármol y la incrustación de piedras preciosas. Bijapur, en el centro-sur de la India, fue una de las capitales de las dinastías islámicas en la india, y, aquí, Mohamed Adil Shah construyó uno de los monumentos más excepcionales de mediados del siglo XVII: una enorme tumba cupulada, más grande incluso que el Panteón de Roma. Las características islámicas también se usaron en los palacios imperiales de la India (en Agra, Mandu, Bijapur, Delhi y Allahabad), y en los pabellones, salones, porches, patios y jardines.

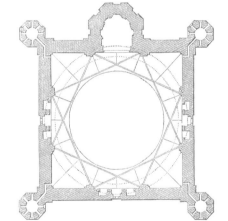

Planta, Tumba de Mohamed Adil Shah

La tumba es un cubo gigante, con torrecillas en las esquinas, coronado por una gran cúpula semiesférica. El peso de la cúpula se soporta mediante un conglomerado de albañilería, mostrado en las intersecciones en forma de estrella de las pechinas y sus arcos: un gran logro de la ingeniería.

Tumba de Mohamed Adil Shah, Bijapur (1626-56)

Un sistema de arcos entrecruzados permite pasar de la cámara cuadrada al tambor circular de la cúpula. Una plataforma circular camufla el comienzo de la cúpula, creando la sensación de que esta flota sobre la cámara. Las torres tienen ocho plantas de alto, y pequeñas cúpulas; las paredes tienen cornisas profundamente proyectadas.

Mezquita del Viernes, Nueva Delhi (1644-58)

La gran puerta central tiene un arco conopial, tres cúpulas de bulbo y arcadas simétricas. La sala de las plegarias, elevada, está flanqueada por un par de minaretes. El patio tiene columnatas abiertas con kioscos en la confluencia. Está construida de una excelente arenisca roja con bandas de mármol blanco.

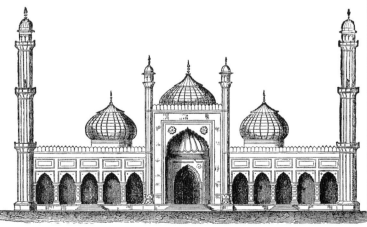

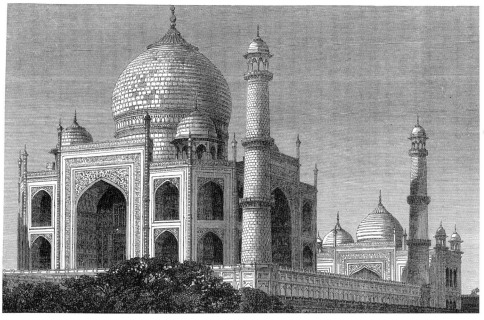

Planta, Taj Mahal

Es un planta cuadrada con un centro circular cubierto por una bóveda que cubre las tumbas del *shah* y su mujer. Las cuatro esquinas son anguladas, y cada una tiene una cúpula más pequeña encima. Éstas están conectadas entre sí mediante pasajes.

Taj Mahal, Agra (1632-54)

Este espléndido mausoleo, construido por el emperador Shah Jehan para su mujer, Mumtaz Mahal, se encuentra en el centro de un gran recinto. El edificio, de mármol blanco y decorado con tallas arabescas, se alza sobre una plataforma elevada en una terraza; en cada esquina hay alto minarete haciendo guardia. El patio exterior está rodeado de arcadas y tiene cuatro puertas de entrada. La del centro lleva del patio a los jardines.

Salón del Palacio, Allahabad

El salón, cuadrado, está soportado por ocho filas de ocho columnas y rodeado por un profundo porche de dobles columnas con capiteles ricamente tallados.

Corte transversal, Taj Mahal

Este corte transversal muestra la bóveda bajo el compartimiento principal, donde fueron enterrados los cuerpos reales. La cúpula tiene un armazón interior y otro exterior, colocados sobre un alto tambor. La cúpula interior está separada de la cámara funeraria mediante una pantalla de enrejado de mármol blanco, lo que permite que la luz se filtre. La superficie de los muros está también cubierta con mármol blanco con incrustaciones de piedras preciosas.

Islámico

Arquitectura Islámica en Turquía y Norte de África

Los *seljuks* musulmanes de Persia establecieron un poderoso estado en Anatolia, en el siglo XI, que tenía una arquitectura de ladrillo y unos coloridos azulejos. Con la conquista de Constantinopla (actual Estambul) por parte de los otomanos en 1453, los *seljuks* dieron paso a los otomanos, que gobernaron Asia central hasta principios del siglo XX. Su arquitectura representa la última etapa del estilo islámico. A principios de este periodo, los otomanos convirtieron los edificios cristianos, como la iglesia de Hagia Sofía, en mezquitas. Construyendo sobre el estilo bizantino, los arquitectos otomanos desarrollaron la mezquita centralizada, con su característica bóveda construida sobre un cubo, cúpulas más pequeñas y un prominente pórtico enmarcado por altos y estilizados minaretes. Las superficies se cubrieron con variados colores y sofisticados diseños de azulejos de Iznik. En el norte de África se desarrolló un estilo conocido como magrebí.

Complejo, Mezquita de Soleimán, Estambul (1550-57)
Construida por el arquitecto Sinán, esta mezquita tiene planta cuadrada. El antepatio, que contiene las fuentes, está cercado con una arcada. El jardín-cementerio contiene las tumbas de Soleimán y su mujer.

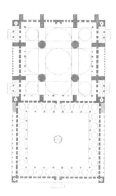

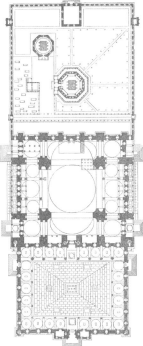

Mezquita azul del sultán Ahmed, Estambul (1609-17)
Este complejo incluye tumba, madrasa e *imaret* (comedor público). La planta es cuadrada, y los muros soportan una enorme cúpula central sobre sólidos pilares. Cuatro semicúpulas rodean a la del centro, con otras cuatro, más pequeñas, en las esquinas.

Fachada, Mezquita del sultán Ahmed
La mezquita ocupa el área central, entre el patio de la fuente y los jardines. El efecto desde la entrada principal es de perfecta simetría, con las pequeñas cúpulas del patio de la fuente desarrollándose hasta la más grande y alta cúpula central, enmarcada por minaretes.

Mezquita de Djama, Argel (1660)

Este edificio cruciforme muestra características típicas de las mezquitas argelinas del periodo otomano. El santuario tiene una bóveda de cañón y una cúpula central ovoide soportada por pechinas, de tipo otomano, y arcos semicirculares. El tambor de la cúpula está decorado con un friso de nichos de estuco tallado por artesanos argelinos. El cuadrado minarete es más típico del estilo magrebí que del otomano.

Perspectiva, Mezquita de Soleimán

Este clásico complejo de mezquita otomana incluye siete colegios, un hospital, baños, fuentes, una mezquita con cuatro minaretes ahusados y un cementerio. El patio de la fuente tiene un pórtico soportado por columnas de pórfiro, mármol y granito rosa. Las semicúpulas soportan la enorme cúpula central, enfrente de la cual hay tres cúpulas más. Las puertas de madera de la mezquita tienen incrustaciones de ébano, madreperla y marfil.

Corte transversal, Mezquita de Soleimán

Internamente, la estructura descansa sobre cuatro grandes pilares. La pantalla de ventanas a cada lado se soporta mediante cuatro columnas de pórfiro. La cúpula central es la más grande de las 500 que hay en el complejo (compite con la de Haga Sofía). A la izquierda están el *mimbar* y el *mihrab*. El muro del *mihrab* está decorado con cristal tintado y azulejos de Iznik.

Minarete, Túnez

Este minarete es típico de la arquitectura islámica magrebí: una estructura lisa sobre un fuste poligonal de ladrillo, con un sólo balcón: un monumento de grandiosa simplicidad.

Románico *h. 1000–principios siglo XIII*

Románico Francés: Orígenes

El término del siglo XIX "Románico" se aplicaba a la arquitectura de los siglos XI y XII porque revivía los precedentes clásicos establecidos por los Romanos. Lo más destacado es el uso del estilo romano de bóvedas de cañón y el deseo de abovedar, en piedra, espacios cada vez más amplios —una habilidad perdida con los romanos. Fue esto lo que propició que aparecieran cúpulas de crucería en Inglaterra, rondando el 1200, que fueron adoptadas en Normandía y el resto del continente a principios del siglo XIII. Francia aún no era un país unificado, sino una serie de territorios divididos. Tampoco había un idioma "francés" reconocible, sino una serie de escuelas regionales que usaban los componentes principales del románico —arco de medio punto, bóveda, decoración exuberante de superficies y torres— con distintos usos. Las cuatro rutas principales de peregrinaje entre Francia y Santiago de Compostela, en España, dieron como resultado una serie de iglesias como la de San Sernin, Toulouse.

Ornamentación, Porche de San Trofimo, Arles
Muchas iglesias provinciales tenían porches añadidos a finales del siglo XI. Este ornamentado ejemplo muestra la habilidad para la talla escultórica y la amplia gama de motivos: grotescas máscaras, bestias fantásticas y figuras.

Planta, San Sernin, Toulouse (comenzada en 1080)
La planta expandida de esta iglesia de finales del siglo XI refleja su localización en una de las principales rutas de peregrinaje. Sus vastos recintos contienen cinco naves, un amplio transepto con naves laterales, cuatro capillas al este, y un ábside con girola y cinco capillas absidiolas.

Capillas radiales, San Sernin
Las capillas dedicadas a la veneración de los santos, proyectadas desde el ábside (la terminación semicircular o poligonal abovedada de un presbiterio) y las alas cruciformes, a menudo daban como resultado un contundente alzado exterior. El extremo este de San Sernin (1080-96) es una composición arquitectónica particularmente dramática.

Galerías, San Sernín
Colocadas encima de las naves laterales, las galerías permiten ver los acontecimientos de la nave principal y en el coro. Son una característica común en las iglesias con grandes congregaciones y en los lugares de peregrinaje.

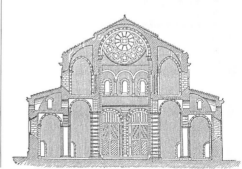

Pilastras, San Mauricio

La decoración clásica envilecida era una característica de la arquitectura provincial. En la Borgoña del siglo XI, la actualización de los modelos clásicos por parte de los alarifes llevó a la creación de su propio estilo de lengua vernácula. Los capiteles de las pilastras que rodean el extremo oriental, vagamente clásicos, ejemplifican este idioma de transición.

Decoración en mosaico, Notre Dame de Puy

Si bien se asocia más con Italia, existen ejemplos de decoración en mosaico en aquellas áreas de Francia que tienen una piedra local particularmente decorativa. La decoración en mosaico es, generalmente, geométrica; aquí se introduce en una profunda faja debajo de los aleros, en el área de muro circundado por pilastras y en los arcos de las ventanas de las capillas.

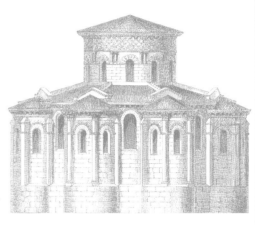

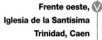

Planta en cruz griega, San Front, Périgueux

Hacia 1125-50, florecieron las variaciones sobre la planta en cruz griega. Cada área —nave, coro y transeptos— está compuesta por cuatro brazos iguales con una bóveda cupulada. Las capillas semicirculares, que se extienden al este, modifican la planta para permitir la veneración de los santos.

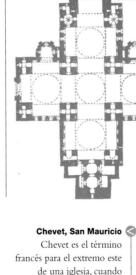

Chevet, San Mauricio

Chevet es el término francés para el extremo este de una iglesia, cuando ésta comprende un ábside circular o poligonal rodeado por una girola (deambulatorio) con capillas radiales. Esta vista muestra el relicario alrededor del cual corre la girola.

Frente oeste, Iglesia de la Santísima Trinidad, Caen

Las fachadas occidentales de las iglesias normandas del siglo XII eran generalmente de alzado simétrico. Las cuadradas torres que se elevaban sobre el cuerpo principal servían como puntos focales simbólicos.

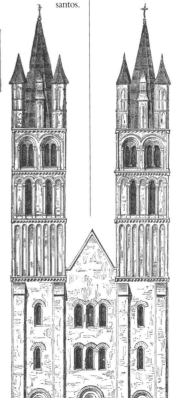

Románico

Románico francés:
la Influencia de los peregrinos

Los peregrinos viajaban a través de todo el continente, y ayudaban a promulgar los estilos arquitectónicos emergentes. También tuvieron un impacto sobre el diseño de las iglesias, que tuvieron que adaptarse para acomodar al clero y a las grandes masas de peregrinos que seguían una ruta procesional. En la mayoría de los casos, el extremo este de las iglesias francesas se desarrollaba en una planta radial o escalonada. En la parte anterior se añadía una girola (nave circundante) alrededor del perímetro del ábside. Esta servía para dar acceso a las capillas secundarias, que se extendían fuera del cuerpo principal de la iglesia. La planta escalonada fue testigo de la introducción de capillas en los lados orientales de los transeptos. Este desarrollo de la organización espacial permitía mantener separados al clero y a los devotos y, a la vez, distinguir los altares de los santos del altar mayor de la iglesia.

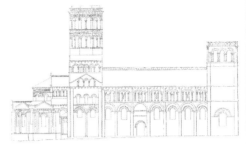

Torres, Issoire
Cada vez más comunes en los alzados occidentales, las torres también predominaron en el punto donde se cruzan los transeptos y en sus extremos norte y sur. Este ejemplo del siglo XII tiene una torre, corta y con el extremo superior cuadrado, en el extremo oeste y otra, más alta pero de perfil similar, elevándose sobre el punto de cruce.

Bóvedas de cañón, Issoire
Es la forma más simple de bóveda, y consiste en una sección semicircular ininterrumpida. Como muestra este corte transversal, la bóveda central de la nave está soportada por las medias bóvedas de las naves laterales, que contrarrestan las tensiones laterales de la bóveda.

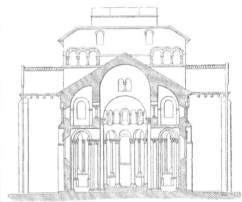

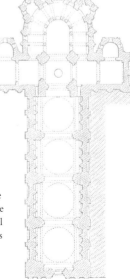

Planta escalonada, Issoire (siglo XI)
La planta escalonada, con capillas que se proyectaban tanto del ábside como de los transeptos, fue rápidamente adoptada en toda Francia. Sin embargo, fue un fenómeno francés no utilizado habitualmente en el resto de Europa.

Nave de pasillo único, Fontevrault (siglo XI)
La planta en una nave principal y dos naves laterales era cada vez más común, pero la planta de nave única persistió en iglesias más pequeñas de los siglos XI y XII. El muro interior de la nave estaba articulado mediante grupos de columnas que se erguían orgullosas frente al muro. Las naves sin pasillos eran una peculiaridad característica de la arquitectura aquitania.

Arcadas ciegas, Fontevrault

La decoración exterior tenía gran variedad de formas. El tratamiento más universal era la repetición de filas de arcos redondeados y aberturas arqueadas, o arcada ciega, que, por otro lado, enriquecían las secciones desnudas de muro.

Ornamentación exterior, Loupiac

La decoración escultórica atrevida, a menudo de naturaleza figurativa, se convirtió en una característica frecuentemente utilizada en las iglesias románicas del siglo XII. Este movimiento floreció junto con el gusto por la más calmada y restrictiva ornamentación geométrica, basada en un sentido de unidad conseguida mediante la repetición y la proporción.

Arco apuntado, Fontevrault

Aunque está asociado al estilo arquitectónico gótico, que es posterior, y a pesar de que es una de las principales diferencias entre éste y el románico, el arco apuntado apareció ocasionalmente durante el periodo románico. Normalmente era de perfil poco marcado, como una mera sugerencia del idioma arquitectónico que iba a venir, y siempre aparecía junto a los tradicionales arcos de medio punto.

Cavidades, Iglesia de la Santísima Trinidad, Caen

El grueso de la nave está tradicionalmente interrumpido por una serie de cavidades divisorias, las cuales seguían un patrón repetitivo, de oeste a este y del suelo a la bóveda, que acentuaba la linealidad del espacio interior. Largos fustes cubrían el alzado para dar soporte a la bóveda, y pilares compuestos, formados por varios fustes, marcaban la abertura de la cavidad. Un triforio corría horizontalmente sobre los arcos de la cavidad, y las ventanas del clerestorio iluminaban la nave.

Románico

El románico en Alemania

La arquitectura alemana de los siglos XI y XII usó las formas establecidas bajo el gobierno de Carlomagno y los otomanos para crear algunos de los primeros edificios verdaderamente románicos. En la Catedral de Spira (h. 1030-1106), Alemania cambió radicalmente la arquitectura europea. Construida como panteón para los emperadores alemanes, se inspiró en las iglesias clásicas y otras iglesias empequeñecidas del norte, mirando atrás en busca de las colosales basílicas cristianas del siglo IV. Cuando estuvo terminada fue la iglesia más grande del oeste, y la primera en introducir expresión en las caras internas de los muros de la nave. Su influencia se extendió hasta las tierras del Rin y Colonia y, en el extranjero, hasta Francia. Alemania también está acreditada con la introducción de torres gemelas en la fachada oeste de las iglesias, como la de Spina, Mainz, Worms y Laach.

Decoración tallada
La decoración con estilizadas hojas enrolladas formaba parte del lenguaje universal del románico y no estaba restringido a Alemania —o a cualquier otra región o país. A medida que progresaba el periodo se fue haciendo énfasis en las formas naturales, y su representación fidedigna en piedra estaba muy cotizada.

Molduras en forma de cable
El tallado emulando una cuerda retorcida, molduras en forma de cable o cuerda, es una característica del periodo. No se encuentra en edificios anteriores y parece que fue una creación de los escultores románicos. Se favoreció su uso como medio para acentuar puertas y ventanas.

Capitel, Catedral de Spina
En la arquitectura alemana hay muchos tipos distintos de capiteles. Los sencillos capiteles en bloque fueron reemplazados por formas más originales y ornamentadas. Este ejemplo de principios del siglo XII, que muestra estilizadas hojas desplegándose junto a dos cisnes con su cuello entrelazado, proporciona una expresión confiada al arte del tallador y tipifica la creciente riqueza y decoración.

Castillo de Wartburg (finales del siglo XII)

El castillo de Wartburg es uno de los pocos palacios románicos supervivientes (aunque altamente modificado) de Europa. Como en la arquitectura religiosa, el idioma decorativo dominante de los edificios seculares fue el uso repetitivo de arcos de medio punto en arcadas, ventanas, puertas y canecillos (ver página 195).

Baptisterio, Bonn (siglo XI)

Hay muy pocos baptisterios reseñables en Alemania. Las fachadas externas del Baptisterio de Bonn estaban articuladas con pilastras adosadas y decoración en los aleros que derivaba de Lombardía, Italia.

Torres, Catedral de Worms (comenzada en 1171)

Las torres escalonadas en los extremos este y oeste son una característica dominante de los alzados de iglesia. La Catedral de Worms tiene seis torres de alturas distintas, todas con un tratamiento de decoración asociado, como arcadas abiertas ciegas.

Decoración narrativa, Gelnhausen

En muchas iglesias destacan las escenas de naturaleza didáctica, que buscaban impresionar a la congregación con las enseñanzas bíblicas. Puertas, frentes occidentales y púlpitos son los lugares más favorecidos con este tipo de tratamiento. Esta escena, que forma parte de una secuencia narrativa que rodea la arcada de Gelnhausen, está magníficamente calculada para encontrar las limitaciones de la enjuta que decora.

Planta, Catedral de Worms

Tiene una disposición tradicional, con la nave, muy larga, y naves laterales cubiertas por bóvedas de crucería y sólidos pilares. De los dos ábsides, el coro más antiguo aparece con un alzado plano en el exterior, pero redondeado en el interior.

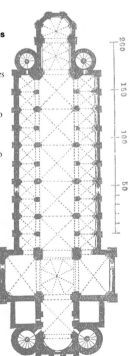

Románico

El románico en España

La arquitectura románica en España es producto de varias tradiciones distintas. La larga historia de ocupación árabe en España había producido un idiosincrásico estilo cristiano-islámico, conocido como mozárabe o mudéjar, algunos de cuyos elementos se combinaron en los siglos XI y XII con la influyente corriente arquitectónica Europea que venía de Francia. Esto produjo, a menudo, un estilo híbrido basado en los modelos franceses pero con la tradición anterior de usar la decoración islámica. El románico español es el más asociado con las iglesias de las rutas de peregrinaje hacia Santiago de Compostela —alzándose allí la Catedral (h. 1075-1120), como clímax arquitectónico. La refinada y a menudo altamente realista escultura es también evidente en las iglesias de toda España.

Bóveda cuatripartita, Tarragona
Ésta es una bóveda de crucería en la que cada cavidad está dividida en cuatro por dos nervios diagonales. Los roeles del muro exterior del claustro tienen una decoración de tracería entrelazada con un carácter contundentemente árabe.

Frente occidental, San Pablo, Barcelona (siglo XI)
Los artesanos locales a menudo produjeron composiciones arquitectónicas idiosincrásicas. Esta temprana fachada muestra una arcada ciega, a lo largo de la parte superior de los muros, que generalmente se asocia a Lombardía, Italia, y una protuberante masa de albañilería alrededor de la puerta del portal, que luce una tablilla cuadrada con escultura simbólica.

Arcadas cubiertas, San Millán, Segovia
Una característica del románico provincial de ciudades como Segovia era la construcción de arcadas cubiertas, en forma de claustros, levantadas contra el cuerpo principal de la iglesia. La arcada abierta levantada en el alzado oeste de esta iglesia segoviana muestra esta tradición local.

Fustes decorados, Catedral de Santiago de Compostela

Decoración abstracta y narrativa, altamente sofisticada, colocada una junto a otra en estos fustes de Santiago de Compostela. Uno de los fustes tiene un fluido follaje entrelazado y retorcido; la otra muestra figuras religiosas, en el interior de un marco arquitectónico en miniatura, soportando nichos con arcos de medio punto altamente decorados que son un eco de la composición arquitectónica de la catedral.

Escultura de figuras, Catedral de Santiago de Compostela

El Pórtico de la Gloria, frente oeste de la catedral, es célebre por la vívida calidad de sus figuras talladas, que muestran la gran habilidad del escultor para integrar la ornamentación escultural en la forma arquitectónica del edificio.

Fachada, Iglesia de Santiago, A Coruña

A menudo se combinan alzados sencillos con tamaños masivos para producir iglesias con un fuerte sentido escultural. Los muros se rompen con poderosas líneas verticales, introducidas mediante contrafuertes y columnas adosadas ocasionales, pero la decoración es mínima.

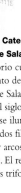

Cimborio, Catedral Antigua de Salamanca

Un cimborio cubre el cruzamiento de la Catedral Antigua de Salamanca (finales del siglo XII). El cimborio se ilumina mediante dos filas de ventanas y arcos ciegos alternados. El registro superior es trifolio.

Torre de cimborio, Catedral Antigua de Salamanca.

El exterior del cimborio de Salamanca tiene una fuerte influencia de la arquitectura árabe. La impresionantemente articulada cúpula de crucería, de ocho lados, está cubierta de tejas de piedra del tamaño de un pez y soportada por dos bandas de múltiples arcos. Estilísticamente está asociada a la cercana catedral de Zamora (h. 1174), que luce dieciséis nervios y una cúpula redondeada totalmente cubierta por el mismo material local distintivo.

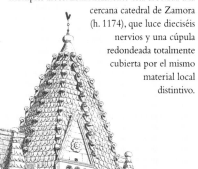

Románico

Estilo Inglés Normando: Iglesias

El estilo normando, que es como se conoce el románico en Inglaterra, floreció en los siglos XI y XII. En 1066, con la victoria de Guillermo el Conquistador en Hastings, Inglaterra dio la bienvenida a un nuevo estilo de arte y arquitectura. Como los normandos buscaban impresionar a los Ingleses con su poder militar y su fervor religioso, predominaron dos tipos de edificios: los castillos y las iglesias. En una crecida de edificios eclesiásticos sin parangón, casi cada catedral y abadía fueron reconstruidos. Las catedrales de Canterbury, Lincoln, Rochester y Winchester y las Abadías de Bury, San Edmundo, Canterbury y San Albán fueron objeto de campañas constructivas hacia 1070. Se caracterizaban por su vasto tamaño, que superó todo lo visto en Inglaterra y compitió con los modelos continentales contemporáneos.

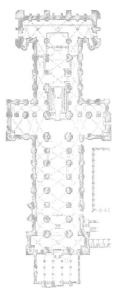

Camarín de la Virgen, Catedral de Durham
Esta planta muestra una inusual Galilea o camarín de la Virgen, que se añadió al extremo oeste de la catedral hacia 1170-75. Los camarines de la Virgen, dedicados a la Virgen María, se colocaban tradicionalmente en el extremo este.

Nave, Catedral de Peterborough
Desde la entrada oeste de esta nave nos invade un sentido de ritmo y orden conseguido mediante los espacios regulares entre arcos de medio punto y la repetición ascendente de los detalles del triforium (o pasaje del muro) al clerestorio (nivel superior de ventanas que ilumina los espacios interiores). Antes de esta bóveda de piedra inclinada (h. 1220), un techo plano de madera cubría la nave.

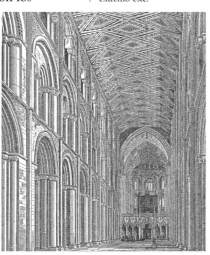

Decoración de vanos, Iglesia de San Pedro, Northampton
El zigzag y otros ornamentos geométricos eran particularmente característicos de los interiores normandos. Aquí se muestran grupos de columnas de fuste sin decorar y capiteles foliados soportando arcos altamente decorados.

Torre cuadrada, Iglesia de San Pedro, Northampton (mediados del siglo XII)
La mayor parte de las iglesias normandas consistían en una nave central, coro, naves laterales y una torre, en el extremo oeste, que alojaba las campanas. Las torres eran generalmente de planta cuadrada, pero existen variantes regionales redondas.

Pilares, Iglesia de San Pedro
Este interior de h. 1150 se distingue por la presencia de soportes cuatrifolios y redondos alternantes, con anchas pretinas (anillos del fuste). Esta articulación tan ornamentada es inusual en una iglesia parroquial.

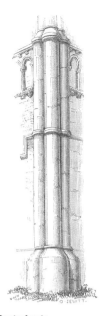

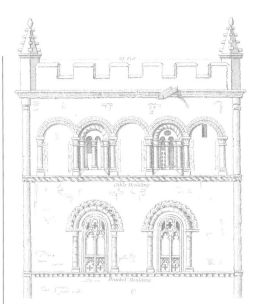

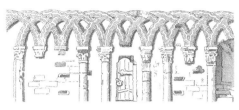

**Torre del crucero,
Iglesia de San Juan**

Ésta se alza desde la intersección de la nave, el presbiterio y los transeptos. Las torres de las iglesias parroquiales están a menudo encastilladas y coronadas por pináculos decorados con proyecciones talladas llamadas *crockets*.

**Arcos entrecruzados,
Iglesia de San Juan**

Es habitual la decoración repetitiva alegrando el tratamiento de la cara interna de los muros. Típicamente, se muestran columnas distanciadas de modo regular que soportan arcos entrecruzados. Éstos son puramente decorativos, no tienen ningún propósito funcional.

**Contrafuerte,
Iglesia de San Pedro**

Un contrafuerte es una masa de albañilería que se proyecta de, o se construye contra, un muro para proporcionar un soporte adicional o para contrarrestar las tensiones exteriores de una estructura. Este contrafuerte, en ángulo, está compuesto de tres fustes de planta semicircular.

**Decoración exterior,
Iglesia de San Juan,
Devizes (siglo XII)**

Está compuesta por elementos característicamente normandos, e incluye contrafuertes, un par de ventanas ciegas decoradas con arcos y pequeñas ventanas superiores con un arco elaboradamente decorado.

Ventana, Iglesia de San Juan

Las columnas que se alzan hasta los capiteles festoneados soportan filas profundamente empotradas de ornamentación escultural en zigzag, conocidas como galones. La moldura superior está decorada con un motivo de *ballflower*.

**Capiteles,
Iglesia de San Juan**

Se usaron gran variedad de formas de capitel, incluyendo los de almohadón y cubo. Éstos eran a menudo el centro de una elaborada decoración en forma de motivos estilizados tomados de la naturaleza. Se representaban follaje, pájaros, bestias, ornamento geométrico y escenas narrativas.

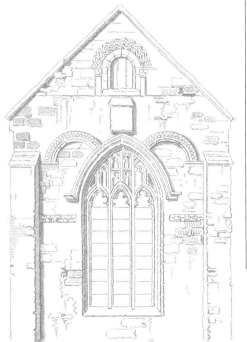

Románico

Estilo Inglés Normando: ornamentación e innovación

La arquitectura inglesa miraba al Continente, pero también se inspiraba en su reciente pasado anglosajón y viquingo, notable principalmente por el detalle de su ornamentación, como la decoración en galones, o zigzag, encontrada en la nave de la Catedral de Durham (comenzada en 1093). La decoración ricamente ornamentada, tanto en el exterior como en el interior, es una característica particular del periodo. Al comienzo del siglo XI, Inglaterra fue también testigo de un momento crítico de la innovación tecnológica. Aunque las paredes de las iglesias eran de piedra, los tejados eran de madera porque la habilidad para abovedar los amplios espacios de la nave eludía a los alarifes. En cualquier caso, hacia 1130, la nave de la Catedral de Durham se cubrió con una bóveda de crucería de piedra. La piedra del interior de los muros y la bóveda estaban por primera vez unidas visualmente, y se consiguió una sensación de espacio ascendente. Se cree que Durham fue la primera iglesia europea en conseguir esta proeza técnica.

Cabildo, Bristol

Un cabildo es un edificio de uso eclesiástico que estaba adosado al cuerpo principal de la iglesia, y al cual se accedía a menudo a través del claustro. Este ejemplo abovedado de Bristol tiene una lujosa decoración en forma de hiladas de arcadas ciegas (filas horizontales de arcos) y motivos geométricos (una decoración superficial de rombos). Los motivos geométricos podían también representar cuadrados, follaje estilizado o platillos.

Planta, Catedral de Canterbury

La planta de las catedrales está dictada por su altamente controlado uso. El cuerpo principal de la iglesia está típicamente compuesto, de oeste a este, por nave, naves laterales, coro y naves laterales del coro y, de norte a sur, por transeptos y pequeñas capillas dedicadas a la Virgen María y otros santos.

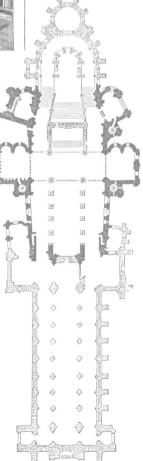

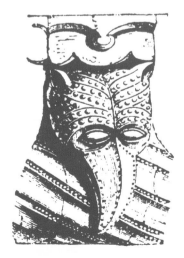

Cabeza de pico de ave

La decoración estilizada de cabezas de pájaros, animales y, ocasionalmente, humanos mordiendo una moldura listada es frecuente en la decoración del siglo XII. Parece que se originó en la arquitectura escandinava.

Portal, Iglesia de Iffley (h. 1140)
Una exuberante decoración escultórica caracterizó el final del siglo XII, cuando se descubrió toda una gama de motivos que incluían la decoración en zigzag y sierra en los arcos de medio punto, fustes con motivos geométricos, rosetones, cuatrifolios y capiteles narrando escenas tanto de naturaleza secular como religiosa: jinetes luchando como Sansón y el león.

Bóvedas en arista, Catedral de Gloucester
La cámara que está debajo del suelo principal de una iglesia se conoce como cripta. Este ejemplo, en la Catedral de Gloucester, tiene una bóveda de arista formada por la intersección de dos bóvedas de cañón perpendiculares. El intradós del arco está decorado con un doble galón. Las criptas están, predominantemente, debajo del extremo este de las iglesias.

Capitel de hojas rígidas, Bloxham, Oxford
Los capiteles de follaje esculpido eran una característica de ambos, románico y gótico. El anillo circular en la parte alta del fuste se conoce como *bocel*. El follaje ornamental formalizado deriva de la hoja de acanto, un motivo altamente popular.

Canecillo, Iglesia de Romsey (siglo XII)
Una fila de albañilería, a menudo colocada justo debajo de los aleros y soportada por bloques de piedra, se conoce como canecillo. Se encuentra tanto en el interior como en el exterior del edificio, y aunque pueden ser lisos, tienden a usarse como punto decorativo. Animales grotescos y caras humanas haciendo muecas son los temas preferidos.

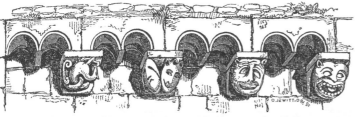

Moldura de adorno
Los ornamentos en forma de pequeños cuadrados o cilindros sobresalientes se conocen como *billet*.

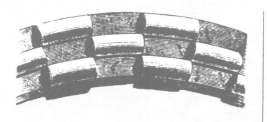

Románico

Románico Italiano: diversidad

En este tiempo, los Estados papales y el Santo Imperio Romano sometieron a Italia a una continua lucha por el poder temporal. Como Francia, Italia estaba constituida por distintas regiones con su propio estilo arquitectónico, las cuales asimilaron los estilos emergentes de Europa occidental. Aunque las regiones del norte, como Lombardía, vieron el crecimiento de nuevas iglesias, Italia, como un todo, era relativamente conservadora y no alcanzó el grado de actividad que encontramos en Francia, Inglaterra o España. La rica herencia italiana de estilos antiguos, como el bizantino y el musulmán, fue explotada al máximo por los arquitectos románicos, los cuales continuaron usando diversas características, como cúpulas alzadas sobre otras cúpulas, la planta basilical, campaniles y baptisterios independientes y, en la parte exterior, alzados de mármol. Salvo en casos aislados, se encuentran pocas de estas tendencias en Europa.

Planta, San Miniato al Monte

La planta basilical, muy poco modificada desde su concepción romana, aún era la preferida en la mayoría de las iglesias. En San Miniato, la colocación de una nave central muy ancha con dos estrechas naves laterales lleva a un coro inusualmente grande, elevado sobre una plataforma encima de la gran cripta.

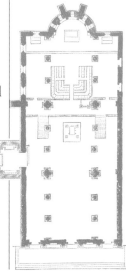

Frente oeste, San Miniato al Monte

Una de las características principales del románico florentino es el uso de mármoles coloreados, los cuales tienen un efecto visual abrumador. Colocado en patrones geométricos coherentes que explotan el juego de luz sobre la superficie lisa del material, este tratamiento tiene una riqueza y delicadeza en absoluto contraste con las fachadas esculturales de Europa del norte.

Corte transversal, San Miniato al Monte, Florencia (h. 1018)

El coro-cripta, debajo del coro principal en San Miniato al Monte, es una característica relativamente inusual, se encontraba a veces cuando el clero demandaba un coro separado del coro usado por los laicos en el proceder convencional de la misa.

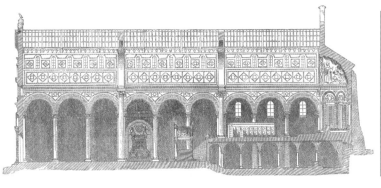

Frente oeste, San Marcos, Venecia (h. 1063-96)

Este frente oeste, con sus arcos monumentales, se erigió en el siglo XI, pero no fue totalmente decorado hasta principios del siglo XIX. Fue la tercera iglesia en construirse en esta localización esencial, y su románica forma de planta cruciforme se inspiró muchísimo en la historia bizantina de la ciudad.

Bóveda de crucería, San Miguel, Pavía
Una bóveda de crucería es un esqueleto de nervios arqueados construidos, a través de los lados y diagonales del área abovedada, para actuar como soporte del material de la cubierta —una característica de las iglesias lombardas.

Lombarda continua, Catedral de Plasencia
Las columnatas arqueadas en forma de arcadas ciegas, que seguían la línea de los aleros de las fachadas apantalladas, se convirtieron en una característica prominente del estilo lombardo del Rin.

Extremo este, San Miguel, Pavía
La mayoría de las iglesias italianas terminan en un coro en forma de ábside, que está claramente expresado como una curva en el alzado exterior. La decoración del alzado este es, a menudo, bastante conservadora en comparación con el altamente ornamentado alzado oeste, que servía tanto como entrada pública a la iglesia, como para demostrar el poder arquitectónico para la celebración de la deidad.

Corte transversal, San Miguel, Pavía (h. 1100-60)
El alzado interior en tres niveles, cavidades, tribuna y clerestorio, expresa claramente la verticalidad de esta iglesia. Aunque presenta bóvedas de piedra, resulta ligeramente pesada, y no consigue la calidad de los espacios verticales de las iglesias francesas más refinadas del mismo periodo. También tiene un coro elevado y un corocripta, con una colocación similar a la de San Miniato.

Rosetón, Santa María, Toscanella
Las ventanas circulares con forma de rueda son una característica del frente oeste de las iglesias italianas del siglo XII y principios del XIII. Altamente trabajadas y labradas decorativamente, también servían para iluminar el interior de la nave. Pueden tanto complementar las ventanas de un clerestorio como directamente sustituirlas.

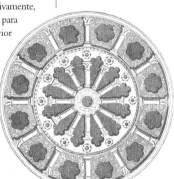

Campanario de iglesia, Santa María de Cosmedín
Las elegantes y cuadradas torres de campanario adosadas a la iglesia son una característica común en Lombardía. Este ejemplo (en Roma), no tiene la altura de muchas de las torres lombardas, sino poco más de 4,5 m (15 pies) cuadrados y 34 m (110 pies) de altura, pero su decoración en bandas de nichos arqueados, que divide la torre en plantas, y su forma no ahusada son típicas.

Románico

Románico italiano:
características locales

Lombardía exhibía el conocimiento más amplio de los modelos franceses y alemanes. Sus iglesias tenían amplias naves y bóvedas de piedra y, a menudo, soportaban altas torres sobre su cuerpo principal. Las campañas de construcción en Roma fueron limitadas en este periodo debido, fundamentalmente, al exceso de edificios clásicos en su recinto. En contraste, las ciudades toscanas de Florencia, Lucca y Pisa desarrollaron estilos locales altamente idiosincrásicos, que incorporaban el uso de mosaicos y mármol con una planta de tipo romana muy poco alterada. Este floreciente románico local está ejemplificado por un conjunto de edificios de mármol en Pisa, donde *duomo*, *campanile* y baptisterio estaban separados, pero unos junto a otros, en un emplazamiento con hierba delimitado por un camposanto contemporáneo.

Entrada, Palazzo della Ragione, Mantua
Decorados con arcos de medio punto, los edificios seculares y religiosos usaban el mismo vocabulario estilístico sin diferencias claras sobre lo que era adecuado para iglesias y para edificios públicos, como las entradas.

Fachadas apantalladas
Las fachadas apantalladas, colocadas en el extremooeste y compuestas por enormes alzados coronados por un amplio alero simple, eran una característica del siglo XII y principios del siglo XIII en las iglesias del norte de Italia. Éste fue uno de los tratamientos de alzado más importantes de esta área —el otro es el de las torres gemelas del frente oeste de las iglesias lombardas.

Capiteles,
Santa María, Toscanella
La naturaleza arqueológica del románico es patente en los motivos estilísticos utilizados, que eran a menudo copias o adaptaciones de modelos anteriores. El ornamento de hojas de *antemiyon* (madreselva), representadas en este capitel subcorintio de principios del siglo XIII, se originó en Grecia, y fue una de las decoraciones de hojas más duraderas.

Planta, Santa María, Toscanella (principios del siglo XIII)
Esta planta basilical muestra un campanile, o torre de campanario independiente, situada enfrente del extremo oeste de la iglesia. Los campaniles tienen formas variadas. La primera registrada en Roma era cuadrada (como este ejemplo) y del siglo VIII, pero también las hay circulares, como la que se construyó en Pisa (1173 en adelante).

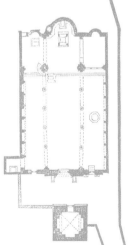

Columnas, San Pablo, Roma

La influencia bizantina puede observarse en los fustes estriados, entrelazados y con patrones geométricos de principios del siglo XIII. Este claustro, de arcos de medio punto, muestra la fusión de elementos bizantinos y románicos para crear una característica altamente decorada y excitante a la vista. Los fustes gemelos de columna tienen incrustaciones de mosaico y son el comienzo de una tradición decorativa en Roma.

Planta cruciforme, Catedral de Pisa (1063 en adelante)

La planta cruciforme se adaptó ocasionalmente para crear formas de planta originales en las iglesias italianas. En pisa, los fuertemente proyectados transeptos terminan en un ábside, y tanto la nave como el coro tienen naves laterales dobles. La intersección está coronada por una cúpula oval de origen islámico.

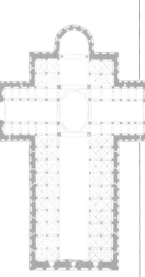

Decoración en mosaico, San Pablo, Roma

Las molduras con incrustaciones de mosaico eran una característica de Roma, Venecia y los estados italianos del sur. La forma más común de decoración eran los patrones geométricos, aunque también se representaron motivos abstractos y naturalistas. Este ejemplo de principios del siglo XIII revela la calidad de la artesanía y el efecto de joya creado.

Pórtico, San Zenón, Verona (h. 1123 en adelante)

Los arcos de medio punto soportados por columnas adosadas saliendo de animales recostados son característicos en las iglesias del norte de Italia del siglo XII. Uno de los más refinados ejemplos es este magnífico pórtico, que está exuberantemente tallado, luce un par de leones guardando la entrada y representa los meses en los dinteles. San Zenón aparece pisoteando al diablo en la decoración escultórica del tímpano (área triangular o segmentada incluida en las molduras de un frontispicio —a menudo altamente decorado con relieves).

Articulación, Catedral de Pisa

El tratamiento decorativo del frontal oeste de la Catedral de Pisa, con sus cuatro filas de columnatas variadas y el sutil juego de mármol oscuro y claro, representa el arquetipo de estilo románico en Pisa. Este tratamiento, altamente articulado y que tiene ligereza y ritmo, sirvió como modelo para los imitadores del sur de Italia y de Europa.

Gótico *mediados siglo XII–h. 1530*

Francia: gótico temprano

Los elementos esenciales de la arquitectura gótica, arco apuntado, bóveda de crucería y arbotantes, ya habían sido usados en el románico, pero no juntos. Fue su combinación, en la Francia de mediados del siglo XII, la que representó el comienzo del estilo destinado a dominar la arquitectura europea los siguientes 350 años. Una mayor verticalidad, la reducción del grosor de los muros y la entrada de luz por grandes ventanas rellenas de cristales de colores fueron el resultado, y fueron llevados al extremo una y otra vez a medida que el gótico se desarrollaba. Al principio, la decoración escultórica siguió la forma del románico tardío, pero pronto encontró su propio impulso y, para el siglo XIII, el gótico se había liberado realmente en forma y decoración.

Frontal oeste, Catedral de Chartres

Chartres, que data de mediados a finales del siglo XII, exhibe las torres laterales y la ventana circular central (rosetón) combinadas anteriormente en San Denis, hacia 1140. Fue, consecuentemente, una fórmula mucho más utilizada en la fachada oeste, que era la entrada de las catedrales francesas.

Arco apuntado, Abadía de Pontigny

En el extremo este (*chevet*) de la Abadía de Pontigny prevalece el arco apuntado. Éste permitió conseguir mayor altura que el arco de medio punto, y podía usarse tanto en espacios cuadrados como rectangulares, lo que facilitó una planificación más libre.

Bóveda de crucería, Catedral de Auxerre

En las bóvedas de crucería como ésta (principios del siglo XIII) se usó la madera sólo en los nervios. Esto incrementaba la velocidad de la construcción y proporcionaba una fuerza añadida.

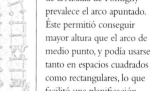

Planta de catedral, Notre Dame

La planta de Notre Dame muestra un patrón de bóvedas de crucería, una gran variedad de vanos soportados mediante ellas y una relativa unidad del espacio en su conjunto.

**Arbotante,
Catedral de Chartres**

El arbotante transmite las tensiones de la bóveda al suelo, descargando el muro. Como resultado, éste puede ser más ligero y tener mayor proporción de ventanas.

**Tracería de barras,
Catedral de Bayeux**

Esta ventana está articulada y soportada por finos parteluces (barras), en lugar de estar dividida por albañilería sólida. Hay profusión del uso de cúspides (ver página 211).

Rosetón, Catedral de Chartres

El rosetón, un elemento estándar de las fachadas occidentales y de los transeptos de las catedrales francesas, se llama así por su apariencia de flor y su forma circular.

Ornamento de capitel, Catedral de Reims

Este ornamento, en Reims, no está tan lejos de los clásicos. En cualquier caso, al contrario que en los antecedentes clásicos, cada capitel se trata de modo diferente y el follaje es libre, permitiendo al alarife la expresión individual.

**Alzado de los vanos,
Notre Dame**

La base de las columnas de la nave de Notre Dame aún es pesada, pero está tratada uniformemente. Encima de la base todo es ligero y vertical, incluyendo los estilizados y largos fustes.

**Nicho del contrafuerte,
Catedral de Rouen**

La decoración de los contrafuertes fue haciéndose más extravagante a medida que el gótico se desarrollaba. La parte alta de este arbotante está decorada con un nicho que contiene una figura esculpida.

**Disco de tracería,
San Martín, París**

Las ventanas del gótico temprano no están muy ornamentadas y consistían en meros agujeros, sin divisiones secundarias, en la albañilería. El agrupado de elementos vitrificados individuales, como aquí, evolucionaría a tracería de barras.

Fachada oeste, Notre Dame

A principios del siglo XIII, cuando se construyó la fachada oeste de Notre Dame, se consiguió un mayor efecto de unidad con los mismos componentes (comparar con Chartres, Pág. opuesta). La decoración era más rica y se desarrolló la tracería en barras.

Gótico

Francia: radiante y flamboyante

Dos fases específicas siguieron al gótico temprano en Francia: la radiante (desde mediados del siglo XIII) y la flamboyante (en el siglo XVI). En ambas, el nombre procede de sus patrones de tracería —en forma de rayo y de llama, respectivamente— y, como esto sugiere, los cambios fueron principalmente decorativos, no estructurales. En cualquier caso, la radiante vio la consecución de alturas mayores —48 m (157 pies) en la Catedral de Beauvais— y la proporción de cristal, frente a pared, se aumentó hasta donde fue posible.

En la flamboyante, que se desarrolló desde finales del siglo XIV a principios del siglo XVI, se añadió profusión decorativa a estas características. Su influencia estaba restringida a exteriores, aunque algunos aditamentos interiores se independizaron de la relativa simplicidad de la radiante.

Decoración flamboyante, Catedral de Troyes
La fachada oeste de la Catedral de Troyes muestra la profusión, un tanto plúmbea, de la decoración flamboyante, la cual era de efecto un poco más pesado que su predecesora francesa o su contemporánea inglesa —la perpendicular.

Tracería transitoria, San Ouen, Rouen
La ventana occidental de San Ouen, con su tracería interior radiante y su tracería exterior flamboyante, muestra la transición entre ambos estilos.

Tracería ciega, Catedral de Beauvais
La puerta flamboyante del transepto de Beauvais tiene todos sus elementos decorados con mucha tracería ciega —teniendo ésta un relleno de piedra, en lugar de cristal.

Torre-linterna, San Ouen

Un desarrollo del periodo radiante, la torre-linterna —aquí sobre el crucero de San Ouen— iluminaba los límites interiores de la iglesia. Lo que no es ventana o tracería ciega (como en las cabeceras del parapeto y el frontispicio) es calado —es decir, tracería sin ningún relleno.

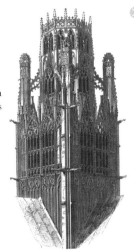

Ventana flamboyante, San Germain, Pont-Audemer

Aquí se ven claramente las fluidas líneas y las atenuadas formas flamígeras del flamboyante. El resultado es un efecto de libertad, pero carece de la cohesión del radiante y de la tracería curvilínea que ya se había desarrollado en Inglaterra. El curvilíneo inglés puede, de hecho, haber sido influenciado por el flamboyante francés.

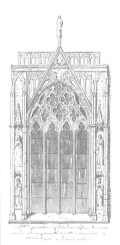

Ventana radiante, Catedral de Chartres

La tracería continua de esta ventana (construida posteriormente) de Chartres aún tiene un elemento de control y una forma geométrica, y las cúspides de piedra se usan del mismo modo que anteriormente, aunque en mayor medida. Hay una estilización y verticalidad en el tratamiento de las ventanas radiantes y su albañilería circundante.

Tracería radiante, San Ouen

Uno de los grandes monumentos del radiante, San Ouen de Rouen (comenzada en 1318), asciende hacia el cielo. Los independientes y piramidales tejados de las capillas del extremo este dan cabida a tanto espacio para vidriar como es posible, y las cabeceras de ventana exhiben la típica tracería radiante.

Galería de cruz, Santa Madalena, Troyes

Un superviviente inusual en Francia, la galería de cruz (aquí data del periodo flamboyante) separa la nave del presbiterio y proporciona una galería para los músicos.

Gótico

Francia: gótico doméstico y secular

Durante el periodo gótico francés se construyeron pueblos y ciudades fortificadas, castillos, casas y edificios administrativos, de los cuales sobreviven magníficos ejemplos. Su forma, generalmente, dependía de su función, y la ornamentación externa (como en las iglesias) se concentraba alrededor de entradas, ventanas y contrafuertes. Al contrario que en las iglesias, sin embargo, en los edificios domésticos franceses se dio más importancia a las escaleras, que generalmente se proyectaban desde la fachada y formaban la entrada principal del edificio. También daban acceso a habitaciones de diferente categoría. El diseño doméstico medieval francés no estaba, como en Inglaterra, centralizado alrededor de un gran salón.

Tratamiento de ventanas
Estas ventanas, de una casa del siglo XIII en Beauvias, están tratadas del mismo modo que lo estarían en una iglesia, pero están agrupadas para prestar servicio a la habitación de detrás y, consecuentemente, dan efecto horizontal.

Fachada urbana
Los tres pisos de esta casa urbana se expresan con dos hileras de ventanas y una arcada abierta. Se añade horizontalidad mediante hiladas escultóricas voladas (bandas horizontales).

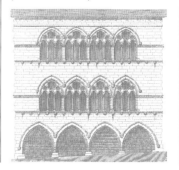

Abovedado jerárquico, Hotel de Ville, Dreux (comenzado en 1516)
Este edificio es un ejemplo especialmente sofisticado del gótico francés tardío. La bóveda del segundo piso es superior a la del basamento, reflejando la importancia relativa de los espacios.

Tratamiento de la entrada, Palacio Ducal, Nancy (1502-44)
La entrada desde la calle del Palacio Ducal de Nancy, en Lorraine, está muy ornamentada con gótico flamboyante tardío, pero además de cúspides y follaje naturalista también hay evidencias del renacimiento. Esto es particularmente cierto en el nivel superior, con sus motivos de conchas, sus pilastras y sus paneles verticales.

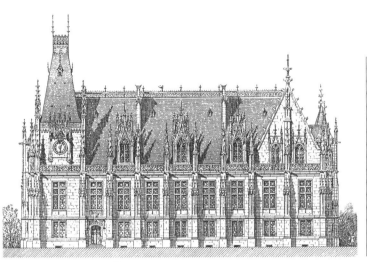

**Casa señorial:
Château de Coulaine
(siglo XV)**
Como en la lujosa casa
de Jacques Coeur, esta
casa señorial, cerca
de Chinon, tiene una
torre-escalera dominante.
Las torretas redondas,
tourelles, recuerdan a la
arquitectura defensiva,
aunque esto ya no era
una necesidad práctica.

**Edificios civiles:
Palacio de Justicia, Rouen
(comenzado en 1499)**
Este edificio civil
flamboyante, como otros
del periodo, no expresa
tan claramente su función
en el exterior. Hay cierta
confianza en el efecto
creado con la multiplicación
de una unidad decorativa.

**Escalera doméstica,
casa de Jacques Coeur,
Bourges (siglo XV)**
La importancia de la escalera
principal está clara en esta casa
de Bourges: se proyecta al
interior del patio en forma de
torre octagonal ornamentada a
todos los niveles, y está situada
enfrente de la casa del guarda.

**Castillo: Château de Mehun-sur-
Yèvre (finales del siglo XIV)**
Esta reconstrucción de un castillo
cerca de Bourges, basado en una
ilustración de *Les Très Riches
Heures du Duc de Berry*, muestra el
aspecto de múltiples torres
redondas de los castillos franceses
posteriores, los cuales carecían de
torre de homenaje independiente.
La ornamentación se concentra
encima de la muralla defensiva
—en este caso en forma de
belvederes con muchas ventanas,
coronados con tejados cónicos.

Gótico

Gótico inglés temprano: exteriores

El arquitecto Thomas Rickman, de principios del siglo XIX, fue el responsable de la clasificación del gótico inglés en tres fases distintas: Inglés Temprano, Decorated y Perpendicular. El gótico lo introdujo en Inglaterra un alarife francés, William de Sens, que comenzó la reconstrucción del extremo este de la Catedral de Canterbury en 1174, treinta años después de la formación del estilo en Francia. Pronto cobró impulso y los edificios ingleses tempranos (h. 1170-1280) se distinguieron, tanto en planta como en detalles, de la arquitectura francesa. En general, la aproximación es más rectilínea, hay una mayor división de las partes constituyentes y una consecuente carencia de unidad espacial.

Lancets, Iglesia de Oundle
Cinco *lancets*, sin cúspides en sus cabeceras (como es típico en el inglés temprano) se agrupan juntas en esta ventana de la iglesia de Oundle, Northamptonshire. La albañilería intermedia es tan delgada que forma barras de tracería, precursando el *decorated*. Encima se proyecta una faja de piedra, vierteaguas, para desviar el agua.

Elementos exteriores, Beverley Minster (principios del siglo XIII)
Las altas y delgadas ventanas (*lancets*), una entrada dividida por fustes agrupados con un cuatrifolio (curvas en forma de cuatro lóbulos entre las cúspides), unos imponentes contrafuertes y el uso de ventanas circulares son los componentes comunes de las fachadas del inglés temprano. Aquí se ven todos juntos.

Transeptos dobles, Catedral de Salisbury (comenzada en 1220)
Aparte de su torre del siglo XIV, la Catedral de Salisbury, Wiltshire, pertenece completamente al inglés temprano. Al contrario que en las iglesias góticas de cualquier parte de Europa, los transeptos de Inglaterra se proyectan sustancialmente desde el edificio y, en algunos casos, como aquí, están duplicados.

Entrada, Great Milton

La mayoría de las entradas del inglés temprano son apuntadas, como esta de Oxfordshire. A menudo son profundas y pueden estar revestidas de grupos de fustes —alternando molduras redondas y huecos profundamente tallados en el arco de encima.

Arbotante, Abadía de Westminster

Este ejemplo de la Abadía de Westminster, Londres, como la mayoría de los contrafuertes ingleses tempranos, está escasamente ornamentado. Se alza sobre el parapeto con una terminación piramidal, formando, de ese modo, un primitivo pináculo.

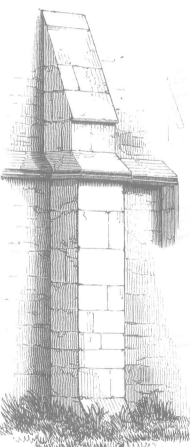

Ornamentación del Inglés Temprano, Warmington

La ornamentación es escasa, como aquí en Warmington, Northamtonshire, donde hay un contrafuerte achaflanado que contiene una moldura cóncava simple terminada en una hoja tallada.

Contrafuerte plano, Ensham

Este contrafuerte de Ensham, Oxfordshire, está colocado directamente contra el muro y tiene una abrupta terminación en ángulo. Es típico del inglés temprano.

Gótico

Gótico inglés temprano: interiores

En contraste con los edificios franceses contemporáneos, los interiores del inglés temprano tienen, generalmente, anchos vanos en las naves laterales y una gran tolerancia de líneas horizontales. Las grandes catedrales e iglesias de este periodo son, por tanto, visualmente más fluidas y de hecho más alargadas que sus homólogas francesas, con el centro de atención tan marcado hacia el extremo este como hacia el cielo. Siendo tan extensas, el interior no está tratado como un conjunto, ni en planta ni en decoración, ya que ésta se hace por partes individuales. La ornamentación es muy prominente, con profusión de fustes, a menudo de mármol de Purbeck u otra piedra refinada, y molduras profundamente talladas. El uso decorativo de bóvedas de crucería, así como la concentración en la textura de las superficies a finales del periodo, fueron los precursores del gótico inglés decorated.

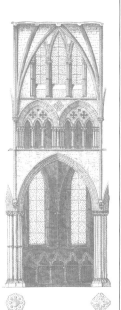

Vano, Catedral de Lincoln
Todo lo relacionado con los vanos de la nave de Lincoln es ancho. En la base está la arcada de la nave lateral, en medio el triforio y arriba el clerestorio.

Ornamentación de capitel, Catedral de Lincoln

Un ornamento de hojas, prominente y profundamente tallado, termina los fustes del transepto norte de Lincoln. Sólo la campana, o cuerpo principal del capitel, está ornamentado, pero incluso ésta puede dejarse sin decorar, dependiendo el efecto sólo de las molduras.

Horizontalidad, Catedral de Lincoln

La Catedral de Lincoln (comenzada en 1192) es una de las piezas maestras del estilo inglés temprano. Su nave, mostrada aquí, demuestra la horizontalidad creada por los anchos vanos, la ausencia de fustes hasta el techo y la orientación este-oeste de los nervios vertebrales de la bóveda.

Fustes de pilares, Catedral de Lincoln

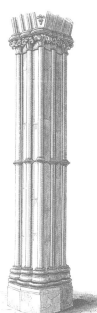

Los pilares del inglés temprano, como este de la Catedral de Lincoln, se decoran generalmente con series de delgados y cilíndricos fustes, a menudo de mármol de Purbeck. Equilibran las molduras profundamente talladas de encima.

Ornamento Dog-tooth

El ornamento inglés temprano llamado "diente de perro" es, de hecho, una flor de cuatro pétalos con una protuberancia central que forma un punto.

**Arcadas ciegas,
Beverley Minster**

Los muros de este periodo
tenían a menudo arcadas
ciegas (con relleno de piedra),
como en Beverley Minster,
donde la arcada trebolada
continúa en las escaleras. Los
fustes son de mármol de
Purbeck y los ornamentos de
los arcos son dog-tooth.

**Arco de la nave,
Abadía de Westminster**

La influencia de Francia
dio como resultado
vanos más estrechos, lo
cual implica una nave
muy alta y estrecha. Los
fustes son de mármol
de Purbeck y aunque
éstos no están decorados,
la superficie del muro
está cubierta de motivos
geométricos (ver abajo).

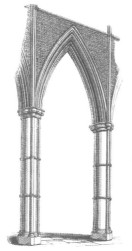

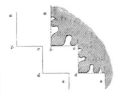

**Molduras
del inglés temprano**

Estas molduras son,
generalmente, de talla
profunda y están formadas
por una serie de redondeces
y depresiones. Las redondeces
de este ejemplo de Shere,
Surrey, se conocen como
cimacios, y tienen la forma
de una quilla de barco; los
más pequeños se conocen
como ojivales o en forma
de "S". Todos ellos se tallan
sobre un perfil rectangular.

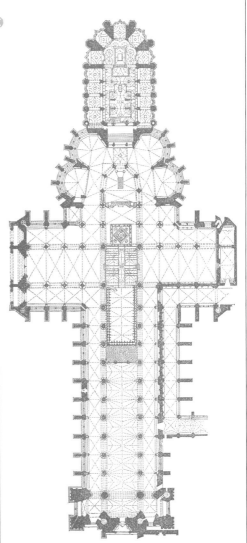

Motivos geométricos

Durante este periodo, y subsecuentemente,
una serie de tallas de flores cuadradas,
colocadas unas contra otras, formaban a
veces una decoración continua conocida
como motivos geométricos.

Planta, Abadía de Westminster

La influencia francesa en la Abadía de Westminster es
evidente en su altura y en las capillas radiales, siendo estas
últimas muy poco usuales en Inglaterra. En cualquier caso,
también tiene las clásicas características inglesas de transeptos
proyectados y un fuerte énfasis oeste-este, asistido por el
nervio de aristón de la bóveda. En su lejano extremo este
tenía un camarín de la virgen, aunque su lugar está ahora
ocupado por la capilla de Enrique VII (construida entre
1503-h. 1512). El claustro de la abadía está conectado con
la iglesia y, completamente fuera de planta, están el cabildo
y los edificios domésticos.

Gótico

Inglaterra:
exteriores del gótico decorated

El gótico *decorated* dominó en Inglaterra de h. 1290 a h. 1350. Como su nombre indica, está tipificado por gran profusión de decoración y de formas estructurales decorativas. Sin embargo, hay una gran variedad de edificios en el periodo con mayor o menor empleo de decoración, algunos con tendencia a altas y grandes áreas de vitrificación, mientras que otros estaban más próximos al inglés temprano, por sus proporciones achaparradas y sus restricciones. La variedad también se ve en la tracería, que desarrolló patrones geométricos, reticulados y continuos muy sofisticados, con ventanas partidas en un mayor número de partes.

Torre del decorated, Bloxham
La torre de la iglesia de Bloxham, Oxfordshire, exhibe una buena cantidad de características típicas del *decorated*, incluyendo la agudeza del *chapitel*, la colocación diagonal de contrafuertes de esquina, o en ángulo, y el uso de mucha decoración tallada.

Pináculo con crockets, Bloxham
Estos contrafuertes, como era común en esa época, se elevaban más que los ejemplos del inglés temprano y terminaban en pináculos en forma *chapitel* decorados con unas protuberancias conocidas como *crocketing* (ver Pág. opuesta).

Canecillo, Bloxham
Cuando las proyecciones de piedra, o salientes, que soportaban la albañilería encima de ellas están colocadas en fila, se conocen como canecillo. En este ejemplo están colocadas entre una intrincada ornamentación, que es característicamente tridimensional y acentúa el cambio de la torre al *chapitel*.

Humilladero de Leonor, Northampton
Algunos de los primeros trabajos del *decorated* maduro aparecen en forma de humilladeros, incluyendo este de Northampton, erigido hacia 1290 para conmemorar la muerte de la reina de Eduardo I, Leonor de Castilla.

Ornamento ballflower, Bampton

El *ballflower* (encima) es característico del periodo *decorated*, y se empleaba generalmente en largos tramos, como en la puerta oeste de Bampton (derecha). Las entradas tenían, comparativamente, un tratamiento sencillo y menos profundo que en el inglés temprano.

Cúspides, Catedral de Lincoln

Estas proyecciones en punta se convirtieron en una característica durante el periodo *decorated*. Se usan para formar diferentes diseños en la tracería de ventana y otras ornamentaciones, como aquí en el paño de la Catedral de Lincoln.

Crockets

Había hojas o flores talladas que se proyectaban en series, decorando las molduras en ángulo de los chapiteles, pináculos y otras agudas formas en ángulo. Su uso en molduras verticales es más raro.

Tracería curvilínea Santa María, Cheltenham

La tracería continua también se conoce como tracería curvilínea, dada la confianza con que se usan líneas curvas en sus numerosas cúspides, como en este bello rosetón.

Tracería continua, Irthlingborough

En la parte alta de las ventanas del *decorated* tardío las barras ya no son evidentes, sino que se transforman en un reticulado (una red de formas). La tracería puede comprender formas continuas, incluyendo el *mouchette* o forma de daga, como aquí, en Northamptonshire.

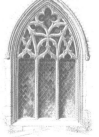

Tracería de barra geométrica, Raunds

Para finales del siglo XIII, los parteluces se habían transformado en delgadas barras (de ahí tracería de barra) y se alzaron para formar una malla o para contener series de figuras geométricas, como en esta ventana de Northaptonshire.

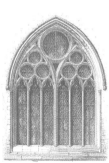

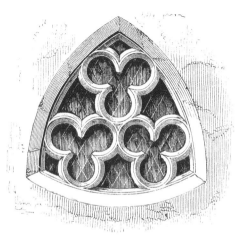

Lóbulos, Dover

Cuando las cúspides casi crean un círculo se las conoce como lóbulos. En esta ventana triangular de Dover, Kent, tres lóbulos se combinan para crear un trifolio. Las formas de cúspides del siglo XIV ya no tenían que estar necesariamente incluidas en un círculo de piedra, como era el uso previamente.

Gótico

Inglaterra:
interiores góticos decorated

El arco en forma de ojiva es una de las tendencias decorativas más características del periodo *decorated*. Aunque puede verse tanto en exteriores como en interiores, es en éstos últimos donde se le dio más uso. Los arcos de ojiva podían estar tallados en línea con la pared o, en algunos exuberantes casos (incluyendo la capilla de la Virgen de Ely), inclinados hacia delante de modo tridimensional, formando un dosel. Las bóvedas se desarrollaron más allá de lo que era estructuralmente necesario, con nervios secundarios introducidos decorativamente y patrones de nervios cada vez más complejos. El follaje tallado era más intrincado y menos estilizado, como en los capiteles, mientras que la decoración, donde la había, era más rica.

Estilo decorated temprano, Catedral de Lichfield
La nave de la Catedral de Lichfield (h. 1260–80) tiene tracería geométrica y fustes, agrupados en forma de rombo, adosados a sus pilares. La talla de hojas rígidas y el uso de molduras en diente de perro son conservadores.

Flor de cuatro hojas, Catedral de Ely
En la catedral de Ely (principios del siglo XIV), los arcos y la parte superior de éstos están profusamente decorados, incluyendo el uso de una flor de cuatro hojas que se extiende en la moldura exterior del arco. Esto era muy popular en los periodos decorated y perpendicular.

Cabildo, Catedral de Wells
La forma poligonal y el tratamiento particularmente rico del cabildo (lugar de asamblea para los decanos y canónigos de la catedral) son una peculiaridad de Inglaterra. El cabildo de Wells (principios del siglo XII) tiene una bóveda con 36 nervios que se alzan desde el pilar central.

Extremo este plano, Santísima Trinidad, Hull
El extremo este de las iglesias y catedrales inglesas —al contrario que en sus homólogas continentales— es generalmente plano, lo que permite un mayor despliegue de la ventana. Ésta, en particular, tiene magníficos ejemplos de barras curvas y multitud de formas de cúspide de tracería curvilínea.

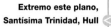

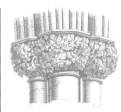

**Talla de follaje,
York Minster**

En este periodo, la talla de
follaje tiende a estar basada
en plantas actuales, como en
este ejemplo. En cualquier
caso, las estilizadas hojas
rígidas del periodo inglés
temprano siguieron en uso.

**Sepulcro de Pascua,
San Juan de Stanton**

En esta iglesia de
Oxfordshire, un atrevido
arco conopial con elaboradas
cúspides y crockets forma
un nicho que representa el
enterramiento de Cristo
en la Pascua.

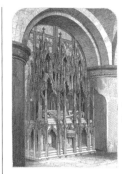

**Decoración de tumba,
Catedral de Gloucester**

Los altares, o tumbas altares,
con figuras yacientes, como ésta
de Eduardo II, eran frecuentes
en el periodo *decorated*. Como
todas las tumbas medievales
significativas, la de Eduardo II
sigue el estilo del momento, y
está ricamente embellecida con
ojivas, cúspides, nichos,
pináculos y otros.

Sillería, Grafton Underwood

Se colocaban asientos tripes, o sillería, en los muros sur de
los presbiterios. Estaban destinados para los sacerdotes, sus
decanos y sus subdecanos. La sillería, a menudo, se agrupaba
con una piscina, una pila de piedra colocada en un nicho y
utilizada para lavar los enseres de la comunión o de la misa.

Planta, Capilla de San Esteban, Westminster

Construida (1298–1348) en competición directa con
la Ste.-Chapelle de París, esta caja de cristal, fuertemente
rectilínea y sin naves laterales, es la precursora de algunos
de los grandes monumentos del perpendicular.

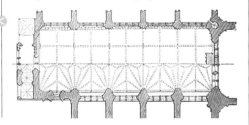

Tejado de madera, Polebrook

Donde no están abovedadas, las
iglesias tienen por techo una
pesada construcción de madera,
como la de aquí, en Northamptonshire. Comparativamente es
un ejemplo poco adornado, ya
que otras del mismo periodo
presentan perforaciones de
tracería.

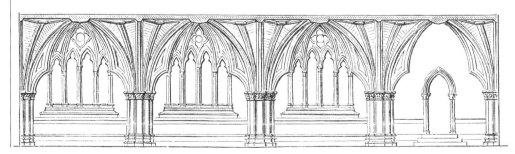

**Bóveda de nervios
secundarios, San Esteban**

La cripta de San Esteban
aún sobrevive, y tiene un
desarrollo del *decorated*
que consiste en nervios de
crucería que no emanan del
punto más bajo de la bóveda.

Gótico

Inglaterra:
exteriores del gótico perpendicular

La característica clave del perpendicular (h. 1340-h. 1540) es la acentuación de las líneas rectas, tanto verticales como horizontales. Las ventanas y la superficie de los muros están a menudo divididas, en paneles, mediante tracería en filas superpuestas y nervios verticales elevándose, sin curvarse, hasta la cabecera. El perpendicular no se parece a prácticamente ninguna otra cosa europea, y representa la vibrante y continua evolución de un estilo obsoleto o desplazado por el renacimiento en todas partes menos aquí.

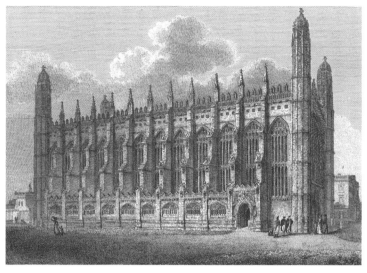

King´s College Chapel, Cambridge (1446-1515)
Uno de los edificios más importantes del perpendicular, el King's College Chapel, se comenzó en 1446 pero, debido a la Guerra de las Rosas, no se concluyó hasta 1515. Como la Capilla de San Esteban, Westminster, sigue la corriente de la Ste. Chapelle de París, con profusa vitrificación y fuerte verticalidad.

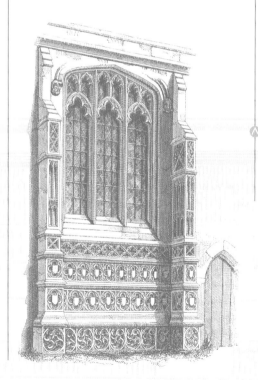

Remate perpendicular
Los remates se colocaron en los elementos marcadamente angulosos de un edificio, y se desarrollaron a la par que los *crockets*.

Albanega
El espacio triangular encima y a cada lado de un arco se conoce como albanega, o enjuta. En el perpendicular, a menudo estaba ricamente tallado.

Arco de cuatro centros, Yelvertoft
Además de los paneles rectangulares del muro y de los parteluces verticales de tracería, la ventana norte del presbiterio de la Iglesia de Yelvertoft, Northamptonshire, exhibe otra característica clave del perpendicular —el arco de cuatro centros. Se conoce así porque su diseño requiere de cuatro circunferencias de distinto centro, lo que permite deprimir su forma.

Parapeto perforado, Cromer

El perpendicular vio la introducción de tejados bajos con parapetos, a menudo perforados, ocultando la línea de tejado desde debajo. Semejantes parapetos se utilizaron mucho en torres.

Entrada perpendicular, Kenton

Las molduras de puertas son, casi siempre, de poca profundidad y dibujan un cuadrado en la parte superior, como aquí en Kenton, Devon. Esto enfatiza las enjutas, que son talladas decorativamente. Los fustes se reducen al mínimo y, frecuentemente, sólo hay un profundo hueco en las jambas, aquí relleno con flores de cuatro hojas.

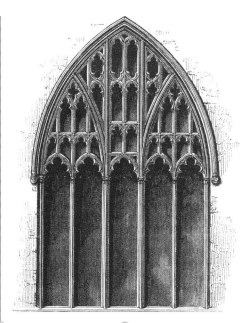

Tracería de panel, York Minster

Esta ventana, del clerestorio del coro (h. 1380-1400) de York, tiene parteluces sin curvar y barras de tracería horizontales (montantes) formando, de ese modo, paneles. Sólo la luz central de las cinco principales tiene un cabecero rectangular con cúspide, mientras que en edificios posteriores (como la Capilla de Enrique VII en la Abadía de Westminster y el King's College Chapel, Cambrighe) se exhibiría esta característica más consistentemente, acentuando la horizontalidad tanto como la verticalidad.

Contrafuertes del perpendicular

No hubo cambios significativos en la forma básica de los contrafuertes del periodo perpendicular, pero desde el siglo XV, y en línea con el tratamiento de otras superficies planas de los muros, se hicieron frecuentemente en paneles.

Almenas

Una almena es un parapeto con muescas (de diversos tipos) en lo alto de un muro —las dos que se muestran aquí tienen una terminación diferente. Las partes elevadas se conocen como almenas y las deprimidas como troneras. Su uso decorativo en los montantes y bases de las ventanas es característico del estilo inglés perpendicular.

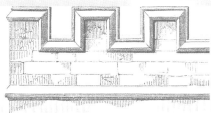

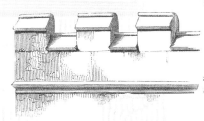

Gótico

Inglaterra:

interiores del gótico perpendicular

El primero de los interiores claramente perpendiculares es el presbiterio de la Catedral de Gloucester, que fue comenzado en 1337 y exhibe, sobre todo, tracería en paneles en las ventanas y las superficies de muros, y fustes alzándose sin interrupción hasta la complicada bóveda. Esto engloba las principales características de los interiores del perpendicular, que muestra su mejor aspecto en las grandes fundaciones reales del siglo XV y principios del XVI, auque también puede encontrarse en iglesias parroquiales. El estilo mantuvo su inventiva hasta el final, particularmente en el tratamiento de tejados.

Bóvedas de abanico, King's College Chapel, Cambridge

Las bóvedas de abanico se desarrollaron partiendo de las bóvedas de nervios secundarios del siglo XIV. Tienen forma de cono con decoración en paneles con cúspides. A menudo hay florones en la intersección, y los abanicos pueden estar divididos por fuertes nervios cruzados.

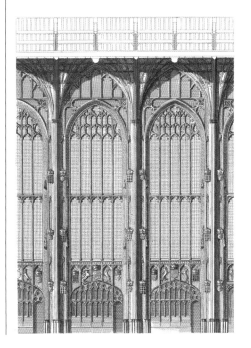

Arquitectura dinástica, King's College Chapel

Los grandes monumentos del perpendicular se erigieron por las dinastías opuestas de la Guerra de las Rosas (1455-85), en parte como estados de autoridad y solidez seguidos de periodos de contienda. El King's College Chapel lo completaron los últimos vencedores, los Tudor, y está marcado con el logro de su dinastía mediante abundantes tallas heráldicas en el extremo oeste, en contraste con la simplicidad de líneas y la simpleza del resto de la decoración. La rosa y el rastrillo de los Tudor se adosa a los fustes, el escudo de armas del Rey está tallado debajo de las grandes ventanas.

Planta perpendicular, King's College Chapel

La simplicidad de la planta y la búsqueda de un espacio único son típicas del perpendicular. El King's College Chapel no tiene transeptos ni naves laterales, y no hay diferenciación arquitectónica entre nave, coro y presbiterio.

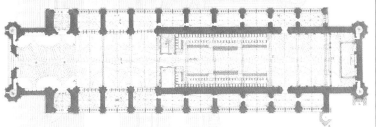

Bóveda de abanico pinjante, Capilla de Enrique VII
La Capilla de Enrique VII (1503-19) en la Abadía de Westminster, representa el último gótico floreciente en Inglaterra, e incorpora una característica tardía, la bóveda en abanico pinjante. Los abanicos se han convertido en verdaderos conos que cuelgan como elaborados pinjantes.

Vierteaguas cuadrado, Rushden
Una moldura curva para proteger de la lluvia, o vierteaguas, se asocia generalmente a los exteriores, pero en el perpendicular se usaba también internamente, acentuando la cuadratura de las aberturas, como en esta iglesia de Northameptonshire.

Ornamento de capitel, Iglesia de Cristo, Oxford
Los capiteles perpendiculares son, a menudo, sencillos, pero donde se empleó follaje tallado, éste es generalmente estilizado, como con el de este ejemplo de la Iglesia de Cristo, Oxford.

Cercha gótica, Trunch
Las vigas horizontales, o cimbras, soportan la estructura arqueada del tejado y están, a su vez, soportadas por refuerzos arqueados. Los espacios se rellenan con tracería, y los extremos de las cerchas, o cimbras, pueden estar talladas con ángeles, como aquí en Trunch, Norfolk.

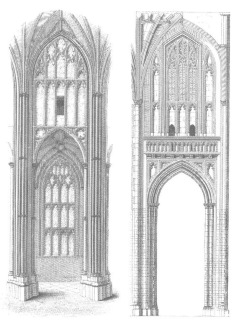

Catedrales del perpendicular, Winchester y Canterbury
En muchas catedrales, como la de Winchester (arriba izquierda) y la de Canterbury (arriba derecha), el impacto del perpendicular fue menos dramático de lo que lo fuera en las fundaciones reales del mismo periodo. Se utilizó el mismo lenguaje, pero de un modo mucho más convencional, a menudo enlazándolo con estructuras existentes.

Vignette
En el perpendicular, al igual que en el *decorated*, las molduras cóncavas eran a menudo talladas con tallos y hojas, creando un friso continuo o *vignette*. El tallado del perpendicular, sin embargo, es normalmente estilizado y rígido, más parecido al inglés temprano que al *decorated*.

Gótico

Inglaterra: gótico doméstico y secular temprano

El gótico se adoptó en la arquitectura doméstica y secular inglesa más o menos al mismo tiempo que en la eclesiástica, pero quedan menos ejemplos debido a los cambios en el estilo de vida, a los requisitos administrativos a lo largo del tiempo y a la consecuente alteración o sustitución de los edificios. La funcionalidad gobernó las formas de los primeros casos, y el gótico eclesiástico se adaptó al contexto secular. En cualquier caso, la necesidad defensiva imposibilitó un gran despliegue de ventanas y puertas, y las grandes áreas vitrificadas eran inapropiadas en niveles bajos. Se necesitó un lenguaje adicional sólo para los elementos de defensa y de la casa, incluyendo chimeneas, cocinas y aposentos.

Casa señorial: Castillo de Stokesay (comenzado en 1285)

Casi todas las casas señoriales medievales inglesas tienen la misma forma, y no se encuentran en ningún otro lugar de Europa: un gran salón central (demarcado por grandes ventanas) flanqueado por las habitaciones del señor en un lado, y las del servicio en el otro. En Stokesay, Shropshire, también hay una torre defensiva, y originalmente tenía un foso y una muralla que daba al lado del patio.

Casa defensiva: Markenfield Hall (principios del siglo XIV)

En Markenfield, Yorkshire, para apartar las ventanas del suelo, el gran salón se puso en el primer piso. Aparte de estas dos grandes ventanas, en arco y geométricas, el resto de las aberturas eran pequeñas.

Matacanes

Los parapetos de los edificios defensivos a menudo eran obras voladizas con aspilleros para observar y agredir a los asaltantes que había debajo. Éstos se conocen como matacanes.

Solar, Sutton Courtenay (h. 1330)

Localizado en el primer piso, en el extremo noble del gran salón, el solar era una habitación para el retiro del señor y su familia. En consecuencia, solía tener ventanas ricamente tratadas y un hogar.

Chimeneas y respiraderos

Los hogares para cocinar y calentar necesitaban chimeneas y, en el caso de hogares abiertos, respiraderos en el techo: claraboyas laterales para permitir la salida del humo. A menudo estaban ornamentadas al estilo de la época, como puede verse en los ejemplos de debajo, los cuales datan de los siglos XIII y XIV.

Gran salón, Sutton Courtenay

El gran salón era la entrada, el lugar de asambleas y el sitio para comer. Al fondo del extremo de la servidumbre había, generalmente, una pantalla, detrás de la cual estaba la cocina.

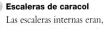

Chimenea, Aydon Castle

La mayoría de las casas tenían un hogar abierto en el salón, pero otras cámaras tenían chimeneas, como ésta del Aydon Castle, Northumberland.

Escaleras de caracol

Las escaleras internas eran, en su mayoría, de caracol y se colocaban en torretas o en la profundidad de los muros. Su estrechez favorecía la defensa, y la dirección, ascendente en el sentido de la agujas del reloj, daba ventaja a un defensor diestro.

Casa torre: Castillo de Langley (siglo XIV)

Cuando un edificio necesitaba ser altamente defendido en cualquier momento, como el Castillo de Langley Castle, Northumberland, pero no había sitio suficiente para poner defensas exteriores, el resultado fueron muros verticales con aberturas mínimas.

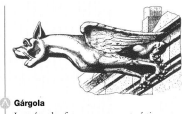

Gárgola

Las gárgolas fueron una característica muy popular a lo largo de todo el gótico. Eran desaguaderos que se proyectaban desde el tejado. Tomaban la forma de una figura grotesca, humana o animal, saliendo el agua por la boca abierta de la figura.

Gótico

Inglaterra: gótico doméstico y secular tardíos

Desde mediados del siglo XIV hubo un renacer de la arquitectura doméstica y secular, y es de este periodo del que proceden la mayor parte de las universidades de Oxford y Cambridge, al igual que las sustanciosas casas y castillos domésticos. A pesar de la Guerra de las Rosas, que era esporádica y localizada, la defensa no era de una importancia suprema. La vida era lo bastante estable como para construir a mayor escala, y ya no había necesidad de evitar las grandes aberturas, por lo que había una mayor intención de despliegue y ornamentación. La funcionalidad siguió dictando la apariencia exterior y la simetría —o al menos el equilibrio— sólo se consiguió en grandes edificios universitarios.

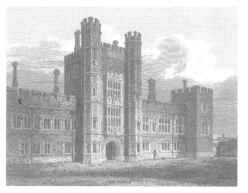

Ventanas poligonales, Castillo de Windsor

Las alteraciones de Enrique VII al Castillo de Windsor incluyen estas ventanas poligonales, las cuales se proyectan desde las torretas. Demuestran la continua inventiva del gótico inglés y son, conceptualmente, similares a las ventanas contemporáneas de la Capilla de Enrique VII en la Abadía de Westminster.

Edificios universitarios, Eton (comenzados en 1451)

Los edificios universitarios están planificados alrededor de patios o cuadrángulos, y tienen muchas de las bases de la casa grande —casa del guarda (ahora principalmente para ser mostrada), salón, capilla y hospedaje. La entrada de la universidad de Eton, Berkshire, incorpora una casa del guarda.

Casa grande: Compton Wynyates (principios del siglo XVI)

La planta doméstica medieval seguía siendo el núcleo de la posterior casa grande, que continuó siendo colocada alrededor de un patio y con una casa del guarda, pero ahora estaba mucho más abierta al exterior y las defensas habían decaído. Almenas, torres y torretas formaban parte ahora de un amplio repertorio decorativo. Un buen ejemplo es Compton Wynyates, Warwickshire, que exhibe exuberantes chimeneas poligonales en espiral y el uso de una elegante albañilería, con diamantes (motivos romboidales) hechos de ladrillos de color oscuro colocados geométricamente.

Mirador, Comton Wynyates

Las ventanas formando un compartimiento o nicho, a menudo en el extremo noble del gran salón y a veces iluminando la gran cámara o un gabinete, se introdujeron en el periodo perpendicular. El mirador de Comton Wynyates tiene un muro típicamente perpendicular, así como tracería en paneles y parapeto almenado, como muchos ejemplos eclesiásticos.

Habitación universitaria, Divinity School, Oxford (comenzada en 1427)

Amplias habitaciones universitarias, como esta de Oxford, podían tratarse aproximadamente como las iglesias. La bóveda (h. 1480), las ventanas y la tracería ciega no estarían fuera de lugar en una iglesia, aunque la estancia no tiene la altura que cabría esperar en un contexto eclesiástico.

Market cross, Chichester (comenzado en 1501)

En los principales mercados se erigieron estructuras poligonales abovedadas, con arcos abiertos, para proporcionar cobijo y un lugar donde reunirse. El market cross de Chichester tienen una ornamentación particularmente lujosa.

Mirador, Vicaría, Wells

En uno de los edificios del siglo XIV, en la Vicaría de Wells, está este mirador. El término inglés, oriel *window*, deriva del nombre de un pequeño lugar para la oración.

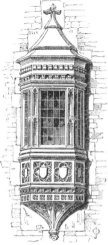

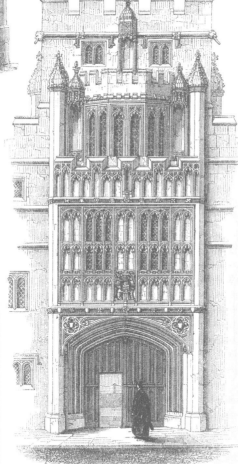

Casa del guarda, Universidad de Brasenose, Oxford (1512)

La aproximación a los edificios domésticos o seculares significativos se hace frecuentemente a través de una casa de guarda, a menudo ricamente ornamentada. En el caso de edificios urbanos, como aquí, la casa del guarda es generalmente una torre que se alza sobre los elementos de los flancos, de tal manera que puede ser identificada claramente.

Gótico

Iberia

España vio la llegada de la arquitectura gótica a finales del siglo XII. Para entonces, los árabes habían sido expulsados de la mayor parte de la Península Ibérica, y los refortalecidos reinos cristianos estaban en una buena posición para dedicar sus energías a la construcción. En las catedrales del gótico temprano español es evidente una fuerte influencia francesa, pero un acercamiento a las características españolas dio lugar a un confiado estilo nacional, a menudo severo y recio en el exterior, pero espacioso y ligero en el interior. El gótico español persistió hasta bien entrado el siglo XVI, revigorizado por la introducción de elementos islámicos y el creciente aumento de ornamentación —característica compartida con el estilo manuelino del gótico tardío en Portugal.

Frente oeste,
Catedral de Burgos (comenzada en 1221)
El frente oeste de la Catedral de Burgos muestra la fuerte influencia del gótico francés, con su tres entradas, su rosetón y sus torres laterales. Los pisos superiores de las torres, incluyendo los chapiteles calados, son del siglo XV y mucho más distintivos del estilo español. La aglomeración de iglesias es una característica del gótico español.

Estilo Manuelino,
Monasterio de Belém (comenzado en 1502)
El gótico portugués progresó en línea con el español hasta que se desarrolló una ornamentación masiva mucho más incontrolada que la asociada con el estilo isabelino (ver página opuesta). Esto ocurrió bajo el patrocinio del rey Manuel I, a finales del siglo XV y principios del siglo XVI, y se muestra en el monasterio de Belém. Es una expresión de la riqueza que entraba en la Península Ibérica procedente de ultramar.

Ábside lobulado español,
Catedral de Barcelona (comenzada en 1298)
El ábside lobulado, o extremo este radiado, de la iglesia francesa se desarrolló en España como algo mucho más severo. Aquí, las capillas se construyeron entre los masivos contrafuertes, necesarios para soportar la bóveda.

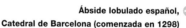

Claustros, Las Huelgas, Burgos
Los paseos cubiertos y con arcos que rodean un patio ajardinado constituyen el claustro, que era un elemento esencial de cada institución monástica.

Muros en talud, Medina del Campo (siglo XV)

El siglo XV vio la construcción, en España, de una serie de castillos estrictamente defensivos. Medina del Campo tiene murallas en talud, o inclinadas, que proporcionan mayor fuerza, pero siguen siendo difíciles de escalar.

Estilo mudéjar, Palacio de Guadalajara

Este palacio de finales del siglo XV exhibe elementos de estilo mudéjar, basado en el islámico, lo cual forma parte de la exuberancia isabelina. Hay arcos con múltiples cúspides, decoración de superficie por todas partes y una balaustrada de patrón intrincado.

Estilo isabelino

La pureza de los interiores góticos tempranos se oscureció, frecuentemente, con la intromisión de ornamentos asociados al estilo isabelino del siglo XV (nombrado después de la reina Isabel). Esta ilustración muestra el extremo este de la Catedral de Toledo.

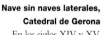

Nave sin naves laterales, Catedral de Gerona

En los siglos XIV y XV, especialmente en Cataluña, se crearon enormes y diáfanos espacios eclesiásticos. La nave de la Catedral de Gerona (comenzada en 1416) tiene una luz de bóveda que excede a cualquier otra en la Europa de su tiempo.

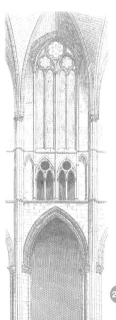

Tracería española, Palacio Episcopal, Alcalá

La mezcla de las influencias europea e islámica produjo formas particularmente imaginativas, como la tracería de esta ventana del Palacio Episcopal de Alcalá. Los componentes individuales son comparables a los de la corriente gótica en el resto de Europa, pero su distribución es distintivamente oriental.

Influencia francesa, Catedral de León (comenzada en el siglo XIII)

Los edificios del gótico español temprano son difícilmente distinguibles de sus homólogos franceses —este vano de catedral es prácticamente idéntico a los de Raims y Amiens. En las enormes ventanas de León se usó mucho vidrio coloreado.

Gótico

Europa del Norte y Europa Central

En la Edad Media, gran parte de Europa del norte y central estaba dentro de las fronteras del Sagrado Imperio Romano, o (en el caso de los Países Bajos) bajo el control del arzobispado germano de Colonia. En estas tierras hubo una resistencia inicial a que el gótico desplazara al románico, y no se encontrarían los primeros ejemplos de gótico verdadero hasta mediados del siglo XIII, mucho después de que Francia, Inglaterra y España lo adoptaran en sus corazones. Más tarde, en cualquier caso, tomó su lugar y desarrolló una energía e individualismo de formas que resultaron en algunos de los ejemplos más impresionantes del gótico tardío en Europa.

Doble trébol de cuatro hojas, Catedral de Colonia

El radiante, o *rayonnant*, es muy evidente en la tracería de Colonia, pero ya hay signos de individualismo, como en esta ventana, cuyas complicadas cúspides crean un doble trébol de cuatro hojas en el roel superior, contrastando con el tratamiento estándar de los roeles inferiores. Esto da un efecto menos rígido que el encontrado en la tracería francesa contemporánea.

Frente oeste, Catedral de Colonia

El frente oeste se construyó en el siglo XIX, pero con diseños del siglo XIII. Al igual que el resto de la catedral y gran parte del gótico germánico, es de estilo francés radiante.

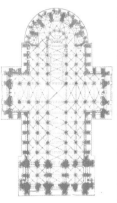

Planta de gótico temprano, Catedral de Colonia

Con sus capillas radiales del extremo este, transeptos modestamente proyectados y simplicidad de los patrones de bóvedas, la planta de la Catedral de Colonia —al igual que su fachada— difiere muy poco de los modelos franceses contemporáneos.

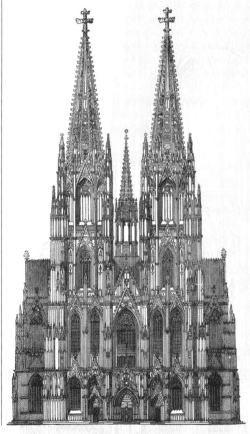

Capitel de hojas de parra, Catedral de Colonia

El gótico temprano de Europa del norte y central vio algunas tallas naturalistas particularmente delicadas, como este ejemplo de la Catedral de Colonia.

Capitel del gótico tardío, Frauenkirche, Esslingen

Este capitel es clásico de la fluidez del gótico tardío, tanto en términos del su follaje tallado como por las curvas que éste muestra, características típicas del siglo XV.

Salón de Telas, Ypres (siglo XIV)
El salón de telas de Ypres, Países Bajos, es uno de los muchos edificios de este tipo que se asocian a tiempos de prosperidad comercial en el área. Torreones, torretas y torres campanario de iglesia, en el centro, son componentes habituales.

Gótico escandinavo, Sandeo
Aunque estaba muy influenciado por Alemania, Francia e Inglaterra, el gótico escandinavo tenía su propia identidad, como muestran las imaginativas ojivas y cúspides circulares de la puerta de Sandeo, Suecia.

Sondergotik, Santa Bárbara, Kutna Hora (comenzado en 1388)
El estilo gótico tardío del sur de Alemania y Bohemia le debe mucho los alarifesarquitectos de la familia Parler. Estuvieron involucrados en muchos de los encargos de los siglos XIV a XVI, incluyendo Santa Bárbara en Kutna Hora, Bohemia, con sus masivos arbotantes con pináculos.

Arquitectura doméstica, Bruck-am-Mur
En esta casa austriaca del siglo XVI, en Bruck-am-Mur, puede observarse la inventiva y fluidez de formas del *sondergotik*. La balaustrada está tallada, en parte, para parecer de madera.

Arquitectura secular, Castillo de Marienburg
Contrafuertes, ventanas de cabecero cuadrado, matacanes en forma de aleta (parapetos sobresalientes —ver página 218) y almenas con decoración en panel configuran la fachada del salón de los caballeros del Castillo de Marienburg, uno de los edificios seglares más impresionantes de la Edad Media en Alemania.

Gótico

Italia

Además de ser el gótico europeo más corto (duro sólo 200 años, desde mediados del siglo XIII), el gótico italiano era también el más reticente. La atenuada verticalidad de Francia se consiguió rara vez, y no parece que fuera especialmente deseada. Las formas románicas convivieron con las del gótico. Generalmente se evitaron los arbotantes, y el artista y el alarife eran los responsables del efecto global de fachadas e interiores. En lo que se refiere a edificios seculares, el lenguaje gótico fue recibido con más entusiasmo, especialmente en los numerosos balcones y arcadas, tan apropiados para el benigno clima mediterráneo.

Frente oeste, Catedral de Orvieto (siglo XIV)

Mientras que los frentes oeste de la mayoría de las catedrales góticas son un mare mágnum de escultura y albañilería estructural, los chapiteles, los arcos apuntados y las molduras de los ejemplos italianos eran meros marcos para el artista. En la Catedral de Orvieto, los generosos frontispicios y enjutas se rellenaban con mosaicos llenos de color, por lo que el conjunto parece más un gigantesco retablo pintado, que roca esculpida.

Tracería italiana

No hay tanto énfasis en la vitrificación. Esto se debe en parte al clima y en parte a que preferían disponer de la mayor cantidad de espacios internos para pintar frescos. Este ejemplo del siglo XIII tiene, comparativamente, poco vitrificado en su parte superior.

Supervivencia de las formas románicas, Catedral de Cremona

Las cúpulas siguieron siendo populares durante todo el periodo gótico italiano, y el arco de medio punto nunca fue del todo desplazado por el apuntado, como se muestra en esta ventana de la Catedral de Cremona. También hay evidencias de la influencia oriental, resultado de los vínculos comerciales entre Italia y el mundo islámico.

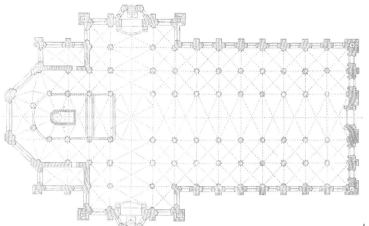

Incluso si existen naves laterales, como aquí, el cuerpo de una iglesia italiana se trata como un área única, con arcadas ampliamente espaciadas y un ancho pasillo central. La Catedral de Milán se construyó a gran escala, y es la iglesia italiana que más cerca está del gótico.

Moldura de dentículos
Una característica particular del gótico veneciano es la curiosa forma de moldura en dentículos alternos, que se usa comúnmente alrededor de las aberturas. Aquí, la incongruente yuxtaposición de una columnas casi clásica con la tracería gótica se une mediante la moldura.

**Estriación,
Santa Anastasia, Verona**
La estriación, consistente en bandas de piedra o mármol de colores alternantes, era común en el gótico italiano. Aquí mostramos Santa Anastasia, en Verona. La estriación es una de las muchas características que hacen esta arquitectura más horizontal de lo que era en cualquier otra parte de la Europa contemporánea.

**Balcones, Palacio de Doge,
Venecia**
Los patrones de tracería se usaron mucho en balcones (galerías) y arcadas de los edificios seculares, incluyendo el más famoso, el Palacio de Doge de Venecia.

Campanile, Verona
Los campanarios adosados —*campanili*— son una característica particular de la arquitectura italiana. Continuaron construyéndose igual que anteriormente, o sea, de forma cuadrada y sin ahusar. Sólo puede saberse si son góticos mirando los detalles, como en este ejemplo de Verona.

Capiteles
Los capiteles góticos, en lugar de dejarse sin decorar, se ornamentan con tallas de hojas y están asociados con fustes y columnas sencillos, en lugar de con agrupaciones. Es por eso que carecen de la variedad de otros ejemplos europeos y tienen más en común con las formas clásicas de hojas.

Renacimiento *temprano siglo XV–h. 1630*

Arquitectura renacentista temprana en Florencia

La arquitectura renacentista italiana se caracteriza por la armonía, la claridad y la fuerza. Presenta motivos clásicos y los órdenes arquitectónicos, o estilos de columnas, de la antigüedad. Sin embargo, la reaparición de las formas clásicas en la Italia del siglo XV, especialmente en Florencia, donde tuvo su primer florecimiento, no significó la abrupta ruptura con el gótico, ni con el románico, que era anterior. La nueva arquitectura incluyó, a veces, elementos diseñados para edificios locales significativos, ligando lo nuevo y lo viejo con ideas de continuidad y orgullo cívico. El nuevo estilo fue totalmente circunscrito con el interés renacentista por los distintos aspectos de la antigüedad, como la literatura, la filosofía y las matemáticas. Los gobernantes y los patrocinadores se dieron cuenta de la importancia de la arquitectura y la planificación ciudadana como medios para promocionar una sociedad organizada.

Cúpula de la Catedral de Florencia (siglo XV)

Esta enorme cúpula (*duomo*) se ha convertido en símbolo, no sólo del renacimiento en Florencia, sino, en términos más amplios, del renacer de habilidades estructurales y de ingeniería que algunos autores contemporáneos compararon con las de los ancestros. Cuando se construyó, a principios del siglo XV, era la cúpula más grande construida desde la antigüedad.

Linterna, Catedral de Florencia

El cupulino poliédrico (una pequeña cúpula coronada por una linterna) de la Catedral de Florencia tiene un perfil gótico, pero aparecen elegantes formas clásicas en la linterna y en las ventanas de la superestructura, lo cual proporciona una fuerza y un equilibrio impresionantes a la cúpula. El vocabulario *all'antica* de las pilastras corintias estriadas, las prominentes volutas y los nichos, así como el uso de piedra, hacen de la linterna uno de los primeros ejemplos de arquitectura renacentista inspirada en el clasicismo.

Arcada, Piazza Santa Maria Novella, Florencia (años 1490)

Filippo Brunelleschi, arquitecto de la cúpula de la catedral, usó arcadas de columnas corintias y arcos de medio punto en muchos edificios. Éstos fueron muy emulados por otros arquitectos, como en la Piazza Santa Maria Novella. La claridad y simetría de estas primeras arcadas estaba en marcado contraste con la fábrica medieval de la ciudad.

Resurgimiento y cotización

El resurgir de las formas y la cotización de motivos más antiguos fueron importantes ideas de la arquitectura renacentista italiana. Éstas están ejemplificadas en la capilla que construyó Leon Battista Alberti para una familia acaudalada de Florencia. como referente local, el exterior está decorado con incrustaciones de mármol, una técnica toscana.

Friso inscripto

En la capilla Rucellai de Florencia, hay referencias a un precedente romano, ya que el friso conmemorativo está inscripto con letras romanas antiguas, en la forma encontrada en una tumba paleocristiana. Haciendo este tipo de citaciones directas, tanto el patrocinador como el arquitecto se asociaban a sí mismos con las ideas y la erudición de la corriente renacentista.

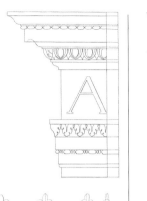

Variación de formas

El uso de los órdenes arquitectónicos en el renacimiento temprano no fue una servil copia de los ejemplo antiguos. El conocimiento de los arquitectos renacentistas sobre el griego corintio se reducía principalmente a las formas desarrolladas en los edificios romanos. La innovación en el uso de las hojas de acanto y las volutas produjo numerosas variaciones renacentistas de este tipo de capitel.

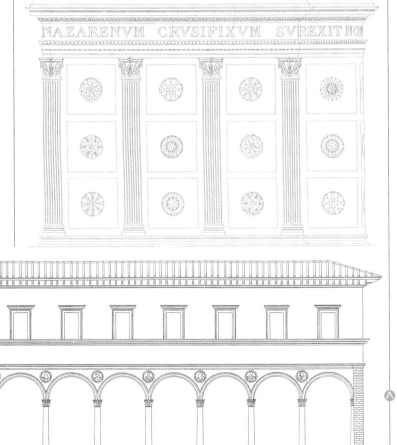

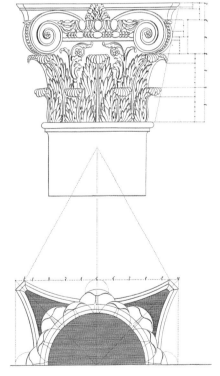

Capitel compuesto

En su tratado de arquitectura, *De re aedificatoria*, Alberti hizo la primera mención literaria de un orden arquitectónico italiano independiente, al cual llamó *italic*. Posteriormente se conoció como orden compuesto, ya que incluía las hojas de acanto corintias y las volutas jónicas.

Renacimiento

La Arquitectura Eclesiástica del Renacimiento italiano temprano

En el renacimiento temprano se desarrollaron dos tipos principales de iglesia, y ambos trazaron su evolución desde las formas de edificio antiguo a través de los modelos paleocristianos. Éstos fueron la basílica y un buen número de variaciones de la iglesia o capilla de planta centralizada. La planta centralizada tendía a usarse para espacios pequeños, y estaba particularmente asociada, desde antiguo, con el mausoleo y las estructuras martiriales. La planta de la basílica estaba basada en las iglesias longitudinales constantinas, que a su vez se basaban en los salones de reuniones romanos. Se encargó a dos de los principales arquitectos del renacimiento temprano la construcción de ambos tipos de iglesia, y su uso del resurgimiento del lenguaje clásico proporciona una valiosa comparativa.

Interior

Las iglesias tipo basílica solían tener una o dos naves laterales a cada lado de la nave principal, y éstas eran generalmente de menor altura que el espacio central. Brunelleschi separó las naves principales y laterales de sus iglesias mediante una gran arcada corintia de arcos apuntados, con un clerestorio iluminando la nave.

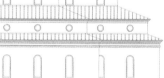

Planta de basílica modular

Filippo Brunelleschi desarrolló un diseño de basílica, con una planta modular, en la que el cuadrado de la intersección era el módulo que se repetiría para hacer la cruz latina. Desde la intersección, cuatro módulos formaban la nave, uno el presbiterio y dos, uno a cada lado de la intersección, los transeptos. Una división del módulo en cuartos formaba los vanos de las naves laterales. Un diseño tan racional y estrictamente medido fue una innovación.

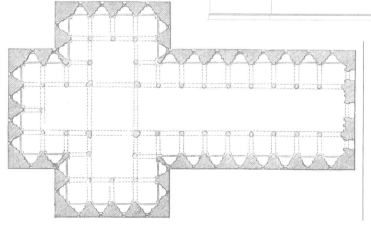

Planificación racional

La innovación de la arquitectura de Brunelleschi no se debe al renacer de los motivos clásicos y su simplicidad de formas. También se debió a la naturaleza altamente racional de su arquitectura, la cual relacionaba estrechamente las formas interiores y exteriores, y prestaba estricta atención a las medidas y proporciones, tanto en planta como en alzado y volumen.

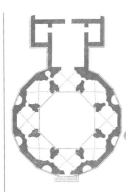

Plantas poligonales
Brunelleschi experimentó con diseños de planta centralizada, como la capilla del oratorio, donde entrelazó dos complejos polígonos.

Formas romanas
En contraste con la elegante interpretación de los motivos clásicos de Brunelleschi, Alberti trasladó su considerable conocimiento de la antigua Roma a formas más monumentales. La vasta bóveda de cañón artesonada de S. Andrea, soportada por enormes pilares, es una reminiscencia de los gigantescos baños romanos.

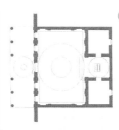

Capillas de planta centralizada
Las plantas centralizadas estaban generalmente basadas en polígonos de lado regular, círculos o cuadrados. En estas formas geométricas subyacía una connotación de perfección y, posteriormente, Alberti las recomendó como formas ideales de un templo.

S. Andrea, Mantua (comenzada en 1470)
El arquitecto y teórico Leon Battista Alberti diseñó esta iglesia basílica, aunque gran parte de ella se construyó después de su muerte. Su planta basilical sustituye las naves laterales por grandes capillas que salen de la nave y capillas más pequeñas en los gigantes pilares de la nave.

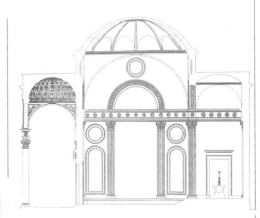

Capilla Pazzi, Florencia
Una característica del trabajo de Brunelleschi, que fue imitado por un buen número de arquitectos florentinos y toscanos, era su templanza decorativa, ejemplificada aquí con un corte transversal de la Capilla Pazzi, Florencia. Favoreció el uso del estuco blanco con detalles arquitectónicos clásicos (columnas, pilastras, roeles, ménsulas) tallados en piedra local gris, o *pietra serena*.

Fachada de templo, Mantua
En S. Andrea, Alberti encontró una solución adecuada para la fachada de una iglesia renacentista. Escogió cuatro pilastras gigantes para soportar un frontispicio triangular, lo cual daba un efecto de pórtico, e introdujo elementos del arco triunfal mediante una entrada en bóveda de cañón. En su escrito sobre una ciudad ideal, Alberti afirmó que el templo debía ser el edificio más bello, algo que intentó conseguir con esta impresionante fachada de Mantua.

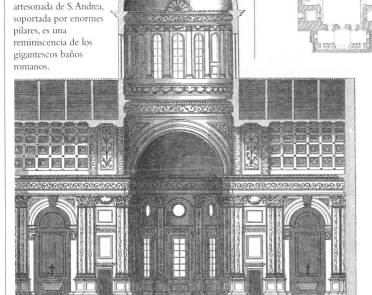

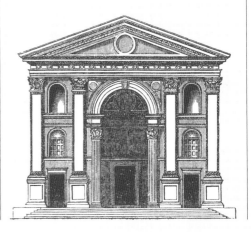

Renacimiento

Palacios del Renacimiento Florentino

Los palacios medievales italianos tenían exteriores abruptos y defendibles, pero dentro del clima político y cultural de la Florencia del siglo XV surgió la necesidad de una nueva forma de arquitectura doméstica que reflejara la elegancia de la vida renacentista. Los palacios renacentistas evolucionaron a partir de influyentes ejemplos tempranos, especialmente del palacio florentino realizado por Michelozzo di Bartolommeo para la poderosa familia Medici. Estos edificios, generalmente de tres plantas claramente definidas, se convirtieron en bases de poder para las importantes dinastías cuyas familias patrocinaban sus ambiciones en el marco de una arquitectura de poder y riqueza legibles.

Patio, Palazzo Medici

Los patios interiores eran a la vez funcionales y elegantes, y proporcionaban luz a las ventanas orientadas al interior. Típicamente, un patio (*cortile*) estaba circundado por arcadas de vanos abovedados soportados por columnatas y ménsulas. Podían usarse también para exhibir esculturas y para tomar el aire en paseos a la sombra. Las habitaciones de la planta baja que daban al patio se usaban principalmente para comerciar o como habitaciones de servicio y almacenes. Muchos de los primeros palacios florentinos tenían *bifora window* (ventana de dos hojas, izquierda), lo que provenía de los edificios medievales locales.

Fachada, Palazzo Medici, Florencia (comenzado en 1444)

Los mercaderes acaudalados y los príncipes buscaron sitios significativos y prominentes para sus palacios. A la manera del Palazzo Medici, los palacios consistían, característicamente, en tres plantas de piedra costosamente vestida, construidas en una isla o en solares de prominente esquina. Los palacios del renacimiento exhibían muchas más ventanas que los medievales, dando habitaciones mucho más iluminadas, sobre todo, en los dos pisos superiores. Aunque la disposición del exterior es armoniosa, esta fachada muestra muy pocos motivos clásicos, aparte de la enorme cornisa voladiza.

Disposición de interiores

Las áreas habitables principales de un palacio estaban en la primera planta, o piano *nobile*, mientras que el piso superior se reservaba a los miembros menores de la familia y a los niños. La jerarquía de cada planta se reflejaba en el exterior, ya que los bastos bloques de piedra rústica de la planta baja daban paso a la suave piedra revestida de los niveles superiores.

Uso de los órdenes, Palazzo Rucellai, Florencia

Alberti fue el primero en utilizar los órdenes, y lo hizo en las pilastras de la fachada del Palazzo Rucellai. Un dórico en el nivel del suelo, y dos órdenes corintios encima, cada uno soportando su propia entabladura.

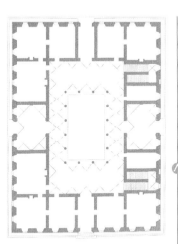

Planta, Palazzo Stronzzi (diseñado en 1489/90)

El Palazzo Strozzi se construyó en una vasta isla, alrededor de un patio rectangular. Como muestra su planta, las escaleras eran, habitualmente, amplias y prácticas, pero no eran uno de los elementos principales a la hora de diseñar los palacios del renacimiento.

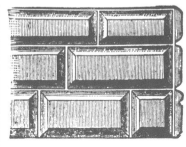

Piedra rústica

Los grandes bloques de piedra de la planta baja de los palacios anclan visualmente los edificios y producen una sensación de gran fuerza y solidez. A veces formando bloques en forma de cojín y a veces bastamente cortados, la piedra se colocaba de modo que acentuara su textura. Dado que el uso de este tipo de piedra era muy caro, enfatizaba el estatus y la riqueza del patrón.

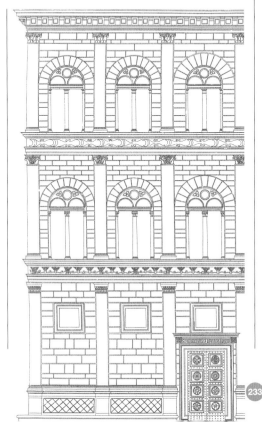

Renacimiento

Variaciones del vocabulario clásico

En todas las lenguas hay variaciones regionales, y esto también es verdad en el lenguaje arquitectónico de la Italia renacentista. Los estilos arquitectónicos son factores fundamentales a la hora de definir el grado de autonomía de una región y, en ciudades como Venecia, los edificios nuevos aún reflejaban fuertes tradiciones locales, si bien el vocabulario clásico también se introdujo. En el norte de Italia se generalizó el uso del ladrillo como material de construcción y muchos edificios seguían recubriéndose de azulejos, mármol o paneles escultóricos, por lo que las formas subyacentes del clásico son más difíciles de percibir. En cualquier caso, para el siglo XVI ya había ejemplos de edificios con inspiración clásica, en muchas zonas de Italia.

Relieves

Los ricos y altamente decorados relieves escultóricos eran una forma arraigada de decoración, especialmente en Lombardía y Toscana. Estos trabajos ornamentales, muy usados en los interiores, incluyen generalmente motivos de intención clásica, como bestias fantásticas, follaje en remolinos y urnas, imitando los relieves romanos.

Pilastra

Las pilastras, pilares no muy anchos de perfil rectangular, son decorativas y no tienen función estructural. La decoración podía ser de mármol, estuco o pintura.

Palacios venecianos

Generalmente con planta en forma de "L", los palacios venecianos solían tener estrechas fachadas en edificios profundos. El Palazzo Loredan, de principios del siglo XVI, comparte con otros palacios renacentistas de Venecia el armazón, fuertemente clásico, y la exuberancia veneciana. Tiene tres plantas coronadas con una pesada cornisa, todo ello en decorativo orden corintio, envolviendo ventanas bíforas que, a su vez, exhiben ingentes cantidades de vidrio procedente de la fábrica local.

Incrustaciones de mármol

Las reverberantes aguas de Venecia ensalzan el efecto visual de sus tradicionalmente lujosas y coloridas fachadas. La iglesia de Santa Maria dei Miracoli, del siglo XV, ejemplifica el uso clásico del estilo local. El exterior, en dos plantas, está perfectamente articulado mediante pilastras de orden corintio y jónico, mientras que los muros tienen incrustaciones de costoso mármol coloreado.

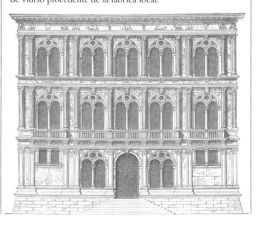

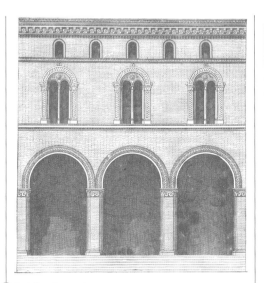

Ladrillo y terracota

Muchas de las provincias italianas del norte tenían una larga tradición en la fabricación de ladrillo, y las formas clásicas se adaptaron a las posibilidades de este material. Los palacios renacentistas, como el Palazzo Fava (h. 1480), Bolonia, combinaron características locales, como los soportales y el piso superior muy estrecho, con prominentes pilares con arcos de medio punto, filetes (bandas horizontales continuas de moldura) y una gran cornisa. La delicada terracota adornando los alrededores de ventanas y cornisas es una característica local.

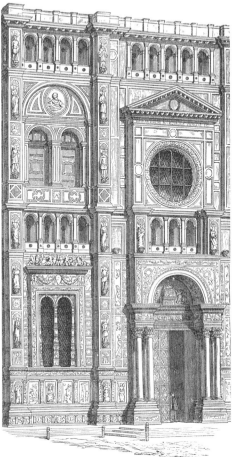

Alusiones arquitectónicas

Muchos edificios del renacimiento incluyen referencias específicas a importantes edificios anteriores. En Venecia, por ejemplo, la tracería gótica del Palacio Doge se replicó en un palacio renacentista; y aquí, en la Scuola Grande di San Marco (1480-90), se alude al tejado en cúpula de la Basílica de San Marcos en los arqueados tímpanos.

Uso del color

No es sólo la cantidad de decoración, característica en mucha de la arquitectura del norte de Italia, sino los colores conseguidos con distintos materiales. Los edificios como la Certosa (1429-73), en Pavía, estaban literalmente incrustados con mármol negro, verde y blanco, así como con pórfido rojo —materiales con una fuerte asociación ancestral.

Decoración global

Aunque algunos de los elementos clásicos son distinguibles individualmente, los detalles como nichos, capiteles y ménsulas tendían a estar asociados en la decoración arquitectónica global de algunas zonas del norte de Italia.

Renacimiento

Arquitectura Eclesiástica en la Italia del siglo XVI

A partir del siglo XVI, el centro principal de la innovación arquitectónica en Italia fue Roma. El restablecimiento de la corte papal y la urgente necesidad de reconstruir la dilapidada ciudad, propulsó los encargos para papas, cardenales y para los nuevos órdenes religiosos. La arquitectura era un arma poderosa con la que la Iglesia Católica podía enfatizar la confianza en el seguimiento de la Reforma Católica y, en el siglo XVI, se construyeron importantes ejemplos de los principales tipos de iglesia, todos ellos longitudinales y de planta centralizada. Estos diseños respondían a los cambios en las necesidades litúrgicas y funcionales. Con los arquitectos estudiando las antigüedades de Roma de primera mano y los nuevos edificios construidos por Donato Bramante y otros, el lenguaje arquitectónico del Alto Renacimiento se hizo más monumental y pasó a estar considerado.

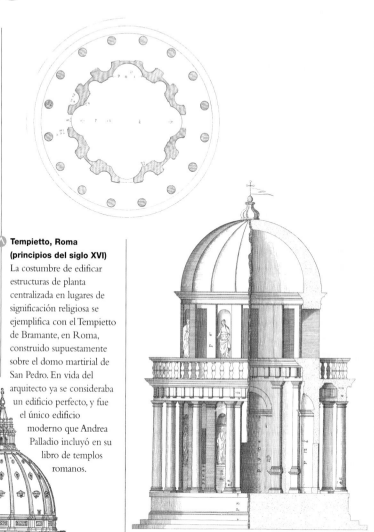

Tempietto, Roma (principios del siglo XVI)
La costumbre de edificar estructuras de planta centralizada en lugares de significación religiosa se ejemplifica con el Tempietto de Bramante, en Roma, construido supuestamente sobre el domo martirial de San Pedro. En vida del arquitecto ya se consideraba un edificio perfecto, y fue el único edificio moderno que Andrea Palladio incluyó en su libro de templos romanos.

Basílica de San Pedro, Roma
Reconstruir San Pedro llevó todo el siglo XVI y parte del XVII. Los pilares cruzados de Bramante fijaron la escala de la iglesia, aunque la decisión final de hacerla longitudinal no se tomó hasta 1605. La articulación del litúrgico extremo este fue de Miguel Ángel, quien construyó un orden gigante de pilastras corintias soportando un piso ático.

Forma de templo
Con el Tempietto, Bramante escogió reinterpretar la forma de templo circular, construyendo un peristilo, o columnata, alrededor de una cella central. Una media cúpula cubre el interior, como en el Panteón, pero aquí se alza sobre un alto tambor. Aparte de considerar apropiado el masculino orden dórico para un edificio consagrado a San Pedro, Bramante también incluyó emblemas papales en las metopas, o paneles cuadrados, del friso.

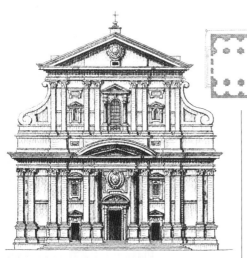

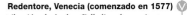

Redentore, Venecia (comenzado en 1577)

La contribución de Andrea Palladio a la arquitectura eclesiástica fue particularmente impresionante. Sus esfuerzos para conseguir una solución apropiada para las fachadas de iglesias dieron como resultado diseños con varios frentes, con frontispicios, superpuestos entre sí, y con pilastras y columnas adosadas. Los interiores de sus iglesias venecianas se iluminaban mediante enormes ventanas "termales" (dioclecianas), y exhibían pantallas de columnas detrás del altar mayor, las cuales separan el coro del cuerpo principal de la iglesia.

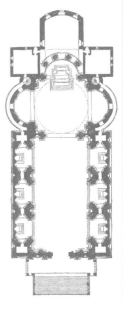

El Gesù, Roma (comenzado en 1568)

Los recientemente formados órdenes religiosos eran los principales patrocinadores, ya que necesitaban una nueva iglesia para la reformada práctica religiosa. La iglesia madre jesuita de Gesù puso a prueba un modelo influyente, ya que era la personificación de los requerimientos arquitectónicos codificados en el Concilio de Trento (esto incluye una ancha nave y capillas laterales). Su frontispicio, de dos plantas, fue muy imitado.

S. Andrea in Via Flaminia, Roma (1550-53)

Los edificios renacentistas inspirados en célebres precedentes, a veces demostraron ser innovadores por derecho propio. La pequeña iglesia conmemorativa de S. Andrea in Via Flaminia, por ejemplo, alude clara y visualmente al Panteón, pero su arquitecto, Giacomo Barozzi da Vignola, experimentó con nuevas posibilidades en el diseño colocando una cúpula oval, mediante pechinas, encima de un espacio interior rectangular.

Santa Maria della Consolazione, Todi (comenzada en 1580)

La búsqueda del perfecto diseño centralizado ejercitó a los arquitectos durante todo el renacimiento. La iglesia de peregrinaje de Todi encarna muchas de las características estipuladas en el ideal teórico de Alberti. Se alza sobre un lugar abierto e incorpora un círculo, un cuadrado y semicírculos en forma de planta centralizada regular.

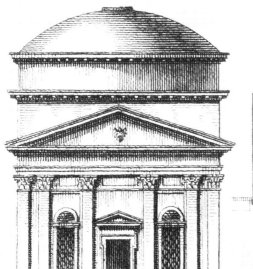

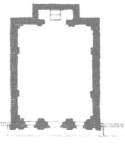

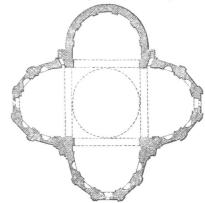

Renacimiento

Expresión Arquitectónica de Poder y Prestigio

Durante el siglo XVI, los arquitectos usaron el vocabulario clásico con más seguridad y claridad. Los autores habían codificado el uso de los órdenes y elucidado una teoría arquitectónica. Se prestaba más atención a la planificación urbanística, y las ciudades se embellecieron con majestuosos edificios civiles y privados. Las ciudades y los individuos proyectaban su poder a través de la grandeza de los nuevos edificios, y el lenguaje clásico utilizado llevaba, entre sus formas, connotaciones de civilización, orden y autoridad.

▽ Palazzo Farnese, Roma (siglo XVI)

La impresionante arquitectura palaciega de muchas ciudades estaba, a menudo, basada en el modelo florentino de un bloque de tres plantas alrededor de un patio central. El Palazzo Farnese ejemplifica las tendencias del siglo XVI en este tipo de edificio. Aquí, las ventanas con frontispicio sustituyen al estilo bífora medieval, las paredes se tratan uniformemente y la entrada principal se enfatiza con inmensas dovelas, o piedras en forma de cuña.

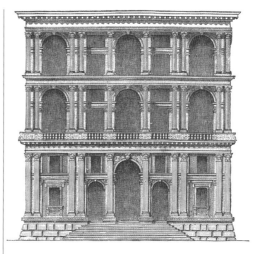

◁ Palacios venecianos

El diseño fundamental de los palacios Venecianos sufrió cambios durante el siglo XVI, aunque los arquitectos confiaron en el idioma clásico para las fachadas, las cuales reflejaban el amor veneciano por la exuberancia y las texturas. Esto pudo lograrse usando el decorativo orden corintio, fustes estriados y columnas pareadas.

▽ Biblioteca, Venecia (comenzada en 1537)

La remodelación de la Plaza de San Marcos, en Venecia, por parte de Jacobo Sansovino, fue uno de los proyectos de planificación urbanística más significativos. La Biblioteca es un modelo del uso controlado y sofisticado del vocabulario clásico.

△ Entabladura, Palazzo Farnese

Los individuos buscaban no sólo embellecer su ciudad, sino expresar su propio estatus a través de la arquitectura. Los propietarios y patrocinadores se proclamaban mediante la exhibición de escudos de armas y distintivos familiares. En esta enorme entabladura, se usan los emblemas de los Farnesio para decorar el friso, debajo de los dentículos —la banda de bloques en forma de diente.

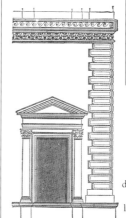

◁ Piedras angulares, Palazzo Farnese

Las esquinas de los edificios se vestían y enmarcaban con piedras angulares. También podían ser una de las principales características del diseño, como aquí en el Palazzo Farnese, donde contrastan con las paredes planas y delimitaban audazmente el bloque aislado.

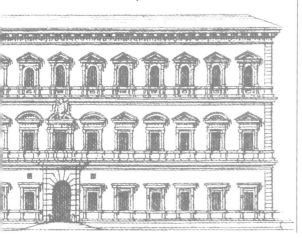

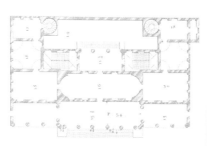

Palazzo Chiericati, Venecia (comenzado en 1554)
La grandeza de diseño a veces contrasta con el tamaño relativo de un edificio. La planta simétrica y compacta de edificios como el Palazzo Chiericati, en Venecia, maximizaba el espacio disponible. Aquí, un conspicuo entramado de elementos clásicos crea una elegante fachada.

Basílica, Venecia (comenzada en 1549)
La ciudad de Venecia, aunque bajo el dominio de la República de Venecia, exhibió su orgullo comunal a través de una impresionante arquitectura civil. Andrea Palladio encajonó, literalmente, el antiguo ayuntamiento medieval en una doble galería, la cual tenía balcones en el nivel superior. El mismo Palladio la llamó la "Basílica", vinculándola conscientemente con los edificios públicos de la antigüedad.

Motivo palladiano, Basílica, Venecia
El motivo palladiano se refiere al uso de arcos y columnas para conseguir un espacio donde la entabladura pueda formar un dintel, y así crear más aberturas laterales. Aunque a la vista parece que los arcos de la Basílica están espaciados regularmente, Palladio fue capaz de variar el ancho de las aberturas laterales para acomodarlas al edificio medieval que estaba detrás.

Arquitectura doméstica palladiana
Palladio usó las largas vistas y los espacios en sus diseños de villa, pero en la arquitectura de ciudad, con vistas restringidas y estrechas calles, se requerían soluciones más atrevidas. Se usaron masivamente la piedra rústica, las columnas pareadas con entabladuras proyectantes y las líneas de horizonte esculpidas.

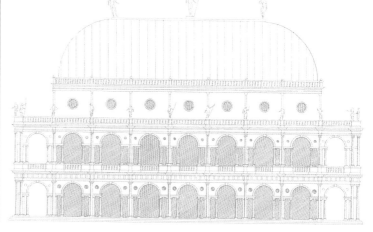

Renacimiento

Villas y Jardines

Las villas, los paisajes y los jardines tienen connotaciones de placer y esparcimiento, y estas ideas eran importantes en el renacimiento, ya que la búsqueda de la tranquilidad contemplativa se veía como un contrapeso para la agitada y bulliciosa vida en la ciudad. Muchas familias importantes, príncipes y cardenales buscaron crear retiros idílicos. Éstos iban desde enormes villas, a veces sitas en productivos estados agrícolas, hasta pequeñas villas suburbanas, a menudo sitas en viñedos y parques cercanos a la ciudad. Los eruditos y patrocinadores renacentistas obtuvieron la mayor parte de su conocimiento de villas antiguas a través de antiguos textos y fuentes literarias, y en la Roma del siglo XVI había un gran interés por establecer cómo se planificaban y como funcionaban las casas antiguas.

Villa Rotonda, Venecia (h. 1566-70)
Andrea Palladio es famoso por la serie de armoniosas y proporcionadas villas que construyó en la segunda mitad del siglo XVI. La planta revela la estricta simetría de sus diseños. Su influyente Villa Rotonda es de planta centralizada alrededor de un salón cupulado, y es simétrica en ambos ejes.

La villa suburbana
Las villas suburbanas, como la Villa Rotonda, generalmente no se usaban para las largas estancias estivales, sino para comidas y entretenimientos. La mayoría de las habitaciones eran multifuncionales y su uso variaba según el tiempo o la estación. Las habitaciones del servicio estaban típicamente en el piso bajo, lo cual elevaba las habitaciones principales para sacar partido a las vistas. Al piso principal de la Villa Rotonda se accedía a través de cuatro idénticos pórticos con frontispicio.

Localización de las villas
La elección de una localización para la villa era importante por razones prácticas y estéticas. Se prefería una ladera o un lugar elevado, y las vistas de ríos y lagos eran particularmente buscadas. Los manantiales naturales, como el de la palladina Villa Barbaro (1577-78), en Maser, servían tanto para uso doméstico como para el jardín.

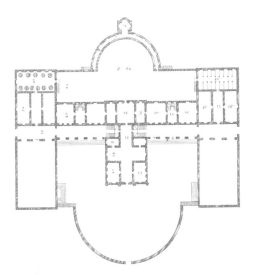

Villa Giulia, Roma (mediados del siglo XVI)

El agua era importante en los jardines renacentistas debido a sus cualidades auditivas y visuales. El borboteo, chorreo y chapoteo característicos del agua se añadieron a las nociones de deleite y asombro. En la Villa Giulia, por ejemplo, el jardín escondía un *ninfeo* y una cueva, dioses del río.

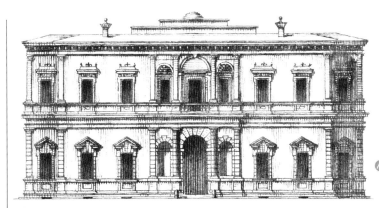

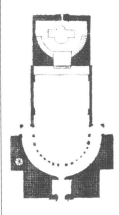

Fachada, Villa Giulia

Varios papas escogieron poner sus villas en las frescas colinas fuera de los muros de Roma. La Villa Giulia, del Papa Julio III, tiene una fachada exterior en forma de palacio. Las dos plantas, con órdenes toscano y compuesto, tienen un lenguaje arquitectónico formal que contrasta con los frescos del pórtico y el delicado estuco de la zona del jardín.

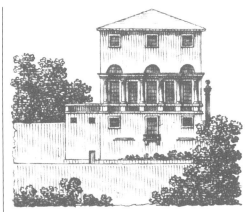

Entradas y portales

Los jardines y fincas importantes se delimitaron con prominentes entradas. El trabajo en piedra, bien definido y atrevido, la piedra rústica y las formas fantásticas también encontraron su sitio en la arquitectura de jardines.

Entretenimientos

Las terrazas y los jardines de villas y palacios suministraron un escenario perfecto para entretenimientos espectaculares. El perfume de los arbustos aromáticos, el sonido del agua y el efecto visual de las vistas y la escultura son parte de su atractivo.

Terrazas, balcones y belvederes

Se construyeron balcones y terrazas elevadas para aprovechar las mejores vistas. Las torres abiertas a todos los lados, o belvederes, también fueron comunes en las villas.

Villas en el Veneto: Villa Barbaro, Maser

Palladio construyo varias villas en el Veneto, como centro de grandes fincas agrícolas, y éstas se ajustaron ampliamente a un diseño que exhibía un bloque principal en el centro, cuyo frente era un pórtico con columnas y frontispicios, flanqueado por alas de edificios agrícolas. Se usaron atrevidos elementos clásicos, como órdenes gigantes y frentes de templo, para definir el dominio familiar, mientras que las arcadas de las alas eran de pilares simples.

Renacimiento

Castillos Reales de la Francia del Siglo XVI

El lenguaje y el estilo de la arquitectura renacentista italiana fueron bastante lentos a la hora de expandirse fuera de Italia. El gótico siguió siendo común en Francia, España y el norte de Europa durante todo el siglo XV. El conocimiento y el interés por los edificios italianos inspirados en el clásico comenzó a expandirse con los viajeros que volvían de Italia y con los arquitectos y artesanos italianos que estaban trabajando fuera de su país. François I y su hijo, Henri II, eran extremadamente conscientes del poder inherente a la dominación cultural y política, y ambos monarcas se comprometieron con programas constructivos ambiciosos y espectaculares.

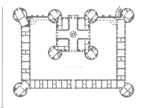

Planta, Chambord
Mientras que la planta de Chambord exhibe una simetría estricta, las torres de las esquinas son una reminiscencia de la arquitectura medieval de castillos.

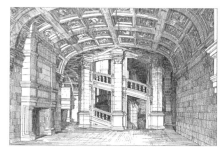

Apartamento, Chambord
Una característica de los palacios franceses, la suite de habitaciones, o apartamento, se exhibió, probablemente por primera vez, en Chambord. Allí, los corredores que llevaban a las habitaciones partían de la escalera central.

Chäteau de Chambord, Loira (comenzado en 1519)
La arquitectura del renacimiento francés no se limitó a hacer réplicas de los ejemplos italianos, sino que, aunque el lenguaje clásico italiano se empleó frecuentemente, evolucionó con un estilo propio. Muchos edificios muestran mezcla de formas. En Chambord, los pisos más bajos están articulados con pilastras y galerías en arcadas superpuestas. Encima, la gran cornisa y la balaustrada formaban una línea de horizonte de torretas y altos tejados asociados a la tradición edificativa anterior.

Escalera central, Chambord

La famosa doble escalera en espiral de Chambord estuvo posiblemente inspirada en unos dibujos de Leonardo da Vinci. Palladio quedó impresionado con su originalidad, su belleza y su practicidad, por lo que las incluyó en el capítulo de escaleras del Libro I de su *I quattro libri dell'architettura*.

Escalera, Château de Blois, Loira

En la arquitectura francesa del XVI se le concedió más importancia a la escalera de lo que era usual en los palacios italianos del mismo periodo. La tradición de las escaleras espirales se remontaba al siglo XV, y las grandes y abiertas escaleras construidas en el Château de Blois (1515-24), para François I, eran una continuación de esta tradición, a pesar de la incorporación de elementos decorativos clásicos.

Decoración clásica

En los edificios franceses aparecieron grandes chimeneas, y, a menudo, se les aplicó ornamentación y características que convencionalmente no se aplicarían en la parte alta de los edificios o en los tejados. Estas dos chimeneas terminan en un elemento en forma de sarcófago con volutas, pilastras y decoración de huevo y dardo.

Renacimiento

Lenguaje arquitectónico en Francia

Francia respondió al estilo clásico italiano de un modo más directo y cabal que otros países europeos, aunque a veces las formas clásicas sólo se exhibían en forma de motivos decorativos. La mera proximidad de Francia e Italia no fue el único factor de transmisión de conocimientos sobre los nuevos edificios, sino que la información también se expandió mediante grabados, dibujos y tratados arquitectónicos. Sebastiano Serlio, un arquitecto italiano con un amplio conocimiento del ambiente arquitectónico de Bramante y Rafael, en Roma, estaba entre los muchos artistas y humanistas italianos que fueron llamados a la corte de François I. L'architettura de Serlio, el primer tratado moderno con ilustraciones, fue muy significativo a la hora de expandir el conocimiento de las formas del alto renacimiento italiano.

Decoración interior, Fontainebleau

François I mandó llamar a muchos artistas italianos, y varios fueron los responsables de los suntuosos interiores de Fontainebleau. El estilo que se desarrolló incluía pintura, estuco y efectos esculturales en un marco de órdenes arquitectónicos, medias lunetos y frisos.

Escultura de tumba

Las estructuras arquitectónicas de muchas tumbas renacentistas a gran escala emplearon un vocabulario clásico característico, aunque, a veces, la colocación y la talla de las efigies reflejaba la tradición medieval. Los escultores italianos realizaron varias tumbas reales francesas, como la tumba de Luis XII, la cual exhibía un dosel con pilastras ricamente decoradas, un ancho friso y una cornisa proyectada.

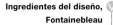

Ingredientes del diseño, Fontainebleau

El color, la textura y la opulencia eran los elementos principales de los interiores de Fontainebleau. Los techos de ebanistería, las paredes revestidas de madera, los marcos dorados y los espejos contribuyeron al esplendor de la decoración de este estilo, la cual no fue sólo emulada en Francia, sino en toda Europa.

Los órdenes, Fontainebleau

Serlio trata los órdenes arquitectónicos y su ornamentación en el Libro IV de su tratado, y muestra la progresión desde el templo toscano hasta el altamente decorado compuesto. En Fontainebleau, la refinada piedra rústica da una base elegante, pero inconfundiblemente sólida, a la planta baja.

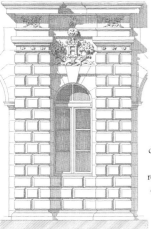

El orden "francés"

Los arquitectos franceses, como Philibert Delorme, visitaron Italia para estudiar no sólo la moderna arquitectura del siglo XVI, sino también las ruinas clásicas. Delorme propuso un orden "francés" que consistía en fustes formados por bloques estriados de piedra de distinto grosor separados por anillos decorados.

Pórtico, Fontainebleau

En este pórtico de Fontainebleau, se usó un sistema de entramado poste-dintel. Las vigas superiores se soportan mediante un orden corintio con pedestales altos.

Perron, Fontainebleau

La plataforma precedida de escaleras que se abre ante las puertas principales de un edificio, cuando éstas están en el primer piso, se llama *perron*. Actualmente se usa el término para describir el tramo de escaleras exterior, o la escalinata misma. El impresionante ejemplo de Fontainebleau tiene dos brazos curvos, cada uno con dos tramos de escalera.

Innovación Francesa

Aunque los tratados arquitectónicos codificaron el uso de los órdenes y su decoración, muchos arquitectos prefirieron inventar su propia variante en lugar de adherirse a estrictos precedentes. Aquí se sustituyen las volutas por figuras aladas, pero las convencionales hojas de acanto están presentes.

Originalidad

Parte del argumento de Delorme para el orden francés era puramente práctico. Como la mayoría de los edificios franceses eran de piedra, una estructura en bandas escondería las antiestéticas uniones y añadiría fuerza. Las posibilidades decorativas también eran numerosas, como ilustra este ejemplo del Louvre.

Renacimiento

Arquitectura civil
en Europa del norte

El lenguaje de la arquitectura renacentista se percibe, generalmente, en términos de formas clásicas basadas en los precedentes griegos y romanos. No era el único lenguaje arquitectónico del siglo XVI y, dadas sus asociaciones católicas, ni siquiera era apropiado para gran parte del norte de Europa. Una característica arquitectónica, sin conexiones italianas y de gran éxito en el norte de Europa, fue el frontón. Se usó tanto en la arquitectura civil como en edificios domésticos. El poder de la arquitectura para unir el orgullo civil con la identidad nacional fue explotado en los edificios a gran escala de las ciudades del norte. Algunas de estas casas consistoriales y ayuntamientos del siglo XVI combinaron los rasgos arquitectónicos locales con el idiosincrásico uso de motivos clásicos, logrando edificios públicos poderosos y monumentales.

Fachada de ayuntamiento, Leiden (1595)
En tiempos de especial prosperidad, muchas ciudades buscaban modernizar sus edificios civiles mediante remodelaciones o ampliaciones. Un buen ejemplo de esto es Leiden, una ciudad que en el siglo XVI tenía una floreciente industria textil, y en la que Lieven de Key diseñó una vívida fachada para el ya existente ayuntamiento. Aquí todos los motivos clásicos (columnas y pilastras estriadas, frontispicios triangulares, fustes en bandas y piedra rústica) se disputan la atención con un exuberante frontón.

Ayuntamiento, Antwerp (1561-65)
El conocimiento de la arquitectura italiana llegó a Europa del norte a través de tratados de arquitectura, algunos traducidos al holandés y a otros idiomas, y de arquitectos del norte que habían trabajado en Italia. Cornelis Floris, que había pasado muchos años en Italia, exhibió su conocimiento de Bramante y Serlio en el gran Ayuntamiento de Antwerp. El solemne y monumental clasicismo del edificio se debe al frontón, que se añadió más como decoración que por motivos funcionales. Fue uno los primeros edificios italianizados, y tuvo gran influencia en el diseño de ayuntamientos de los Países Bajos.

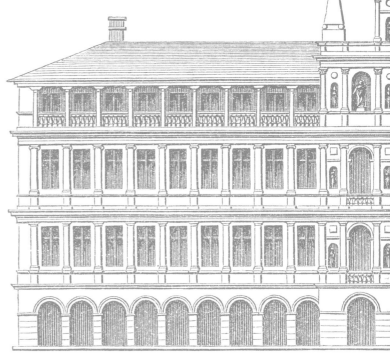

Casa de Telas, Brunswick

Los beneficios del comercio fueron los responsables de la impresionante arquitectura que dominó muchas de las plazas principales de las ciudades del norte de Europa. Brunswick, en Lower Saxony, por ejemplo, tenía una imponente Casa de Telas que incluía ordenes arquitectónicos superpuestos, en la secuencia aceptada, en las cuatro primeras plantas. Las características norteñas de entrelazado y aleros con volutas también están presentes en esta altiva fachada.

Armería de Gdansk

Muchos de los países del norte de Europa construían tradicionalmente en ladrillo refinado, cosa que continuaron haciendo en el renacimiento. La Armería de Gdansk, que sigue esta tradición, tiene parteluces y montantes de piedra y un prominente trabajo en piedra alrededor de los masivos portales. El piso superior está coronado con aleros curvos y ornamentados con remates en forma de obelisco.

Renacimiento

España: estilos ornamentado y desornamentado

Los motivos renacentistas se incluyeron en los edificios seculares españoles a principios del siglo XVI, aunque en muchas áreas, sobre todo en edificios eclesiásticos, aún dominaba el rico gótico español. Aunque algunos arquitectos usaron un vocabulario italianizado, éste se empleaba como decoración para estructuras fundamentalmente góticas. A medida que el conocimiento de la arquitectura y las teorías arquitectónicas italianas se expandía, los edificios empezaron a construirse siguiendo las normas de proporción y armonía. En la segunda mitad del siglo XVI, el arquitecto de Felipe II, Juan de Herrera, inició un estilo de gran sobriedad y reducido clasicismo que fue conocido como estilo desornamentado, o herreriano.

Fachada del Alcázar Toledo (1537)

La fachada principal del Alcázar, diseñada por Alonso de Covarrubias, une elementos de la arquitectura de palacios con la de castillos. Además es un buen ejemplo de uso poco convencional de motivos clásicos, ya que la piedra rústica y las proyecciones con soportes que se encuentran generalmente a nivel del suelo, aparecen aquí en la planta alta, usadas, casi a modo de ornamento, entre las fuertes proyecciones de las esquinas del edificio.

Fuente, Hospital Real

Los patios son una importante característica de la arquitectura española. El Hospital Real de Santiago tiene un patio rectangular rodeado de pilares, de sección cuadrada, que soportan arcos de medio punto. La fuente central incorpora motivos clasicistas de criaturas fantásticas y hojas de acanto.

Hospital Real, Santiago de Compostela (1501-11)

El término "plateresco" se refiere a la arquitectura española que usa una abundante ornamentación, a menudo no relacionada con la estructura del edificio. El Hospital Real tiene un rico portal que exhibe cuatro órdenes superpuestos de pilastras y un ancho tímpano arqueado. Cubriendo éste había nichos con figuras talladas en alto relieve, mientras que las pilastras y otras superficies están cubiertas con bajo relieves.

La Escalera Dorada, Catedral de Burgos (1524)

La Escalera Dorada muestra órdenes arquitectónicos, incluyendo pedestales y entabladuras, pero la decoración de superficie enmascara estas formas clásicas. La exuberancia escultórica, típica de la ornamentación española, usa a menudo motivos *all'antica* como conchas, follaje, medallones y urnas.

Uso de los órdenes

Los órdenes arquitectónicos se usaron con frecuencia en patios, aunque sus capiteles, exuberantemente decorativos, no guardan ni las normas ni las proporciones clásicas. La arcada del patio del Palacio de Mendoza, principios del siglo XVI, Guadalajara, tiene los fustes, las basas y los capiteles de piedra, pero los dinteles y las ménsulas son de madera.

Estilo herreriano, El Escorial

Contrastando con estilos españoles anteriores, el austero clasicismo de El Escorial se volvió muy influyente a finales del siglo XVI. Está construido en granito, apenas tiene ornamentación y la severidad de su monumental presencia puede interpretarse como una afirmación de la ideología de la Reforma Católica.

El Escorial, Madrid (1563-84)

Este plano de planta revela la simetría y complejidad de El Escorial, que fue construido para Felipe II como mausoleo para su padre, Carlos V. La cruciforme y cupulada iglesia, probablemente basada en los modelos italianos de planta centralizada, proporciona el centro físico y simbólico de este enorme proyecto real. El Escorial también incluye un monasterio, claustros, dependencias reales y una biblioteca.

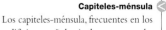

Capiteles-ménsula

Los capiteles-ménsula, frecuentes en los edificios españoles, incluyen una ancha ménsula encima de su capitel. Éste de aquí es de madera, y está tallado con volutas y un roel (pequeño panel circular) que hace juego con el friso de encima.

Renacimiento

Casas Prodigio Isabelinas

Inglaterra, como gran parte del norte de Europa, continuó favoreciendo el gótico hasta bien entrado el siglo XVI. El conocimiento de la arquitectura clásica se recibió a través del filtro de otros países Europeos (no directamente de Italia), y estuvo influenciado por las particularidades francesas y flamencas. En la Reforma Inglesa hubo pocos encargos eclesiásticos o reales, pero, en contraste, los altos mandatarios de la corte de Isabel I construyeron un buen número de grandes casas. El historiador arquitectónico Sir John Summerson etiquetó estos edificios como "casas prodigio", muchas de las cuales se construyeron o remodelaron para crear un decorado adecuadamente espléndido para entretener a Isabel I y su corte en su *Royal Progress* anual. Muchas de sus características más significativas están presentes en Longleat y Wollaton Hall.

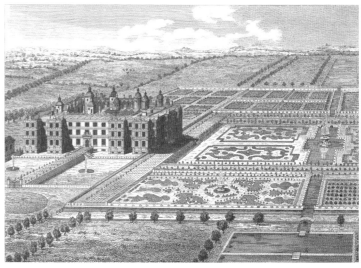

▲ Longleat, Wiltshire (años 1570)

Longleat fue reconstruido h. 1570, e incorpora una casa anterior. Parte de su originalidad reside en sus simétricas y armoniosas fachadas, las cuales tienen gran cantidad de ventanas con parteluces y abundancia de vidrio.

Fachada, Longleat ▽

Las fachadas de Longleat combinan el comedimiento y orden clásicos de la arquitectura renacentista con la adaptación de una característica inglesa, el mirador. Aquí, los miradores alegran la fachada sin romper su armonía y sobriedad.

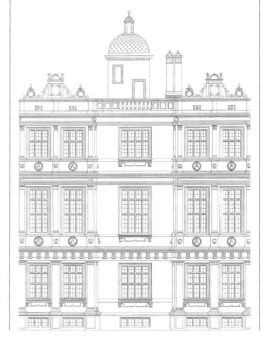

▷ Planta, Longleat

Una casa apropiada para acomodar a la corte no sólo tenía que tener una larga galería y grandes salones para espléndidos entretenimientos, sino que también necesitaba cocinas bien planificadas, habitaciones de servicio para facilitar el funcionamiento doméstico y aposentos adecuados. Todas estas características están incluidas en la planta de Longleat, la cual es simétrica por ambos ejes.

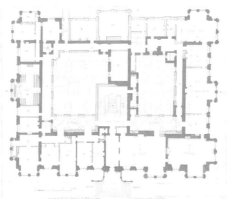

Inglaterra conoció la arquitectura tanto italiana como de otras partes de Europa a través de muchos medios, incluyendo los tratados. En el diseño y decoración de Wollaton Hall, construido h. 1580 por Robert Smythson, es evidente la influencia tanto de Serlio como de Hans Vredeman de Vries.

Torres, Wollaton Hall
Las cuatro torres de las esquinas añaden dramatismo a la línea del horizonte del edificio y exhiben característicos frontones con entrelazos (bandas entrelazadas de ornamentación en relieve) que derivan de los diseños de de Vries. Como en las fachadas, las pilastras tienen bandas y enmarcan las ventanas de parteluces.

Planta, Wollaton Hall
La planta, simétrica, muestra las cuatro torres, en las cuatro esquinas del bloque rectangular. En lugar de un patio interior tiene un enorme salón central. Esta planta deriva, probablemente, de un diseño de Sebastiano Serlio.

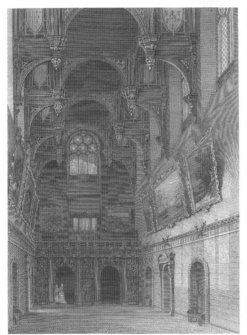

Gran salón, Wollaton Hall
Los grandes salones siguieron apareciendo en la arquitectura tudor. Éste no tiene ventanas en el nivel inferior y está iluminado por un clerestorio de diseño gótico. Los detalles del entrelazo derivan de diseños holandeses del siglo XVI.

Renacimiento

Arquitectura jacobiana

Aunque durante el reinado de Jaime I, primer monarca Estuardo en Inglaterra, no hubo cambios importantes en el estilo arquitectónico, a principios del siglo XVII, y en parte gracias a la contratación de talladores y artesanos de ultramar, especialmente de los Países Bajos, emergió el estilo *jacobiano*. La decoración interior incluía mucho estuco y madera, así como chimeneas y portales. Muchos edificios nuevos mostraban tejados "holandeses", y este rasgo tuvo continuidad en la arquitectura doméstica del este de Inglaterra, donde los lazos con los Países Bajos eran fuertes. Como en el periodo tudor, la arquitectura de iglesias no fue importante, pero se construyeron casas prodigio, jacobianas. Aunque en muchos aspectos eran similares a sus predecesoras, la planta sí sufrió cambios, tendiendo a tener forma de "H" o de "U". Había mucho interés por conseguir casas de silueta imponente y atrevida, y por obtener las más increíbles vistas de ellas.

Audley End, Essex
Audley End, comenzada en 1603, es un refinado ejemplo de casa prodigio jacobiana Encarna las características de armonía y monumentalidad, y consiguió añadir interés visual variando la altura de las alas laterales, en contraste con el bloque central.

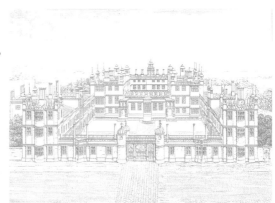

Ventanaje
Muchas de las grandes casas isabelinas y jacobianas usaban gran cantidad de vidrio, y, a veces, incluían ventanas falsas. Típicamente, las ventanas eran altas y fraccionadas y estaban divididas horizontalmente con prominentes montantes.

Porches, Audley End
Las proyectadas entradas, en forma de porche, eran a menudo la parte del edificio en la que se usaban los órdenes arquitectónicos clásicos. En Audley End, la doble hilera de porches tiene arcos enmarcados por columnas agrupadas, pero los porches tienen por cabecera grandes balaustradas con grecas.

Blickling Hall, Norfolk (1616-27)
Los materiales de construcción no juegan sólo un papel estructural vital, sino también estético. En la costa este de Inglaterra se usaba mucho el ladrillo, y la combinación de éste con motivos como los frontones curvos dio lugar, en esa región, a una arquitectura jacobiana con fuertes afinidades estéticas con los Países Bajos. Blinkling Hall compensa elegantemente su refinado ladrillo rojo con piedras angulares y los pesados parteluces y montantes de sus ventanas.

Entrada, Browsholme Hall, Lancashire (1603)
La entrada tiene órdenes superpuestos en tres pisos. El dórico da a entender la fuerza del piso inferior, mientras que el elegante jónico se usa en los niveles superiores.

Frontones
La decoración con frontones era un elemento muy importante en la arquitectura jacobiana, y se desarrolló una preferencia por los diseños de líneas curvas, en vez de escalonadas. Se lograron impresionantes líneas del horizonte de frontones, torretas y torres.

Renacimiento

La arquitectura de Inigo Jones

La clásica y armoniosa arquitectura de Inigo Jones (1573-1652) era muy distinta de la de aquel renacimiento filtrado que apareció, mayormente como decoración, en los edificios ingleses del siglo XVI. Jones visitó Italia y estudió detalladamente los monumentos antiguos y la arquitectura renacentista, especialmente los edificios de Andrea Palladio.

La copia de Jones del Cuatro Libros de Arquitectura de Palladio (1570), con sus notas marginales, aún existe. A Jones le preocupaba la verdad arquitectónica fundamental de sus edificios, que consistía en la funcionalidad, la armonía y la proporción del conjunto, y no en la adición de motivos clásicos sólo como decoración. Eligió emular un estilo de alto renacimiento que, en Italia, estaba ya dejando paso al barroco.

Planta, Sala de Banquetes
La noción renacentista de satisfacción visual y psicológica inherentes a las formas perfectas es ejemplificada en el volumen único del interior en doble cubo de la Sala de Banquetes.

Sala de Banquetes, Londres (1619-22)
La adopción de la arquitectura italiana renacentista por parte de Jones está resumida en este sólido y armonioso edificio, cuya fachada clásica de dos filas muestra un completo entendimiento del alto renacimiento.

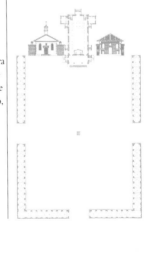

Covent Garden, Londres
En Covent Garden, Jones diseñó la primera plaza de Londres cuadrada y simétrica, modelada según los espacios urbanos que había visto en Italia. Se logró un plan urbanístico unificado que incluía filas de dignas y sobrias casas, con galerías abiertas al nivel del suelo.

Iglesia de San Pablo, Londres (1631)
La reconstrucción de Covent Garden supuso la construcción de la primera iglesia post-Reforma en Inglaterra. La iglesia es un simple rectángulo con un prominente pórtico toscano en el extremo este. Aunque no es la entrada principal, el pórtico es el impresionante punto central de todo el plan urbanístico.

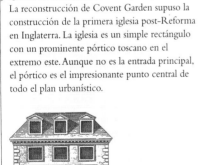

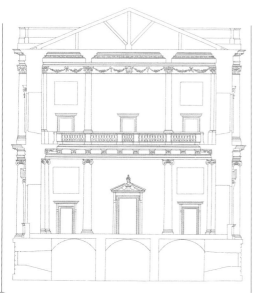

Los bocetos de chimeneas, portales y puertas revelaron la fascinación de Jones por las formas y las texturas. Aquí, una puerta de piedra rústica combina gran variedad de acabados, con toscas columnas con bandas, prominentes dovelas y un friso dórico.

Diseño interior, Sala de Banquetes

La Sala de Banquetes es un magnífico ejemplo de la preocupación de Jones por la integridad del conjunto del edificio. La articulación de la fachada se refleja internamente con el uso de órdenes superpuestos similares, que en el interior están separados por una galería.

Catedral de Winchester (h. 1638)

La pantalla que Jones hizo para el coro de la Catedral de Winchester tipifica la claridad y el orden de sus formas arquitectónicas. Su arquitectura, original e innovadora, se desarrolló en el marco de observación de las reglas y la práctica arquitectónicas del renacimiento codificado.

Barroco y Rococó
siglo XVII–finales del siglo XVIII

Barroco Romano

La arquitectura barroca se originó en la Roma del siglo XVII, donde se desarrolló como una expresión de triunfo de la reciente Iglesia Católica. La Contrarreforma estableció que la arquitectura, la pintura y la escultura jugarían un papel importante en la transformación de Roma en una ciudad verdaderamente católica. Las calles que salen de la Catedral de San Pedro pronto fueron dotadas con recuerdos de la victoriosa fe. Rompiendo con las fórmulas un tanto estáticas del renacimiento, la arquitectura barroca fue, en principio y ante todo, un arte de persuasión. El acto de subir las escaleras de una iglesia se convirtió en una experiencia en la que los esquemas simbólicos e ilusionistas apelaban tanto a las emociones, como al intelecto de los creyentes. Emergió un nuevo y dinámico vocabulario arquitectónico, a veces basado en la repetición, rotura y distorsión de los motivos renacentistas clásicos. Frontispicios partidos, órdenes gigantes y paredes cóncavas y convexas se utilizaban con relativa libertad entre los arquitectos barrocos, creando estilos muy personales.

Decoración de iglesia: El Gesù, Roma (1568-84)

El Gesù, iglesia madre de la orden Jesuitas, se redecoró siguiendo los principios de énfasis y dramatismo de la Contrarreforma, para un inmediato fortalecimiento de la fe de los creyentes. Se combinaron el estuco pintado, la escultura tridimensional y las características arquitectónicas fragmentadas para enmarcar grandes frescos que representaban la vida y milagros de los santos.

Frontispicios partidos

Uno de los motivos centrales de la arquitectura barroca, el frontispicio partido, es un frontispicio, triangular o redondeado, partido en su cenit o en la mitad de la base. A veces se rellenaba el hueco con crestería. Los frontispicios partidos trajeron dinamismo a la fachada y permitieron la interacción vertical de los elementos arquitectónicos.

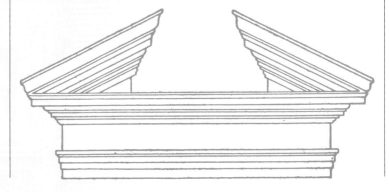

Planta, plaza de San Pedro, Roma (comenzada en 1656)

Para la planta de la plaza de San Pedro, Gian Lorenzo Bernini usó, principalmente, dos trucos de perspectiva. La larga e incompleta fachada de iglesia de Carlo Maderno estaba dando un nuevo dinamismo al barroco, con la construcción de plazas trapezoidales enfrente de la iglesia, dando la ilusión de fachadas principales más estrechas. Bernini escogió una planta oval y transversal para la segunda plaza, creando otra distorsión espacial.

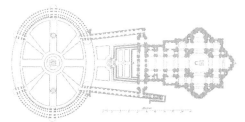

Columnatas, plaza de San Pedro

Bernini enmarcó la plaza de San Pedro con columnatas (1656) para formar el deambulatorio cubierto necesario para las procesiones. Tiene cuatro columnas de profundidad y dos filas de columnas pareadas, dando la ilusión de un recinto con un muro masivo, pero interactivo con la ciudad, que está detrás. El mismo Bernini describió la columnata como "brazos maternos" extendiéndose para abrazar y reunir a los creyentes.

San Carlo alle Quatrro Fontane, Roma (1665-67)

La fachada de San Carlo alle Quattro, de Francesco Borromini, está completamente articulada con planos cóncavos y convexos. Cuatro vanos cóncavos enmarcan dos vanos, centrales y superpuestos, convexos, conseguidos mediante un balcón proyectado y un *aedicule* (pequeñas estructuras con frontispicio) en el piso superior, y, debajo, una entabladura convexa y una escalera.

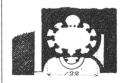

Entrada, San Andrea al Quirinale, Roma (1658-70)

La fachada de la pequeña iglesia de San Andrea, de Bernini, tiene por entrada un *aedicule* monumental, con un frontispicio y columnas como marco. Tiene un porche y unas escaleras proyectadas hacia el exterior para contrarrestar los cortos brazos cóncavos de cada lado. Dentro, la planta oval crea una relación inmediata con el altar.

Baldacchino, San Pedro (1624-33)

El monumento conocido como 'Baldacchino', que está situado sobre la cripta, lleva a la tumba de San Pedro, quien simboliza la piedra angular de la Iglesia Católica. El Baldacchino es un altar gigante de bronce, que consiste en un dosel en forma de ojiva soportado por cuatro columnas salomónicas, que hacen referencia a las utilizadas en la antigüedad paleocristiana. En su cenit tiene un orbe que simboliza la propagación del cristianismo.

Barroco y Rococó

Barroco Romano

El Papa Sexto V y su sucesor tuvieron éxito al hacer de Roma una capital religiosa. Muy pronto, las familias romanas de alto estatus transformaron su mundo privado al persuasivo estilo barroco. Bernini, Borromini y otros fueron los encargados de remodelar los palacios, usando métodos de unificación como galerías abiertas, grandiosas escaleras y énfasis en las entradas. Después, los pintores y escultores adornaron la arquitectura con grandes frescos simbólicos. Para mediados del siglo XVII, el estilo barroco había madurado, conociéndose como "Alto Barroco", y su influencia traspasó la frontera norte de Roma. Las iglesias del alto barroco se caracterizaban por su planta centralizada, sus ilusionistas y grandiosos altares y techos y por sus fachadas pesadamente ornamentadas. Uno de los maestros de este estilo fue Guarino Guarini, quien se estableció en Turín y contribuyó a la propagación del estilo a través de la Europa de principios del siglo XVIII.

Galería, Palazzo Borghese, Roma (1607)
El uso de galerías abiertas (galerías cubiertas con ambos lados abiertos) se fue extendiendo a lo largo del siglo XVII. Uno de los primeros ejemplos es el Palazzo Borghese, donde las alas del edificio, de tres alturas, están conectadas mediante una galería abierta de dos plantas. Se conserva el formato de patio renacentista, pero se crea un eje longitudinal, barroco, del patio al jardín.

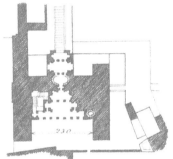

Eje longitudinal, Palazzo Barberini
El pasaje que une la profundidad del palacio con el jardín se convierte en el foco principal del que se despliega el resto del palacio. El pórtico, de tres vanos de arcada de profundidad, lleva a una grandiosa escalera abierta de cuatro tramos y al *salone*, al que pertenece el jardín.

Palazzo Barberini, Roma (1628-33)
Carlo Maderno, Borromini y Bernini fueron los responsables del nuevo Palazzo Barberini, que se diferenciaba del tradicional palazzo-ciudad con patio en que tenía planta en forma de "H". Colocada en el extremo de un patio abierto, la fachada de entrada es un largo pórtico de tres arcadas superpuestas, sugiriendo una galería abierta barroca.

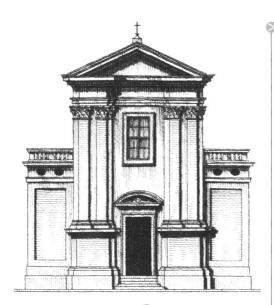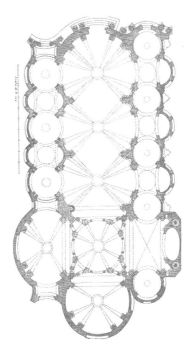

Tarjeta

La tarjeta, una forma característicamente barroca de ornamentación que consiste en un panel oblongo con crestado o con bordes en voluta, se usaba en las fachadas de palacios e iglesias como marco para un adorno de crestería o un escudo de armas, pero también puramente como motivo decorativo. Generalmente se exhibe dentro de un frontispicio partido, sobre una entrada o en el eje de uno a otro.

Unidad espacial

La unidad espacial barroco-italiana alcanzó su clímax en las norteñas iglesias de Guarini. Con un esqueleto de nervios góticos, una yuxtaposición de cúpulas, semicúpulas y espacios orientados diagonalmente, las iglesias de Guarini tuvieron éxito al hacer la experiencia Contrarreformista más estrictamente espacial y arquitectónica.

Orden gigante

El orden gigante es una columna o pilastra que, en un movimiento unificador vertical, abarca al menos dos plantas de la fachadas. Las proporciones, tanto de ancho como de alto, son una reminiscencia de las columnas de los antiguos templos, y proporcionan autoridad y énfasis dramático a los alzados del siglo XVII.

Muro ondulado

Tanto el perfil exterior como el interior de las iglesias de Guarini muestran muros continuamente partidos u ondulados. Los muros convexos, rectos y cóncavos son el resultado de una planta que funde con éxito óvalos y círculos por razones de dinamismo.

Barroco y Rococó

Barroco Francés

La arquitectura francesa del siglo XVII se desarrolló como una consecuencia más natural del renacimiento de lo que lo hiciera la arquitectura romana de la Contrarreforma. En cualquier caso, Enrique IV volvió de París, después de la guerra civil, con el deseo de reafirmar la presencia monárquica, creando una red de places o plazas con estatuas del soberano y alojamiento para la aristocracia. El estilo resultante, sobrio y uniforme, fue rápidamente adoptado para los castillos de campo de la aristocracia, así como para casas de ciudad y palacios. Arquitectos como François Mansart, Jules Hardouin-Mansart y Louis Le Vau fueron los encargados de construir largas fachadas con motivos repetitivos, produciendo efectos insistentemente barrocos.

Château de Maisons, París (1642-46)

Éste es el trabajo de François Mansart, quien tuvo éxito al unificar tres pabellones claramente definidos, mediante el uso de un culminante frontispicio en el cual se repiten los frontispicios y las columnas pareadas de los bloques laterales, con algunas variaciones. El frontispicio disimula los altos tejados, y su masa retrocede en el centro.

Palacio de Luxemburgo, París

El palacio, de Marie de' Medici, fue comenzado en 1615 bajo las órdenes del arquitecto Salomon de Brosse. Tiene una planta tradicional con patio. Los alzados se trataron con un sistema de uso continuo de pilastras y columnas pareadas. Las tradicionales buhardillas francesas se colocan detrás de una balaustrada.

Place Royale, París (1605-12)

El mayor proyecto urbanístico de Enrique IV fue la creación de las primeras *places royales* con alojamiento para la nobleza. La Place des Vosges (Place Royale) consiste en dos pisos sobre una arcada continua, con prominentes tejados en mansarda definiendo los pabellones. Las fachadas, de ladrillo, están tratadas con una decoración en bandas, o *chaînes*, de piedra revestida.

Columnas pareadas

Características de la arquitectura francesa del siglo XVII, las columnas y pilastras pareadas dieron vida a lo que, de otro modo, habrían sido repetitivas fachadas palaciegas. A menudo estriadas o fajadas, fueron una elegante y sobria forma de decoración. Los amplios intercolumnios permitieron ventanas y entradas palaciegas más grandes.

Frente este del Louvre, París (1667-70)

Después de primero encargar y luego rechazar diseños de Bernini y otros arquitectos italianos, Luis XIV finalmente encargó la fachada este del Louvre a arquitectos franceses. El resultado fue una sobria y majestuosa columnata de columnas pareadas gigantes sobre un alto plinto.

Iglesia de Les Invalides, París (1680-1707)

La fachada de la iglesia está regida por un fuerte movimiento vertical, comenzando en las columnas del pórtico y continuando hacia arriba con los nervios de la cúpula. La altura de la cúpula se incrementa introduciendo un ático entre el tambor y la cúpula. Los modillones proyectados diagonalmente y los dorados paneles de relieves añaden dinamismo barroco a la iglesia real.

Modillones

Las grandes ménsulas o "modillones", a menudo en forma de voluta, aparecen frecuentemente, de forma exagerada, en la arquitectura francesa del siglo XVII. Se utilizan más como decoración que como soporte.

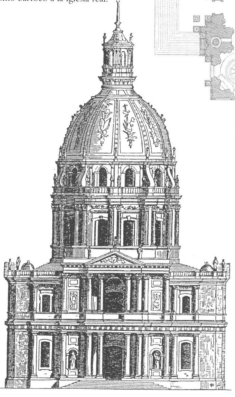

Planta, Iglesia de Les Invalides

Luis XIV encargó a Jules Hardouin-Mansart la construcción de una iglesia cupulada entre las alas del Hôtel des Invalides. Su ingeniosa solución fue una planta centralizada, con un eje longitudinal logrado al unirla con la antigua iglesia mediante un santuario oval barroco, que alojaba el altar. Las capillas de las esquinas se colocan en diagonal, escondidas detrás de grandes pilares para preservar la unidad del espacio central cupulado.

Ojo de buey

Aperturas redondas u ovaladas, *oeil de boeuf*, u ojo de buey, adornaban la parte alta de los edificios barrocos franceses, especialmente los tejados en mansarda y las cúpulas. A veces funcionaban como lumbreras, pero habitualmente eran usadas como perforaciones decorativas en el muro.

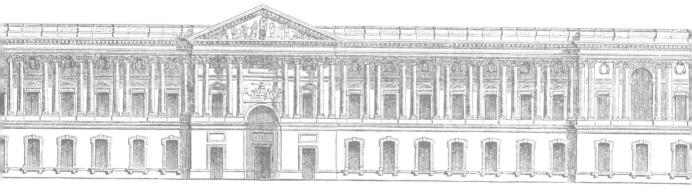

Barroco y Rococó

Barroco Francés (Versalles)

En 1664, Luis XIV encargó al arquitecto Le Vau la reconstrucción del Château de Versalles. El monarca quería un palacio que eclipsara, en tamaño y magnificencia, a los de sus ministros. El palacio y los jardines de Versalles, que se construyeron en varias fases durante los siglos XVII y XVIII, constituyen la mayor actividad edificativa del periodo, e influenciaron todo el curso de la arquitectura francesa. En el estratégico diseño del castillo y los jardines, Luis XIV creó para sí un universo barroco centralizado. Todos los escultores y pintores principales estaban ocupados con los ambiciosos esquemas decorativos sobre "el monarca triunfante". En París, la reacción de la aristocracia fue el desarrollo del hôtel, o villa urbana privada, cuyos interiores estaban muy inspirados en Versalles.

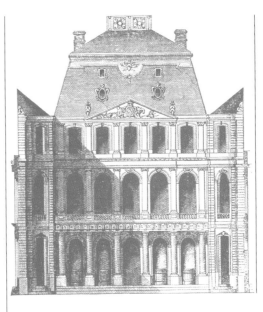

Cabecero de la ventana de un hôtel
La decoración exterior de un hôtel, especialmente en la fachada de la calle, podía limitarse a las ventanas, puertas y balcones, dejando los muros desnudos. Éstos, en cualquier caso, podían estar extremadamente ornamentados, por influencias del estilo decorativo de Versalles, con ménsulas, frontispicios partidos, intrincadas molduras, relieves escultóricos y cariátides.

Hôtel parisién
La fachada de este nuevo tipo de residencia para hidalgos estaba detrás de un patio delantero, o cour *d'honneur*, con un muro de entrada a la calle y un jardín detrás. Las plantas estaban necesariamente restringidas, y dos *hôtels* a menudo compartían un patio, con la fachada clásica por telón.

Planta, Château de Versalles
El castillo está diseñado en muchas plataformas, como una extensión de los ideales de Luis XIV sobre el poder absoluto. Su *appartament*, al final del gran patio, es el centro de la planta, a partir del cual se extendían grandes habitaciones *enfilade* (con puertas en línea) a lo largo de los pabellones laterales y alas. El dormitorio del monarca está alineado con los diseños de los jardines de Le Notre, por un lado, y con la gran avenida que lleva a las ciudades Versalles y París, por el otro.

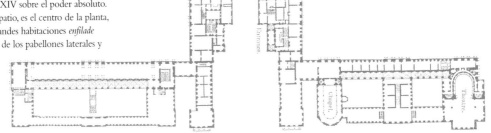

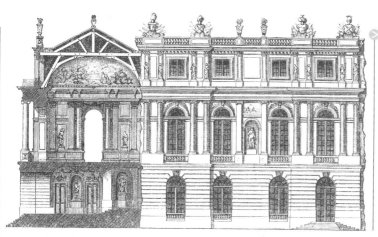

Puerta, Versalles

La mayor parte de la decoración de Versalles está en forma de relieves arabescos dorados, hojas enrolladas y guirnaldas. Éstos se colocan en clásicos paneles rectilíneos de madera o mármol coloreado.

Galerie des Glaces (Sala de los Espejos), Versalles 1678

La galería fue añadida por Hardouin-Mansart en 1678, y fue decorada por Charles Le Brun. La larga sala tiene grandes ventanas que miran al jardín lateral. Enfrente tiene espejos venecianos, que reflejan la luz, el oro o los mármoles coloreados, y un fresco que representa la vida del monarca. El estilo de la galería se convirtió en modelo de la decoración palaciega de la Europa del siglo XVIII.

Decoración de un salon

Las habitaciones que servían como salons (habitaciones para recepciones) en Versalles, eran temáticas. A cada lado de la Galerie des Glaces estaban los *salons* Guerra y Paz. Las siete habitaciones de los aposentos del rey llevaban el nombre de los siete planetas, y estaban decoradas con alegorías que exaltaban las virtudes del rey. Cada *salon* estaba decorado con relieves relativos a la iconografía del ilusionista fresco del techo.

Capitel decorativo, Versalles

En los interiores de Versalles se estaba desarrollando un peculiar y poco ortodoxo estilo decorativo, debido, en parte, al tamaño del edificio, cuyo impacto dependía del conjunto, y no de sus partes. Algunos de los capiteles interiores estaban dorados y esculpidos con guirnaldas, hojas de acanto, animales y pequeñas figuras quiméricas (colección fantástica de formas animales).

Barroco y Rococó

Barroco Inglés Temprano

El curso de la arquitectura inglesa del siglo XVII se precipitó con el Gran Incendio de Londres, en 1666, el cual destruyó una parte importante de la ciudad, incluyendo ochenta y siete iglesias parroquiales. Poco después se pasaron una serie de Actas para la Reconstrucción de la Ciudad de Londres, especialmente de sus iglesias y su catedral. La Oficina de Sir Christopher Wren, entonces Supervisor General, fue la responsable del diseño y ejecución de las nuevas iglesias. Formado científicamente, Wren era brillante a la hora de superar las dificultades estructurales con soluciones barrocas imaginativas que implicaban distorsiones y adaptaciones. Su mayor logro fue la reconstrucción de la Catedral de San Pablo, para la cual produjo gran número de bocetos. En cualquier caso, en el diseño final, Wren se enfrentó a la reluctancia inglesa a adoptar el estilo barroco continental.

San Jaime, Piccadilly (1683)
Como Wren declaró en un Memorandum posterior (h. 1711), sus iglesias de ciudad fueron construidas como "auditorios" o pequeños teatros, con bancos en galerías alrededor de tres de los lados de la iglesia, permitiendo a la congregación oír el sermón, que tiene una importancia particular en el culto protestante. En San Jaime, Piccadilly, el púlpito está característicamente colocado entre bancos, en el centro de la iglesia, con el altar retranqueado en el muro del extremo este.

San Bride, Londres (1701-3)
Las iglesias de ciudad fueron construidas en lugares estrechos, con materiales baratos. Los elegantes y a veces ingeniosos chapiteles, que se elevan por encima de las casas del vecindario, constituyen la principal forma de decoración. En San Bride, Fleet Street, el chapitel tiene cuatro pisos de altura, y una escalera de piedra que corre por su núcleo. Cada piso es octagonal, y está perforado con arcadas y pilastras en las esquinas.

Biblioteca del Trinity College, Cambridge (1676-84)
Wren fue el encargado de construir esta biblioteca entre dos bloques existentes en la Corte de Neville. Adoptó un diseño ilusionista para la fachada, en la cual disimuló la discrepancia de alturas entre la librería, más baja, y el orden dórico rellenándola con una arcada, con medias lunas.

Iglesia de San Benedicto, Londres (1683)

Las grandes ventanas redondeadas son redundantes en la arquitectura de Wren, especialmente en sus iglesias de ciudad. Las pesadas guirnaldas (festones ornamentales) en los alzados de ladrillo, de otro modo lisos, son una característica de Wren, como también lo es la yuxtaposición del ladrillo y la piedra para crear efectos policromos.

El Gran Modelo para la Catedral de San Pablo, Londres (1673)

Los bocetos de la Catedral de San Pablo culminaron en El Gran Modelo. En planta era una estructura centralizada con muros exteriores cóncavos, una amplia zona central cupulada y rodeada de un anillo deambulatorio de capillas, y una segunda cúpula, más pequeña, cerca del pórtico de entrada. El diseño era una reminiscencia de las grandes iglesias barrocas continentales, y no consiguió la aprobación del clero porque opinaron que rompía con la tradición y era poco práctica.

Ventana de cabecero redondo, Catedral de San Pablo

En el exterior de San Pablo, Wren usó una ornamentación muy particular para la parte superior de la ventana. Consistía en molduras curvas poco proyectadas que rodeaban el cabecero de la abertura y terminaba abruptamente donde brota el arco, enmarcando la ventana con decorativas "orejas" parecidas a arquitrabes partidos.

Cúpula de doble armazón, Catedral de San Pablo

La idea de una alta cúpula alzándose por encima de la ciudad de Londres siempre formó parte de la concepción de Wren. La solución final es una gran proeza de la ingeniería e implica una cúpula interior con una abertura a una segunda cúpula con linterna. El soporte interior, oculto, es un contrafuerte de ladrillo en forma de cono.

Frente oeste, Catedral de San Pablo (1675-1710)

Originalmente, Wren planificó un orden gigante para el pórtico oeste de San Pablo, pero tuvo que claudicar cuando las canteras de Portland declararon que no podían encontrar bloques de piedra lo bastante grandes para la entabladura. En cualquier caso, la fachada de Wren es fuertemente barroca, con sus columnas corintias y pilares pareados, y sus ricamente decoradas torres haciendo eco de la columnata del tambor central.

Barroco y Rococó

Inglés Barroco Posterior

La segunda fase del barroco inglés comenzó, a principios del siglo XVIII, con una nueva generación de arquitectos, algunos de los cuales habían trabajado bajo las órdenes de Wren. Los dos maestros principales del estilo fueron Nicholas Hawksmoor y John Vanbrugh. Hawksmoor había asistido a Wren en un buen número de encargos reales, incluyendo el Hospital de Greenwich, que se terminó mucho después de la muerte de Wren. Con el doble patio y las alas abriéndose en escalones desde la Casa de la Reina de Inigo Jones hasta la rivera del río, el Hospital Real fue el precursor del barroco palaciego creado por Hawksmoor y Wanbrugh. Como socios, construyeron casas de campo con alas cóncavas y convexas entrelazadas. Su interés en la aglomeración y el movimiento intrínseco se reflejó, a nivel ornamental, en el juego de los tamaños y el humorístico desmantelamiento del vocabulario clásico.

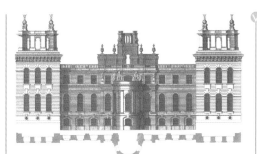

Palacio de Blenheim, cercanías de Oxford (1705-24)
El duque de Marlborough encargó a Vanbrugh la construcción de un palacio que debía servir también como monumento al éxito militar. Vanbrugh, con Hawksmoor, sacó provecho de esta oportunidad de practicar la arquitectura triunfal construyendo pabellones en forma de fortalezas de diferentes alturas, unidas mediante columnatas y mediante alegres motivos clásicos.

Castillo de Howard, Yorkshire (1699-1712)
La planta del Castillo de Howard, de Vanbrugh, está basada en el esquema de aproximación de dos patios delanteros, de Greenwich. Los edificios de servicio, que forman los laterales del primer patio delantero, están adosados al cuerpo cupulado mediante brazos de columnatas, cortas y curvas, que forman el segundo patio.

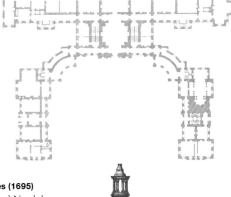

Hospital de Greenwich, Londres (1695)
La construcción del Hospital Real Naval de Greenwich se encargó en 1695. Wren diseñó una doble planta de patio abierto, incorporando las vistas de la Casa de la Reina en el eje principal. Los sucesores de Wren terminaron los alzados, e incluyeron motivos como el arco de la torre, con un frontispicio de base partida.

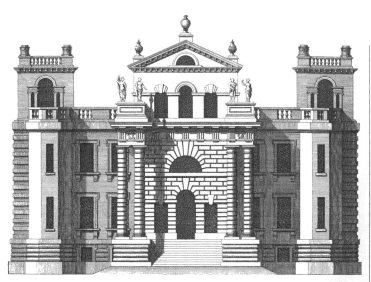

Clave de arco gigante

Las claves de arco gigantes eran frecuentemente utilizadas por los arquitectos barrocos ingleses como ornamento de puertas y ventanas. Algunos arquitectos favorecieron un grupo de cinco piedras para crear un efecto de amplitud, pero Hawksmoor usó a menudo una única y gigante clave imbricada por la mitad de su largo, acentuando la verticalidad del frontal.

Seaton Delaval, Northumberland (1720-29)

El acercamiento de Vanbrugh a las masas, en forma de fortaleza, se aprecia mejor en composiciones estrechas, como en Seaton Delaval, donde los distintos tipos de bandas en los muros y las gigantes columnas dóricas fajadas sirven para realzar la masa de las diferentes unidades. Dos torres con balaustrada y un bloque central emergen sobre el frontal defensivo.

Columnas fajadas, Seaton Delaval

Las columnas fajadas son una de las impresionantes características de Seaton Deval, así como de la mayor parte de las casas de campo de Vanbrugh. Generalmente en forma de orden dórico gigante, los fustes están tallados con surcos precisos y regulares. Siendo ya una característica común en la arquitectura renacentista de Italia y Francia, Vanbrugh les dio una nueva utilidad, usándolas para enfatizar la horizontalidad de una masa de muro.

San Felipe, Birmingham (1709-15)

Thomas Archer fue uno de los comisionados en el Acta de 1711 sobre la edificación de iglesias. Su iglesia de San Felipe, Birmingham, tiene mucho en común con las iglesias del barroco francés e italiano, con muros convexos, torre cupulada, contrafuertes que se proyectan diagonalmente a modo de ménsulas y ojos de buey. La iglesia, en cualquier caso, tiene la planta inglesa en forma de caja de las iglesias de Wren.

Barroco y Rococó

Barroco de Europa del norte y central

El estilo barroco se expandió por el norte y el centro de Europa a finales del siglo XVII, y lo hizo como mezcla del barroco romano católico, por un lado, con el clasicismo de la corte francesa, por el otro. Los ciudades católicas europeas emulaban a Roma, mientras que los grandes monarcas planeaban su propio Versalles. Los palacios de Praga, Viena y Estocolmo tienen, en planta, una gran resonancia de los palacios franceses, pero la articulación de sus fachadas muestra una plasticidad y riqueza escultural reminiscencia del barroco romano. En la Contrarreforma del siglo XVII, el sur de Alemania y Austria tomaron las iglesias del alto barroco italiano como prototipo. Las publicaciones de Guarino Guarini tenían mucha influencia. La tendencia era de fachadas ricamente esculpidas, con citas literales de la antigua Roma reclamando la autoridad de Roma como capital cristiana. Para los años 1800, Viena y Praga eran ciudades líder en lo que se había convertido en el estilo barroco internacional.

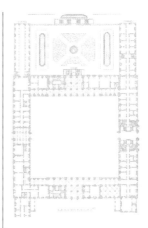

Palacio Real, Estocolmo (1697–1771)
Construido por Nicodemus Tessin para Carlos XII de Suecia, el Palacio Real de Estocolmo ejemplifica el tipo de palacio Europeo más popular de principios del siglo XVIII. El amplio patio con cuatro entradas, el jardín-terraza entre la proyección de las dos alas y la apariencia exterior de bloque uniforme son reminiscencias de los palacios de Luxemburgo, el Louvre y Versalles.

Atlantes
Un motivo central de la arquitectura barroca del centro de Europa, los atlantes —gigantes y musculosas figuras contorsionadas— se esfuerzan por alzar los arcos de los portales de los palacios de Fischer von Erlach y sus contemporáneos. Las gigantes figuras están a veces pareadas.

Palacio de Clam Gallas, Praga (1791)
El Conde Jan Vaclav Gallas le encargó al arquitecto de la corte de Viena, Fisher von Erlach, un diseño en moderno estilo continental para su palacio de Praga. Los ingeniosos frontispicios de las ventanas de la segunda planta tienen su máximo exponente en un frontispicio central cóncavo, coronado por una tarjeta superpuesta. Los portales, pesadamente ornamentados, muestran una riqueza a medio camino entre la plasticidad del barroco romano y el estilo decorativo de Versalles.

Fachada histórica, San Carlos Borromeo
El ecléctico estilo de San Carlos Borromeo es el resultado del intento de Ficher de devolver su antigua autoridad a la iglesia cristiana mediante una arquitectura "histórica". El frente está adornado con dos columnas gigantes, reminiscencia de las columnas trajanas de Roma, y con un pórtico de templo monumental. Los brazos del frente de la iglesia recuerdan a los de San Pedro, mientras que el efecto de unidades de distinta altura, coronados por una gigantesca cúpula oval, está inspirado en Guarini. La composición completa busca recrear el bíblico Templo de Salomón.

Planta, San Carlos Borromeo, Viena (1715-37)
La planta de la iglesia muestra un área central, ovalada y con cúpula, con un fuerte eje longitudinal. Está precedida por un majestuoso pórtico frontal en forma de dos largos brazos, o alas, que disimulan el verdadero tamaño de la iglesia.

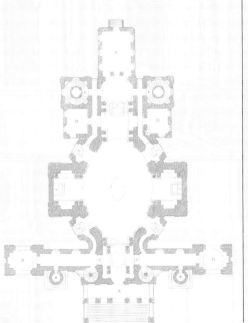

Iglesia de Kollen, Salzburgo (1696-1707)
La Orden Benedictina necesitaba una iglesia que se distinguiera de las iglesias jesuitas del sur de Alemania. El inusual diseño curvilíneo de Fischer reside en la forma "oval" en alzado, además de en planta. La fachada es un volumen convexo de óvalo, flanqueado por delgadas torres borrominescas. La verticalidad se lleva más allá mediante un orden gigante de pilastras, la alta cúpula y ventanas ovales.

Barroco y Rococó

Rococó

El estilo rococó era, esencialmente, un movimiento decorativo. Se desarrolló a principios del siglo XVIII en las casas lujosas y los hôtels de la nobleza parisina. Aunque el estilo está inspirado en la rica decoración de Versalles, también es una reacción a la formalidad del palacio real. Juste-Aurèle Meissonnier, Gilles-Marie Openordt, Nicolas Pineau y Germain Boffrand fueron algunos de los diseñadores que consiguieron reflejar la intimidad y confortabilidad de las habitaciones mediante una decoración ligera, frívola y llena de color en la que los paneles y los marcos de las puertas se fundían con el techo. El repertorio de motivos era infinitamente variado. Mientras que en Francia hay pocos exteriores rococó, en el sur de Alemania hay un buen número de iglesias rococó.

Molduras imbricadas
Como reacción a la formalidad de los paneles y marcos de Versalles, la decoración rococó fusiona los paneles, espejos, puertas y techos imbricando sus molduras. En el Hôtel de Soubise (1738-39) todos los ángulos de las habitaciones son curvos, y las esquinas desaparecen en el techo.

Concha de vieira
Uno de los motivos favoritos era la concha de vieira, cuyas volutas superiores son un eco de las de los bastidores arabescos en forma de "S" y "C", y cuyos sinuosos caballetes hacen eco de la decoración general curvilínea.

Rocaille
En el estilo rococó eran característicos los motivos de "rocaille", derivados de las conchas, las estalagmitas y el trabajo en piedra de la decoración en forma de gruta. Las rocallas arabescas eran fundamentalmente formas abstractas, colocadas, simétricamente, sobre y alrededor de marcos arquitectónicos.

Iglesia de San Pablo y San Luis, París
La iglesia jesuita de San Pablo y San Luis es barroca, pero es un ejemplo temprano de una fachada con carácter rococó, con múltiples tarjetas, arabescos, monogramas, querubines y tres esculturas en nichos.

Balcón de hôtel

Las sobrias y clásicas fachadas de los *hôtels* franceses del siglo XVIII contrastaban con el estilo rococó del interior. A pesar de eso, las ventanas de los balcones se convirtieron en una oportunidad para decorar el exterior con rococó. Las clásicas balaustradas de piedra del balcón, a veces se sustituían por balcones de hierro forjado, en forma de volutas entrelazadas, soportados por modillones.

Pura decoración

Los motivos de la decoración rococó no eran ni históricos, ni simbólicos. La rocalla, las volutas y las hojas estaban a menudo colocadas alrededor de figuras exóticas, máscaras, esfinges y escudos de armas imaginarios. Una figura común era la *tête en espagnolette*, una máscara femenina con un collar alrededor de su cabeza.

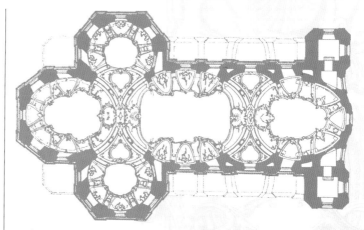

Iglesia de peregrinaje de Vierzehnheiligen, sur de Alemania (consagrada en 1772)

J. B. Neumann planeó esta iglesia usando óvalos vinculados de distinto tamaño, pareciendo el central un rectángulo con esquinas curvas. La ambiciosa forma de las unidades básicas, al igual que su perfil interior festoneado, fortalece el efecto, rococó tardío, del interior.

Decoración de iglesia rococó, Vierzehnheiligen

Los elementos estructurales del interior se mantienen por debajo del nivel de la cornisa, dejando las bóvedas libres para que la decoración rococó enfatice la continuidad de la superficie. Paneles festoneados, frescos, tarjetas y arabescos se superponen a una red de poco marcados nervios. En el centro de la nave, aislada, está el Relicario de los Catorce (1764), en estilo rocalla.

Palladianismo temprano,
principios del siglo XVIII

El legado de Inigo Jones

El palladianismo inglés fue, esencialmente, un movimiento de reacción contra las personales y extravagantes "deformidades" de los arquitectos barrocos, y buscaba establecer los cimientos para un "gusto nacional" basado en la arquitectura estrictamente clásica de Palladio e Inigo Jones (1573-1652). De hecho, un siglo antes Jones había revolucionado el pensamiento de la arquitectura inglesa mediante un profundo entendimiento de las teorías reflejadas en el tratado de Palladio, los famosos *Cuatro Libros de Arquitectura* (1570). Desafió las lecciones del trabajo de Palladio con sus propias observaciones de las antiguas ruinas y con el estudio de otros tratados, incluyendo los de Sebastiano Serlio y Vincenzo Scamozzi. Trajo de nuevo a Inglaterra una actitud intelectual, más que un estilo, en la que las ideas de Palladio se usaban más profunda que superficialmente.

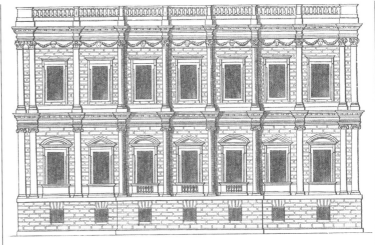

Los Cuatro Libros de Arquitectura (1570)

Parte de la popularidad y el atractivo del tratado de Palladio reside en la clara presentación de un sistema proporcional de órdenes, basado en el cuidadoso estudio de ruinas antiguas. La claridad de la xilografía, que ilustraba edificios privados, públicos y antiguos, y los concisos textos tenían un encanto universal.

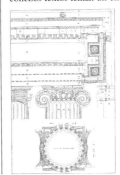

Sala de Banquetes, Whitehall (1619-22)

La Sala de Banquetes de Jones es el original resultado de la combinación calculada de una reconstrucción de Palladio, de una basílica romana después de Vitrubio, en planta, y de los palacios de dos plantas que Palladio construyó en Venecia, en alzado.

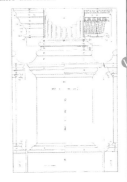

Rusticación

La rusticación consiste en hiladas de piedra tallada cuyos filos están achaflanados (biselados), a menudo en un ángulo de 45 grados, y cuyas sobresalientes caras, de textura suave o tosca, sugieren solidez y masa.

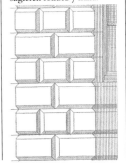

Casa de la Reina, Greenwich (1616-35)

El profundo entendimiento que Inigo Jones tenía de la teoría palladiana es evidente en las proporciones de los diseños de la Casa de la Reina, en Greenwich. La ornamentación de la fachada es limitada, y su efecto depende de la relación proporcional de las ventanas con la galería y de la galería con el conjunto. Jones pensaba que los ornamentos exteriores tenían que ser "proporcionados de acuerdo con las normas, masculinos y naturales".

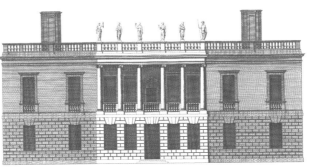

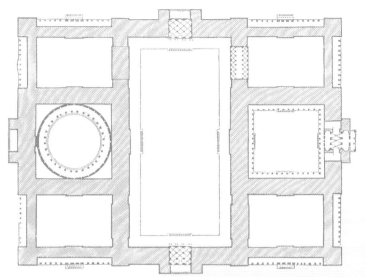

Amesbury House, Wilshire (h. 1661) ▽

Amesbury House, construida por el pupilo y ayudante de Jones, John Webb, sólo sobrevive en la talla de Colen Campbell del Vitruvius Britannicus. La arquitectura doméstica de Webb, que hasta hace poco se ha atribuido a Jones, es muy importante en la historia del palladianismo, ya que Jones diseñó muy pocas, o ninguna, casa de campo.

Proyecto para un palacio en Whitehall, Londres (h. 1647) △

Sobrevive un buen número de bocetos de Jones y Web para un vasto palacio palladiano en Whitehall, incorporando la actual Sala de Banquetes. Esta planta muestra un patio circular a un lado y un cuadrado proporcionado al otro.

▽ Ventana palladiana

La ventana veneciana, o palladiana, consiste en una abertura central en forma de arco con dos pequeñas aberturas rectangulares a cada lado, cuya altura se determina con arquitrabes rectos donde brota el arco.

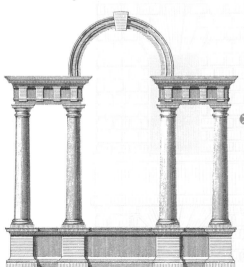

Piedras angulares

▷ Las piedras angulares son bloques rústicos de piedra, de tamaño alternante, que forman una banda en las esquinas del edificio. A menudo marcan los lados de los diferentes pabellones. Son un motivo renacentista que interesó a los arquitectos palladianos debido a su naturaleza de astilla (o columna).

Palladianismo temprano

Palladianismo inglés del siglo XVIII

En las primeras décadas del siglo XVIIII, surgió entre la aristocracia liberal inglesa un fuerte deseo de reintroducir los estándares arquitectónicos, no como ejemplos aislados, sino como parte de un movimiento nacional para sustituir los valores individualistas y caprichosos del barroco por los valores absolutos y verdaderos de la antigüedad. En una famosa carta de 1712, el Conde de Shaftesbury sugirió la creación de una academia para asegurar la formación de un gusto nacional, pero los fundamentos de un nuevo estilo fueron establecidos, en su lugar, mediante la publicación de tratados. El *Vitruvius Britannicus* (1712) de Colen Campbell y la edición de Giacomo Leoni del *Cuatro Libros* (1715-20) de Palladio determinaron que a finales del siglo XVIII los arquitectos encontraran sus referencias en los trabajos e ideas de Palladio y Jones.

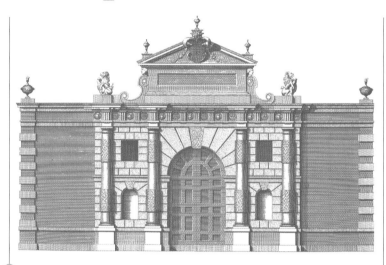

Gran Puerta, Burlington House

Inigo Jones había sentado precedente, en lo que a las puertas palladianas se refiere, con un buen número de diseños cuidadosamente proporcionados. La Gran Puerta de Campbell (1718) de Burlington House, Londres, era una impresionante pieza maestra, con una entabladura puramente dórica soportada por cuatro columnas fajadas de gran separación entre ellas.

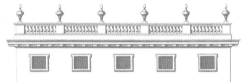

Balaustrada

La balaustrada clásica es un motivo heredado del renacimiento, donde se usaba esencialmente en balcones y escaleras. Los palladianos, en cualquier caso, la utilizaban casi sistemáticamente para definir la línea horizontal del tejado, interrumpiéndola, a veces, con estatuas y urnas.

Burlington House, Londres (1715)

A su regreso de Italia, en 1715, Lord Burlington encargó a Campbell la remodelación, en el nuevo estilo palladiano, de su casa de Londres. Campbell había promocionado este estilo con la reciente publicación del Vitruvius Britannicus. El diseño, basado en el Palazzo Porto-Colleoni de Palladio, en Venecia, incluía dos grandes ventanas palladianas en los pabellones laterales.

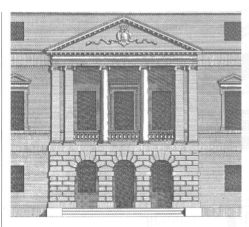

Casa de Lord Herbert, Londres (h. 1723-24)
Un pórtico, o una galería, a veces coronado con un frontispicio colocado sobre una pequeña arcada serliana, se convirtió en una fórmula estándar para el frontispicio de los pueblos palladianos y las casas de campo. Aparece en los diseños de Campbell de la casa de Lord Herbert, en Whitehall, y está basado en los diseños de Inigo Jones de la Galería de Somerset House.

San Martín en los Campos, Londres (1726)
James Gibbs nunca adoptó del todo el Palladianismo. Sin embargo, con su *Libro de Arquitectura*, contribuyó a la propagación de importantes motivos palladianos, como la ventana veneciana y el cerramiento con bloques.

General Wade's House, Londres (1723)
General Wade's House, en Londres, era la primera casa adosada de Lord Burlington. Era una réplica casi exacta de un diseño de Palladio que Burlington tenía en su colección. En el centro de la fachada hay una ventana palladiana en un arco de descarga (un arco construido en una pared, sobre una ventana, puerta o arco, que descarga el peso de la pared de encima) un elemento característico de los diseños posteriores de Burlington.

Arcada serliana
Una arcada rusticada, a veces limitada a tres arcos, es característica de las casas palladianas. Aumenta la importancia del primer piso y del bloque central. Las arcadas rusticadas aparecen en el tratado de Serlio, pero Inigo Jones también las había usado en la plaza del Covent Garde, incluyéndolas, de ese modo, en el repertorio de motivos palladianos del siglo XVIII.

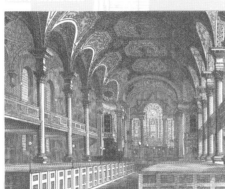

Ventana palladiana en un arco de descarga
Muy favorecidas por Lord Burlington, las ventanas palladianas retranqueadas en el interior de un arco de descarga tenían ventaja sobre las ventanas palladianas simples, ya que estrechaban la composición. El arco de descarga repite el arco de entrada, mientras que el arco de la ventana, más pequeño, se corresponde en altura con el resto de las ventanas del alzado.

Palladianismo temprano

Vitruvius Britannicus

El *Vitruvius Britannicus* de Colen Campbell (1715) fue, quizá, la publicación arquitectónica más importante de la Inglaterra del siglo XVIII. La mayoría de los propietarios de casas de campo se suscribieron a los volúmenes, participando, de ese modo, en un movimiento intelectual que llegó mucho más allá del alcance del libro. En las primeras páginas de cada volumen, Campbell incluía tanto material jonesiano como podía. Inigo Jones era apodado el "British Vitruvius" (Vitrubio británico) que había traído, a través de Palladio, la antigua Roma a Inglaterra. Los propios trabajos de Campbell ocupaban una posición prominente en el libro, promocionándose a sí mismo como líder del movimiento palladiano. En sus diseños, imitaba sumisamente a sus fuentes, lo que posteriormente le costó la crítica de sus contemporáneos. En cualquier caso, hubo grandes casas, como Wanstead y Houghton, que fueron muy influyentes y contribuyeron enormemente a la definición del palladianismo.

Diseño "al estilo Inigo Jones"
Entre los diseños del *Vitruvius Britannicus* que Campbell declaró como de "su propia invención", había una casa de campo que se decía era "al estilo Inigo Jones". Estaba, de hecho, basada en el la Galería de Somerset House, de Jones, la cual también tenía un orden corintio sobre una arcada rusticada.

Dovelas Ⓥ
En los arcos de descarga de la rusticada planta baja de algunas casas de campo palladianas, se intensificaba el efecto decorativo de las dovelas de longitud decreciente, que rodeaban el arco, con la repetición de claves de arco sobre ventanas cuadradas dentro del arco.

Castillo de Mereworth, Kent (h. 1723)

El Castillo de Mereworth, de Campbell, era la más sumisa imitación de un edificio actual de Palladio, basado, tanto en planta como en alzado, en la Villa Rotonda de Venecia. Ambos edificios tienen una planta centralizada y compacta, con cuatro frentes de idénticos pórticos. Horace Walpole describió la villa de Campbell como "perfecta en el gusto palladiano".

Wanstead, Essex (1715-20)
Algunas casas de campo, como Wanstead House, se construyeron a gran escala. Los tres diseños que Campbell produjo incluían el pórtico hexástilo, que es proporcional al tamaño de la casa.

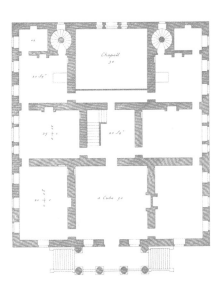

Gran Salón de Houghton, Norfolk (1722)
El Gran Salón de Campbell tiene un interior típico de los años 1720, con elementos arquitectónicos muy acertados, matemática y arqueológicamente hablando, como chimeneas, entabladuras, puertas y ventanas con frontispicios, y un balcón balaustrado con ménsulas.

Stourhead, Wiltshire (h. 1721)
La primera planta que Campbell diseñó para Stourhead derivaba de la Villa Emo, de Palladio, en Fanzolo. Pero la típica planta palladiana, de simples relaciones proporcionales, no satisfizo al patrocinador de Campbell, Henry Hoare, que creyó que era impráctica ya que no tenía escaleras de servicio, mientras que tenía dos simétricas e inútiles columnas de escalera que llevaban a las habitaciones. La planta construida fue un compendio entre simetría y practicidad.

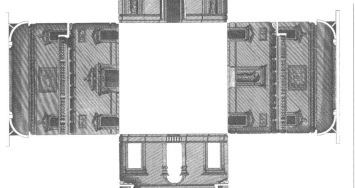

Cerramiento en bloques
A veces llamado "cerramiento Gibbsiano", dada la frecuencia con que aparece en los edificios de John Gibbs, este motivo consiste en un cerramiento de arquitrabes interrumpidos a intervalos regulares por bloques cuadrados de piedra. El cerramiento en bloque puede continuar alrededor del cabecero de la abertura, o estar coronado por claves a modo de frontispicio. Campbell utilizaba mucho este motivo para enfatizar las entradas y ventanas del *piano nobile*.

Palladianismo temprano

Chiswick House, Londres

Chiswick House (comenzada en 1725) es la pieza maestra arquitectónica de Lord Burlington, y en ella se deleitó practicando los conocimientos adquiridos a través del estudio de su colección personal de diseños de Palladio y Jones. El resultado fue un inusual y sobre articulado edificio en el que abundan las citas arquitectónicas. Tanto en el interior como en el exterior, las proporciones estaban basadas en Palladio, mientras que los detalles eran una yuxtaposición académica de los motivos de Palladio, Scamozzi, Jones, Vitrubio y otros. Sin embargo, la cantidad de detalles no fue en detrimento de la calidad de cada característica individual, que era precisa y correcta, revelando el profundo entendimiento de Burlington respecto a los antiguos maestros. A pesar de que Chiswick House estaba basada en la palladiense Villa Rotonda de Venecia, no era una imitación, sino una original interpretación de Palladio.

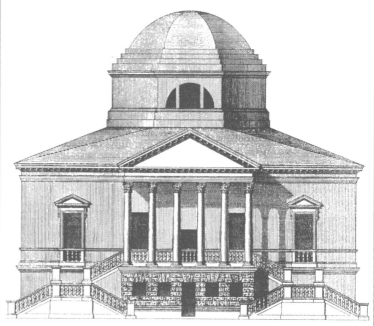

Adorno vermicular

Los adornos vermiculares son una rusticación enfática que consiste en tallar la cara de cada piedra con formaciones curvilíneas, a imitación de huellas de gusanos. Los adornos vermiculares del frontal de Chiswick House contribuyen a su riqueza escultórica.

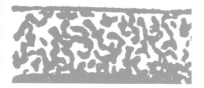

Fachada de entrada

Un podio, con decoración vermicular, soporta un rico pórtico corintio (cada uno de cuyos detalles están tomados de Palladio) con dos escaleras dobles con balaustrada. Ésta continúa entre las columnas del pórtico, y debajo de las ventanas laterales, como en la Casa de la Reina, de Jones.

Planta

En planta, la villa de Burlington era una versión en miniatura de la Villa Rotonda. La nueva casa consistía enteramente en habitaciones oficiales. Los asuntos prácticos (relegados a la antigua casa) no interfirieron con la pureza del diseño, basado en una secuencia de habitaciones contrastantes y proporcionales: redonda, octagonal, rectangular y forma de ábside.

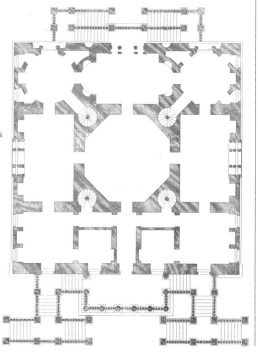

⊘ Frontal del jardín

Está compuesto por tres ventanas Palladianas en el interior de arcos de descarga. Los nichos, la puerta de cabecero redondeado bajo la ventana central y la ventana diocleciana reiteran la temática de arcos.

⊘ Pilares de la entrada

La entrada de Chiswick House está enmarcada con dos pilares palladianos. Bajo el pórtico se repite la decoración vermicular. Los decorativos pilares, con guirnaldas sobre piedras lisas y con decoración vermicular, alternadas, soportan esfinges clásicas.

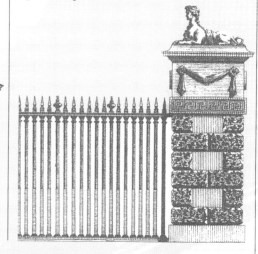

⊘ Sección del salón

El octagonal salón central, o tribunal, está iluminado desde arriba por cuatro ventanas dioclecianas. Las puertas, ricamente adornadas y con frontispicio, son de estilo Jones, mientras que la decoración sigue las líneas palladianas para habitaciones corintias.

⊘ Templo del Jardín de los Naranjos (h. 1725)

Burlington diseñó también una serie de edificios de jardín en Chiswick. Como con la casa, fue meticulosa y arqueológicamente fiel a sus fuentes. Este templo jardín es una cella circular, precedida por una proporcionada réplica del pórtico del antiguo templo de Fortuna Virilis, Roma.

Ventanas dioclecianas

Las ventanas dioclecianas, o "termales", aparecen en muchos bocetos y edificios de Palladio, y derivan en última instancia de los antiguos baños romanos, como los Baños de Diocleciano. Son una característica recurrente de los diseños de Burlington. En el frontal del jardín de Chiswick, los dos parteluces de la abertura segmentada están alineados con las columnas de la ventana palladiana central.

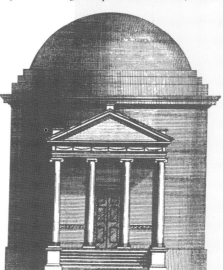

Palladianismo temprano

Lord Brulington y William Kent

La asociación entre Burlington y Kent culminó en Chiswick, cuando Kent contribuyó grandemente a la definición del la palladiana villa, diseñando el jardín. Más tarde se dedicó a la arquitectura y trabajó para la Oficina de Trabajos, donde, asociado a Burlington, produjo diseños para el palacio de Whitehall, casi ninguno de los cuales se llevó a la práctica. En cualquier caso, publicó los diseños de Whitehall de Inigo Jones, que tuvieron gran influencia en los edificios públicos del siglo XVIII. Más allá de la esfera privada, el estilo palladiano produjo algunos edificios públicos importantes. Por ejemplo, las Salas de Reuniones de Burlington, en York, demuestran una tendencia a la antigua monumentalidad romana, que se consiguió más allá de Palladio o Jones.

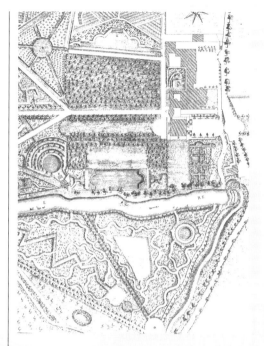

Jardines, Chiswick House, Londres

Kent fue, mayormente, responsable del jardín clásico de alrededor de la villa palladiana de Burlington, donde la arquitectura en miniatura fue uno de los componentes principales. Al final de cada sendero hay una puerta, una cascada, un estanque, un obelisco u otros "incidentes" arquitectónicos, así como pequeños templos basados en la antigüedad, prototipos de Palladio y Jones. El diseño del jardín se basaba en principios geométricos, pero con un esfuerzo consciente por parecer "natural".

Tesorería, Londres (1734)

La Tesorería fue el único diseño del palacio de Whitehall ejecutado que pertenecía a Kent. Se atiene a los diseños de Jones y Webb para Whitehall, que Kent había publicado: exhibe un pórtico con frontispicio que marca el centro de una larga pared rusticada, con una ventana veneciana en el compartimiento central. Los pabellones cuadrados de las esquinas, con ventanas venecianas aisladas, son típicos, en cualquier caso, de las casas de campo palladianas del siglo XVIII.

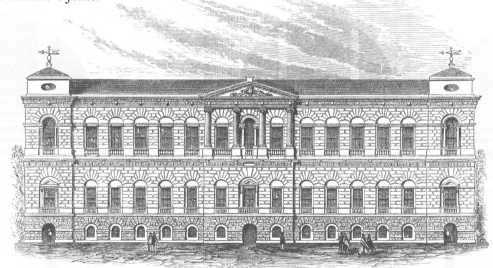

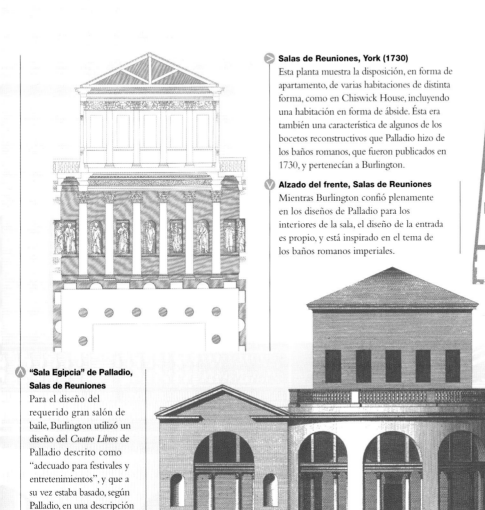

Salas de Reuniones, York (1730)
Esta planta muestra la disposición, en forma de apartamento, de varias habitaciones de distinta forma, como en Chiswick House, incluyendo una habitación en forma de ábside. Ésta era también una característica de algunos de los bocetos reconstructivos que Palladio hizo de los baños romanos, que fueron publicados en 1730, y pertenecían a Burlington.

Alzado del frente, Salas de Reuniones
Mientras Burlington confió plenamente en los diseños de Palladio para los interiores de la sala, el diseño de la entrada es propio, y está inspirado en el tema de los baños romanos imperiales.

"Sala Egipcia" de Palladio, Salas de Reuniones
Para el diseño del requerido gran salón de baile, Burlington utilizó un diseño del *Cuatro Libros* de Palladio descrito como "adecuado para festivales y entretenimientos", y que a su vez estaba basado, según Palladio, en una descripción de Vitrubio de las salas egipcias. Imitando el diseño de Palladio, Burlington pensó que estaba siguiendo concienzudamente las recomendaciones de la antigua Roma.

Corte transversal, Salas de Reuniones
Palladio recomendaba que la longitud de la sala fuera la de las antiguas basílicas, y Burlington, como es debido, usó una longitud de dieciocho columnas. Pero la planta fue criticada por poco práctica para su función, ya que las naves laterales y los intercolumnios eran demasiado estrechos para los bailarines.

Palladianismo temprano

Palladianismo americano

En América, la primera aparición de los motivos palladianos data de mediados del siglo XVIII, o periodo georgiano. El diseño de los edificios recaía sobre gentilhombres aficionados y carpinteros, los cuales confiaban en los tratados ingleses del siglo XVIII, especialmente los de Palladio. Los tratados se usaban como patrones para los detalles finales del alzado y, sólo hacia finales de siglo, el palladianismo tomó un nuevo significado, con plantas más deliberadas y conscientes de sí mismas. Thomas Jefferson (más tarde tercer presidente de los Estados Unidos) era un arquitecto aficionado que poseía una librería de tratados arquitectónicos, y que utilizó el estilo palladiano para soportar sus ideales republicanos y democráticos.

Casa georgiana
Hacia mediados del siglo XVIII, prevaleció un tipo de casa en Norte América que consistía en una planta rectangular con tejado en pendiente ascendente y ventanas abuhardilladas con frontispicio. Las puertas, las ventanas y las chimeneas se diseñaban y colocaban de acuerdo con los motivos clásicos y las proporciones de libros como el *Tesoro de Diseños* (1740) de Batty Langley y el *Libro de Arquitectura* (1728) de James Gibbs.

Ventana palladiana abuhardillada ⬇
Los tejados a cuatro aguas de las casas nuevas no eran tan abruptos como los de sus predecesoras coloniales, y sus hastiales a menudo se interpretaban como frontispicios clásicos. Las ventanas de buhardilla tenían, ocasionalmente, forma de ventana palladiana, y había muchos ejemplos de ellas en los tratados ingleses que circulaban.

Pabellón de entrada proyectado
Los pabellones de entrada con frontispicio eran una característica recurrente. Se soporta la pesada cornisa con modillón, a menudo con frontispicio y muy favorecida en América, mediante dos columnas aisladas. El proyectado pabellón de entrada era una adaptación práctica y culminante de la entrada *aedicule*, y tenía semejanzas con el pórtico frontal de un templo.

Mount Vernon, Condado de Fairfax (1757-87) ⬇
El propietario de Mount Vernon remodeló y amplió su propiedad, en varias fases, siguiendo el diseño de una villa palladiana. La colocación asimétrica resultante de la primera remodelación se disimuló por doquier con acentuaciones fuertemente simétricas de Palladio, como arcadas proyectadas formando un antepatio y una gran cúpula octagonal sobre el caballete del tejado, encima de un gran frontispicio central.

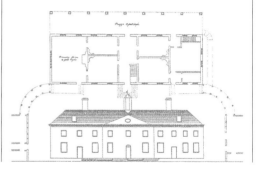

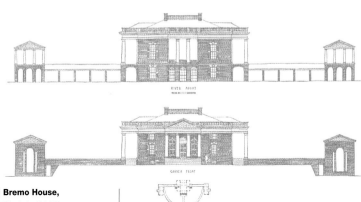

Bremo House, Virginia (1818)

Bremo House es un ejemplo, típicamente partido en dos bloques, del georgiano tardío. El diseño es una reminiscencia de las casas palladianas inglesas, con ventanas palladianas aisladas en pabellones laterales, enmarcando éstos un pórtico de templo en el frente del bloque principal.

Poplar House, Virginia (1820)

La planta de Jefferson para Poplar House estaba basada en un diseño octagonal de Jones. Jefferson introdujo divisiones prácticas, sin romper la simetría.

Concurso de diseños para la Casa del Presidente, Washington (1792)

En su no ejecutado diseño para la Casa del Presidente, en Washington, Jefferson se mostró verdaderamente palladiano, en el sentido de Lord Burlington y Colen Campbell. Sus diseños de villa centralizada, con idénticos pórticos frontales en los cuatro lados, está muy basado en la Villa Rotonda que Palladio hizo en Venecia.

Universidad de Virginia, Charlottesville (1823-27)

Jefferson diseñó esta universidad siguiendo una planta de villa palladiana, con una rotonda central, inspirada en un panteón, al final de un largo antepatio. Las característicamente palladianas "alas de servicio" (los dormitorios de estudiantes y profesores) estaban en pabellones laterales.

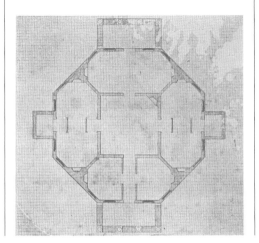

Monticello, Virginia

El primer diseño que Jefferson hizo para su propia casa de Monticello tenía un pórtico central de dos plantas con detalles tomados de la escala palladiana de órdenes dórico y jónico. A su regreso de Francia, en 1796, Jefferson remodeló completamente la casa, usando detalles "republicanos" franceses más que palladianos. La localización de la casa, sobre una colina, seguía siendo una romántica resonancia de la Villa Rotonda de Palladio, como lo eran la cúpula y el pórtico independiente.

Neoclásico,
mediados siglo XVIII – mediados siglo XIX

Los orígenes del neoclasicismo

El neoclasicismo es un estilo complejo y variado. En parte como reacción a los excesos del barroco y el rococó, es un intento de volver a la pureza y nobleza de la arquitectura. Aunque el término "neoclasicismo" no se acuñó asta finales del siglo XIX, el estilo fue muy popular desde mediados del XVIII en adelante. Con sus raíces en la búsqueda intelectual, el neoclasicismo se desrrolló partiendo de cuatro corrientes: arqueología, fuentes impresas, romanticismo y pureza estructural.

Los antiguos edificios griegos y romanos se estudiaron con rigor arqueológico; cantidades ingentes de láminas grabadas las representaban como románticas ruinas; y la simplicidad de las estructuras griegas sugirió diseños sin ornamentar, o poco ornamentados.

Arco de Constantino, Roma
Giovanni Battista Piranesi, un pintor y arquitecto del siglo XVIII, acercó al gran público, mediante sus libros de grabados, muchos edificios romanos. Éste representa el Arco de Constantino medio en ruinas.

Fragmentos de capiteles romanos
Estos fragmentos de capiteles son un ejemplo típico del eclecticismo de la arquitectura romana. Aunque están basados en la forma corintia, usan el lenguaje alegremente: el de la izquierda muestra mujeres y armaduras soportando la parte superior, mientras que el de la derecha representa un caballo saliendo a galope de una hoja de acanto.

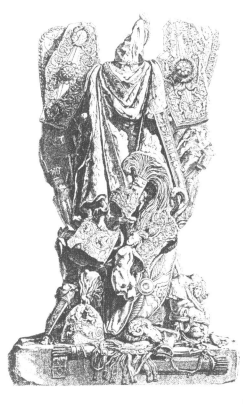

Trofeo de Octavio Augusto
El Trofeo de Octavio Augusto, una combinación de armas y armaduras colocadas decorativamente, era un motivo de la decoración romana. Fue utilizado por los arquitectos del siglo XVIII para avivar los salones de entrada. En este contexto se retorna a la idea medieval de guardar las armas en la sala, como defensa.

**Orden jónico,
Templo en el Ilissus**

Esto muestra la basa, el capitel, el friso y la entabladura de orden jónico utilizados en Ilissus. La publicación en semejante detalle significaba que los elementos individuales podían recogerse y utilizarse en los edificios nuevos, proporcionando un glosario de formas y referencias arquitectónicas.

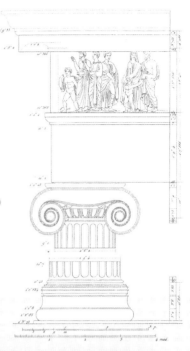

Templo de Baalbek, Siria
Este corte transversal muestra la típica combinación de romanticismo y precisión que acompañó a las investigaciones arqueológicas. El detalle está perfectamente registrado, pero las plantas se pintaron demasiado grandes sobre el corte, para dar un toque romántico.

**Templo en el
Ilissus, Atenas**
Este templo jónico del Ilissus es uno de los muchos edificios griegos que sirvieron de inspiración en los siglos XVIII y XIX. La simple fachada del templo, de cuatro columnas, reaparecería en muchas iglesias de toda Europa.

**Friso,
Templo de Palmira, Siria**
El motivo del caballo saltando emerge aquí del centro de una flor de un friso, no de un capitel. Los arqueólogos descubrieron que había mucha variación en los ejemplos construidos, en lugar de una única forma por cada orden.

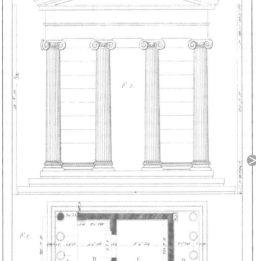

**Reconstrucción
de la cabaña primitiva**
En esta reconstrucción de una cabaña primitiva, el teórico francés Marc Antoine Laugier llevó la noción de pureza estructural hasta el extremo, mostrando cómo las formas de los órdenes derivan de la construcción en poste-dintel de la "primera" cabaña.

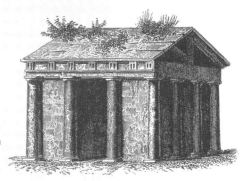

Neoclásico

Un nuevo vistazo a los órdenes

Los cinco órdenes son las piedras angulares de la arquitectura clásica, y muchos escritores habían registrado su interpretación de los órdenes a lo largo del tiempo. La arqueología de yacimientos nuevos trajo un nuevo entendimiento de la diversidad de detalles que podían adoptarse. Ahora era posible elegir una columna dórica griega, sin basa, o la versión romana, con ella. Ambas estaban bien documentadas, y podían utilizarse como prototipos adecuados. Unos cuantos arquitectos quisieron ampliar el canon tradicional de los cinco estilos creando uno propio –a veces escogiendo partes de uno y otro; o incluso, en ejemplos concretos, creando un nuevo tipo para encarnar una idea particular.

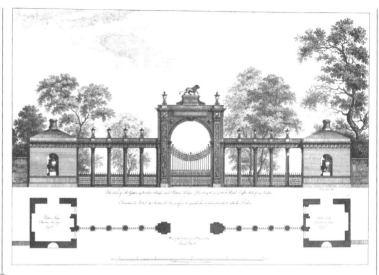

Orden dórico en la entrada, Syon House, Middlesex
El dórico se veía como un orden masculino y era, por tanto, particularmente apropiado para su uso en entradas o pórticos. Aquí, los elementos del orden se han aplicado con cierta libertad, proporcionando una alegre interpretación.

Base de pilastra en la entrada, Syon House
La base de esta pilastra es un vuelo de la imaginación con cuatro garras de león. No hay antecedentes y debe ser considerado como una broma, posiblemente para ahuyentar a los visitantes.

Capitel de orden dórico, Syon House
Este capitel de orden dórico está más decorado que sus antecedentes clásicos con hojas y madreselva (*antemiyon*) tejidos juntos. El friso es más sobrio, aunque alterna los tradicionales *bucrania* (cráneo de buey) con cabezas de carnero.

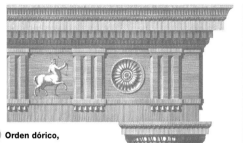

**Orden dórico,
Shelburne House, Londres**
El elaborado tratamiento del
orden jónico de Syon House
contrasta con la simpleza de la
basa, el capitel y la entabladura de
Shelburne House (h. 1762-67).
En el friso, los centauros sustituyen a los tradicionales
bucrania, alternándose, en las metopas con *paterae*
(medallones en bajorrelieve).

**Orden corintio, Williams
Wynn House, Londres**
Esta variación de la
forma usual de corintio
presenta pequeñas
cabezas de carnero en
lugar de volutas, y tiene
un friso compuesto
de rosetones dentro de
guirnaldas circulares
de flores. Se conserva
la forma tradicional
de entabladura.

**Orden jónico, antesala,
Syon House**
Este ejemplo de orden
jónico muestra cuán
decorados podían estar
los órdenes. Las volutas
del jónico han sido
adornadas con patrones
de hojas enrolladas, y el
ábaco ha sido envuelto
con hojas de palma.

Diseño del orden británico
Este nuevo orden exhibe
un capitel con un león y
un unicornio flanqueando
la corona británica, que se
toma, a modo de préstamo,
del escudo de armas real. El
friso continúa con el tema
patriótico, alternando el
león y el unicornio, y es
una reminiscencia del friso
de caballo de Palmira.

**Orden jónico,
Shelburne House**
Ésta es una versión mucho
más simple, pero igual de
recononocible, de orden jónico.
Las volutas son sencillas, al
igual que el ábaco; el friso
tiene un ritmo alterno de
motivos de madreselva.

Neoclásico

Neoclasicismo en Francia

Francia fue uno de los primeros países en reaccionar contra los estilos barroco y rococó. Los arquitectos diseñaban edificios basados en el lenguaje arquitectónico clásico desde mediados del siglo XVIII, pero eran comedidos en detalles y decoración. Los teóricos franceses se acercaron al clasicismo bajo el espíritu de búsqueda racional y construyeron teorías sobre el origen de los órdenes. Cuando se pusieron en práctica, los edificios resultantes tuvieron un carácter propio que los distinguió de sus predecesores. Los franceses también fueron pioneros en el nuevo acercamiento arqueológico a los edificios antiguos. En 1758, Jean-Dénis Leroy publicó por primera vez un registro de edificios griegos antiguos y, románticamente, lo tituló *Ruines des plus meaux monuments de la Gréce.*

La cabaña primitiva

Los teóricos franceses fueron los primeros en proponer el desarrollo de los órdenes desde los principios fundamentales de la construcción de la cabaña primitiva. Los trabajos publicados a mediados del siglo XVIII sugieren que los maderos podrían equivaler a las columnas, y la decoración de los frisos derivaba de las juntas en la madera.

Fachada, Petit Trianon, Versalles (1761–64)

Esta fachada expresa perfectamente el nuevo deseo de simplicidad y moderación. Está articulada mediante un orden corintio controlado, que expande los vanos centrales, y las ventanas se adornan con molduras lo más sencillas posible. El conjunto está coronado por una sencilla balaustrada sin estatuas.

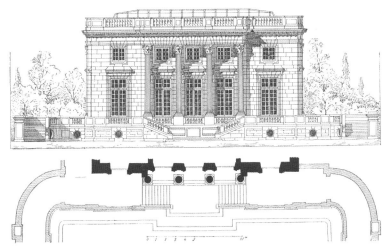

Tejado de pórtico, Comédie-Française, París

El tejado de este pórtico es también un balcón. En la arquitectura griega y romana no hay precedentes de esta característica, la cual es un ejemplo del racionalismo francés, que adapta un espacio redundante a un nuevo uso.

Detalle de ventana termal, Comédie-Française

Las ventanas termales, una característica ya presente en el palladianismo inglés, también fueron adoptadas en los diseños del neoclasicismo francés –aquí, en los alzados principal y laterales.

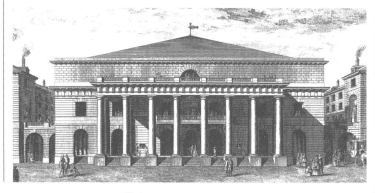

Planta, Panteón, París (comenzado en 1757)

Esta planta tiene forma de cruz griega, con los cuatro brazos de igual longitud. Muchos arquitectos del siglo XVIII consideraban que la cruz griega era una forma particularmente perfecta de simetría y una mejora sobre la planta gótica tradicional de nave larga y coro pequeño.

Corte transversal, Panteón

En este corte transversal del Panteón, la nave se articula mediante filas de columnas estructurales independientes. Los pilares que soportan el crucero se reducen al mínimo, y la entabladura no está partida. El efecto es de luz y espacio, similar al de una iglesia gótica.

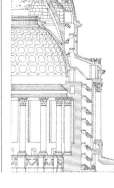

Alzado, Comédie-Française (1787–90)

El exterior del teatro está cubierto con albañilería rusticada y articulado por un pórtico dórico octástilo (ocho columnas). La sólida simplicidad del diseño es típica del retraído estilo neoclásico francés.

Corte transversal de cúpula, Panteón

Esta sección de la cúpula muestra su construcción única. Está hecha con tres armazones, de los cuales, el más externo es la cúpula exterior. El armazón de en medio es completamente invisible para el observador, pero es importante estructuralmente, ya que soporta la cúpula.

Neoclásico

Neoclasicismo inglés: el Vocabulario de la Casa Neoclásica

El neoclasicismo fue más una nueva interpretación de las formas antiguas que un estilo de invención. La invención de formas se sustituyó por invención en la composición, agrupando y ordenando los variados elementos. El vocabulario de la arquitectura clásica, tal como se registró en los edificios antiguos de Grecia y Roma, se reinterpretó para crear nuevos tipos de edificios. De las antiguas Grecia y Roma sobrevivieron muy pocos edificios domésticos a pequeña escala. En su lugar se saquearon y agruparon los elementos de templos, arcos, baños y otros edificios públicos para formar ambientes domésticos apropiados para la vida en los pueblos y el campo ingleses. Tamaño, proporción y simetría fueron elementos clave, pero la riqueza y disponibilidad de las fuentes publicadas posibilitaban que cada casa tuviera diferentes y variados detallles.

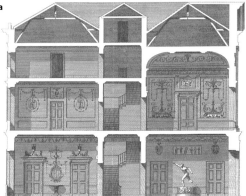

Diseño de la fachada principal de una villa
Este diseño muestra una rigurosa simetría en su alzado, y la inclusión de muchos motivos —como el pórtico jónico y el uso de estatuas y bajorrelieves— inspirados en los diseños de templos.

Corte transversal de una villa
Este corte muestra cómo se extendió la simetría, dentro de los límites de la practicidad, a la planta y al exterior. Aquí se disponen las habitaciones alrededor de un salón y unas escaleras centrales, aunque los altos techos del salón de la derecha necesitaron la introducción de un entrepiso en el lado izquierdo.

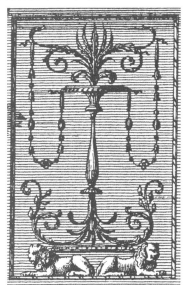

Detalle de un arabesco
Basado en la corriente de formas naturales dispuestas en un patrón geométrico, los arabescos se aplicaron a la escayola o se pintaron directamente en la pared. Este motivo se usó muy extensamente en el movimiento neoclásico inglés.

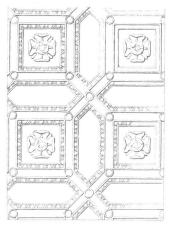

Diseño de un techo
Los diseños de techos estaban, a menudo, inspirados en aquellos de los antiguos edificios, y la geometría era una característica clave. Este diseño muestra un techo compartimentado, formado por cuadrados, otágonos y hexágonos.

Diseño de una esfinge
La esfinge, una criatura mítica con cuerpo de león y cabeza de mujer, era un motivo recurrente en el neoclásico, y se usaba en los techos, frisos y chimeneas.

Diseño de una puerta
Generalmente, las puertas se dividían en seis secciones mediante paneles "presentados" o elevados. A menudo había una línea en el centro de las puertas, aunque rara vez se abría en la mitad. Se utilizaban elaboradas puertas con motivos como hojas de acanto, urnas y esfinges.

Rusticación
La rusticación es el uso de grandes bloques de piedra cortados toscamente, separados por gruesas uniones. Se usaba principalmente para enfatizar las plantas bajas y unir el edificio, visualmente, al suelo.

Arco ciego
Los arcos ciegos eran un elemento usado para articular la superficie de los muros. Son depresiones poco profundas en forma de arco, y se usaban principalmene en el exterior de los edificios, a menudo alrededor de las ventanas. También se usaban para romper largas extensiones de pared en blanco.

Diseño de un nicho
Los nichos, o huecos en la pared, se encontraban a menudo en los ambientes domésticos y siempre se colocaban simétricamente en la planta de la habitación. Podían utilizarse para contener un mueble o una escultura.

Diseño de una pilastra
Las pilastras se usaban para articular tanto los muros interiores como los exteriores. Podían ser sencillas, estriadas o animadas con decoración, como estos antemiyon concatenados.

Diseño de una chimenea
La controlada composición de esta chimenea es típica de un diseño neoclásico inglés. Tiene varios motivos recurrentes, incluyendo un patrón clave griego en el friso y cabezas de cariátides soportando la repisa de la chimenea.

Neoclásico

Robert Adam y el detalle del diseño

El arquitecto Robert Adam (1728-92) está intrínsecamente vinculado con el movimiento neoclásico inglés, y dio su nombre a un estilo de decoración de interiores. El estilo *adam* combina el entendimiento de la proporción con la preclara visión de los detalles, como las manillas de las puertas o los jarrones. A menudo se encargó de remodelar edificios existentes, en lugar de nuevos, residiendo su genio en su habilidad para crear secuencias de habitaciones, bien proporcionadas y de interesantes formas, que deleitaban la vista. Se refería a este concepto como "movimiento" y lo describió como "el levantamiento y la caída, avance y retroceso con otra diversidad de forma de las diferentes partes de un edificio, para añadirse grandemente a la pintoresca de la composición". Estos detalles de Syon House, Middlesex, que se modificaron entre 1761 y 1771, muestran cómo llegó a su estilo.

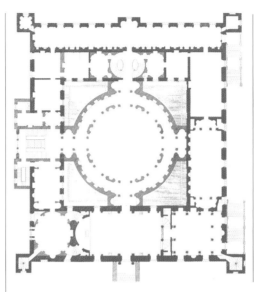

Mampara dórica, vestíbulo

Esta mampara dórica parte el final del vestíbulo y disimula inteligentemente el cambio de nivel del vestíbulo original. La figura del Gladiador Moribundo, colocado entre columnas, desvía la atención de los niveles, y refuerza la atmósfera de templo de la habitación.

Planta, Syon House

Adam reestructuró la planta jacobea de Syon House para crear una interesante secuencia de habitaciones, cada una con una forma contrastante. El enorme espacio circular central es el patio de la casa original. Se pensó como salón de baile, pero de hecho no llegó a construirse.

Pedestal de estatua, vestíbulo

Cada elemento de una habitación diseñada por Adam estaba cuidadosamente meditado. Este pedestal está decorado con gran variedad de motivos, incluyendo un friso de *antemiyon* y *paterae* suspendidos de cordeles. Debajo de éstos aparece una guirnalda sujeta por máscaras de león. Todos estos elementos eran muy conocidos, pero nunca habían aparecido combinados de este modo.

Diseño de una sobrerrepisa

Una sobrerrepisa es un panel decorativo que se coloca en el frente de la chimenea, por encima de la repisa. En este ejemplo, Adam copió la forma de un bajorrelieve (una escultura plana modelada contra el muro) que representa una mujer a la que su criada le lava los pies.

Diseño de una lámpara de aceite

Una lámpara de aceite, usada como un *acroterion*, es un ejemplo de practicidad combinada con decoración. Un par a cada lado de los extremos de la mampara guiaba a los visitantes a la puerta.

Diseño de un trofeo

Esta forma de decoración, que había sido utilizada en los arcos triunfales de la arquitectura romana, encontró un nuevo uso al proporcionar paneles decorativos para los vestíbulos. En este ejemplo, el panel se ha compuesto simétricamente alrededor de una armadura central, y las formas variadas de los escudos evitan que se haga repetitivo.

Diseño de la Larga Galería

Adam se enfrentó al reto de convertir una forma jacobea en un interior clásico. Su solución fue brillante: utilizó librerías para articular las crujías, puntuando la monotonía del espacio de la larga galería con chimeneas, espejos y puertas.

Diseño de un suelo de scagliola

Adam generalmente proporcionaba diseños de alfombras: este suelo es inusual, ya que está diseñado en scagliola, una mezcla de escayola, pigmento y sisa (un tipo de pegamento) en forma de masa que se disponía en patrones. Cuando se secaba, la superficie podía pulirse y barnizarse.

Diseño de un vaso

La mampara exterior se avivaba con vasos colocados en nichos. Los motivos clásicos incluían cabezas de carneros y leones y una corona de laurel alrededor de su base.

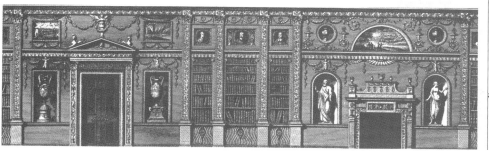

Neoclásico

El Renacimiento Griego en Inglaterra (neoclasicismo)

El estilo neoclásico es más un barniz que una imitación pura y dura: los edificios no se copiaban al por mayor, sino que se tomaban prestados elementos para crear nuevos tipos. Los edificios de Grecia eran muy conocidos a finales del siglo XVIII gracias a la publicación de los estudios arqueológicos. En Inglaterra, un trabajo clave fue *The Antiquities of Athens* (1762), de James Stuart y Nicholas Revett. A principios del siglo XIX, la creciente creencia en la supremacía de los órdenes griegos provocó que los arquitectos los copiaran sumisamente, especialmente en los edificios públicos, donde concedían un aire de monumentalidad e, implícitamente, vinculaban a los políticos ingleses y griegos antiguos. El Teatro de Covent Garden (jardines Covent) de Robert Smirke fue el primer edificio dórico griego de Londres, pero su Museo Británico es, quizás, uno de los edificios ingleses neoclásicos más conocidos.

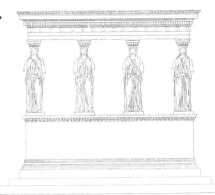

Pórtico de cariátides, Erecteión, Atenas

El exterior de las proyecciones norte y sur de la iglesia de San Pancracio están copiadas directamente de la tribuna cariátide (figuras femeninas utilizadas como soporte para la entabladura) del Erecteión de Atenas. Las proyecciones de la iglesia contienen sacristías gemelas.

Linterna de Lisíscrates, Atenas

En la iglesia de San Pancracio se combina la forma básica de la Linterna de Lisíscrates con aquella de la Torre de los Vientos de Atenas, alzándose el conjunto sobre la iglesia para crear una altiva torre inglesa que domina la línea del horizonte.

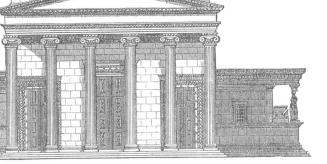

Alzado oeste, Iglesia de San Pancracio, Londres (1819-22)

El alzado oeste de la iglesia de San Pancracio es un ejemplo típico de neoclasicismo. Se vuelve a utilizar la forma básica de la iglesia de principios del siglo XVIII, combinando una forma de templo con una torre gótica. Sin embargo, los órdenes y otras partes del edificio son copias exactas de los originales griegos.

Templo de Earl Tilney, Wanstead, Essex (*h.* 1765)

Este pequeño templo de jardín fue influenciado por la planta de la Torre de los Vientos, con sus columnas pareadas colocadas en las esquinas, aunque difiere en el alzado y el uso de los órdenes.

Greca griega

Este patrón es un motivo clásico muy conocido, y con muchas variantes. Se compone de líneas horizontales y verticales unidas, en ángulo recto, para formar una banda decorativa continua que se usaba en arquitrabes y frisos.

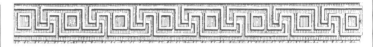

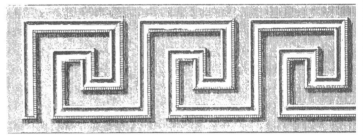

Greca griega, Kenwood House, Londres

Este sencillo ejemplo de una greca griega fue usado a modo de hilera volada, en el exterior de Kenwood House, para separar visualmente las plantas del edificio y para ayudar a prevenir la erosión de la piedra o ladrillo.

Fachada, The Grange, Hampshire (1804–09)

Éste es un ejemplo típico de quinta neoclásica. Se añadió un pórtico hexástilo (seis columnas) a un edificio ya existente para dar una sensación de templo monumental, algo que está reñido con su ubicación rural. Dentro se conservó la planta original.

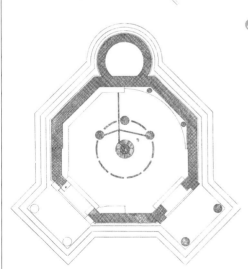

Planta, Torre de los Vientos, Atenas

El mismo edificio inspiró dos diseños muy distintos: por un lado, un pequeño edificio de jardín (arriba), y por el otro, la mitad inferior de la torre de la iglesia de San Pancracio (izquierda).

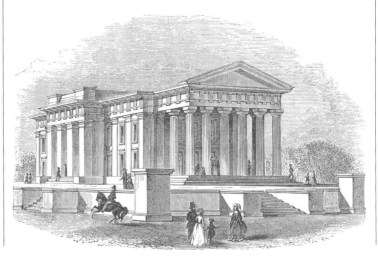

Neoclásico

Nuevos Tipos de Edificios Públicos

El crecimiento económico británico de finales del siglo XVIII y del siglo XIX creó la necesidad de nuevos edificios públicos que sirvieran de símbolo del orgullo nacional y del éxito. El estilo clásico fue un modelo perfecto, combinando los acertados elementos de dignidad y grandeza con monumentalidad e impresionante escala. Los elementos individuales de los edificios públicos de las antiguas Grecia y Roma podían adaptarse libremente para su uso británico, y, así, los ayuntamientos, museos y universidades recordaban externamente a los baños y los templos romanos y griegos. Utilizar semejantes edificios como inspiración implicaba una relación entre los lgros de los antiguos imperios y aquellos de la Bretaña actual. Estos ejemplos de tipos de edificios públicos, erigidos en estilo neoclásico entre 1770 y 1850, muestran la gran variedad y versatilidad posibles.

Museos nacionales: fachada, Museo Británico, Londres (1823–47)

El concepto de museo nacional como depositario de las adquisisciones de un país y, por extensión, de su civilización se desarrolló a mediados del siglo XVIII. La fachada del Museo Británico es una columnata jónica continua construida a gran escala y modelada según el templo de Atenea Polias en Priene, Grecia.

Museos nacionales: modelo de la puerta del Museo Británico

La puerta de entrada al templo interior del Erecteión, Atenas, es similar, en detalles, a la puerta principal del Museo Británico. En una escala monumental, empequeñece al visitante y crea una atmósfera intencionadamente sobrecogedora.

Instituciones académicas: fachada, Instituto Tayloriano, Oxford (1841–45)

El prominente ático, articulado con ventanas termales y terminado con una profunda cornisa, disimula una galería interna adecuada con mesas de lectura. los capiteles de las proyectantes columnas se basan en el Templo de Apolo, Bassae, y portan esculturas sobre la entabladura.

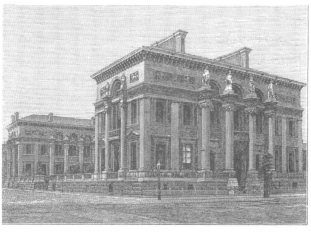

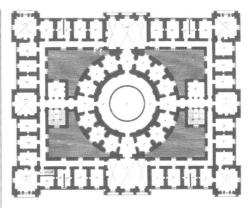

◅ **Oficinas de registros:
planta, Oficina de Registros
Edimburgo**

Esta inusual planta muestra un espacio central circular, o sala de lectura, rodeada por un aillo de habitaciones en forma de cuña. Las escaleras están colocadas en parejas a cada lado del espacio central, logrando una perfecta simetría en los dos ejes.

▲ **Ayuntamientos:
alzado, St George's Hall,
Liverpool (1841–56)**

Construido como sala de asambleas, sala de conciertos y tribunal, todo ello bajo un mismo techo, tenía una comedida y sobria fachada coronada por un ático sencillo. El edificio reflejaba la importancia de Liverpool, que estaba entre las ciudades más ricas de Bretaña.

▽ **Oficinas de registros:
alzado, Oficina de Registros,
Edimburgo (1771–92)**

El alzado principal es claramente Palladiano, aunque el detalle de la Oficina de Registros –incluyendo sus arcadas ciegas, sus hundidos paneles decorativos en el pórtico y su roel en el frontispicio– lo definen como perteneciente al movimiento neoclásico.

▽ **Edificios gubernamentales:
portada del Almirantazgo, Whitehall (1759–61)**

La portada se diseñó para proporcionar una entrada monumental y cobijar el patio abierto de los edificios del Almirantazgo en Whitehall. El sencillísimo orden dórico, con columnas pareadas y nichos ciegos, da una imponente y lúgubre impresión.

▲ **Ayuntamientos: planta, St. George's Hall**

Dentro, la monumental sala de asambleas central está articulada mediante un orden gigante de granito rojo que es una reminiscencia del interior de las basílicas romanas. El par de juzgados, uno en cada extremo, tienen una articulación similar, pero más pequeña.

**Edificios gubernamentales: ▲
detalles de la decoración,
Portada del Almirantazgo**

Construido durante el periodo de supremacía naval británica, la portada incorpora una apropiada decoración temática con referencias clásicas. Sobre la entrada hay mitológicos caballitos de mar alados, y los frontispicios de los pabellones se animan con proas de barcos al estilo griego.

Neoclásico

Neoclasicismo en América

El movimiento neoclásico en América (1780-1860) estaba muy relacionado con su estatus político de nueva república. Esto estaba subrayado por el hecho de que uno de los presidentes más influyentes de América, Thomas Jefferson (1743-1826), fue uno de los máximos responsables de la introducción del neoclasicismo como estilo federal. Consumado arquitecto aficionado, los primeros diseños de Jerfferson, de los años 1770, están arraigados en estudios académicos y muestran una fuerte influencia palladiana. Después de viajar mucho por Europa, y habiendo sido impresionado por los escritos de racionalistas franceses, que abogaban por un retorno a la pureza estructural, se dio cuenta de que los edificios griegos y romanos eran modelos perfectos para edificios federales. Su diseño del Capitolio del Estado de Virginia, en Richmond, a partir del Maison Carrée de Nîmes fue el primer edificio americano que imitaba la forma de un templo.

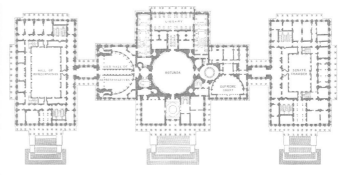

Planta, Capitolio, Washington
La planta del Capitolio, si bien se alteró al contruirla, muestra que el bloque central tiene brazos de igual longitud en los que se alojaban variados espacios de ingeniosa forma, incluyendo cámaras semicirculares para el Senado y la Cámara de Representantes.

Alzado principal, Capitolio, Washington (1792-1817)
El Capitolio de Washington, hogar de la rama legislativa del gobierno, fue el encargo arquitectónico americano más importante de su tiempo. La forma básica consiste en una rotonda central coronada con una imponenete cúpula, añadida posteriormente, que está flanqueada por dos alas, con frontispicio, articuladas con un orden gigante.

Corte transversal por la rotonda central, Capitolio, Washington
Después del incendio de 1814, el Capitolio tuvo que ser reconstruido. Se aprovechó la oportunidad para crear dos nuevos "órdenes" y reflejar así los importantes productos americanos de los que dependía la riqueza del país. Las columnas de la entrada al Senado se dotaron de capiteles en forma de hojas de tabaco, y en otras zonas se introdujeron capiteles en forma de mazorca y de hoja de maíz.

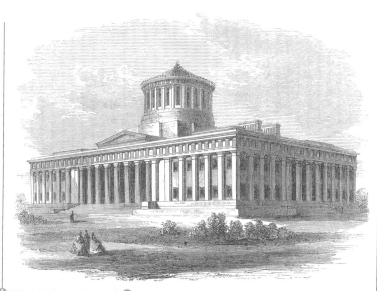

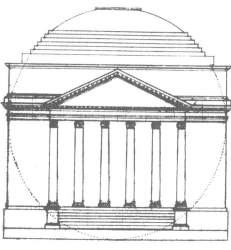

Diseño de la Rotonda, Universidad de Virginia, Charlottesville (1821)

Uno de una serie de edificios diseñados por Thomas Jefferson para la Universidad de Virginia (ver también pág. 283), la Rotonda, era la característica central del campus, y alojaba la biblioteca principal. Su forma deriva del Panteón romano, y el diseño muestra que hay un círculo detrás de la forma del alzado, al igual que en le planta.

Alzado, Capitolio de Estado, Ohio (1830–61)

Este edificio neoclásico usa un orden dórico sin basa, elegido por su solemnidad. La planta es un simple rectángulo con un pórtico octástilo colocado in antis. El orden, como las pilastras envuelve el edificio.

Alzado, Ezekiel Hersey Derby House, Salem, Massachusetts (c. 1800)

Este alzado, de cuatro vanos, es una reminiscencia de los ayuntamientos diseñados por Robert Adam treinta años antes. Copia motivos como las arcadas ciegas a nivel del suelo y las pilastras del piso superior.

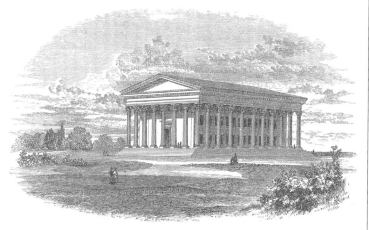

Alzado, Girard College, Philadelphia (1833–47)

Basado en el romano Maison Carrée de Nîmes, Francia, el imponente exterior del Girard College está articulado con un orden corintio gigante, de 17 m (55 pies) de alto, que contiene una academia de dos plantas. La forma se ha copiado tan completamente, que el ventanaje (disposición de las ventanas) está colocado detrás de la filas de columnas, haciendo el interior bastante oscuro.

Neoclásico

Neoclasicismo alemán

Alemania no existió como nación hasta 1871, sino que era una colección de estados independientes y principados, unidos por un lenguaje común. El desarrollo del estilo neoclásico en Alemania (1785-1850) está muy vinculado con la búsqueda de una identidad nacional –un movimiento que tiene sus raíces en Prusia, el estado más poderoso del mundo de habla germana. Una nueva generación de arquitectos, influenciados por los teóricos franceses, se aferraron al estilo neoclásico, ya que parecía combinar belleza estética con un serio propósito cívico; como en todas partes, consideraron el estilo neoclásico como apropioado para edificios públicos. Acertadamente, el primer diseño neoclásico fue un monumento a Federico el Grande, que había plantado las semillas de la nación alemana. El primer edificio neoclásico construido fue la Puerta de Brandenburgo, entrada de Berlín, capital de Prusia y casa de la corte.

Puerta de Brandenburgo, Berlín (1789–94)
Construida para enmarcar el acceso oeste de la ciudad, la puerta está basada en el Propileo de la Acrópolis, Atenas, el cual formaba la entrada al santuario. La Puerta de Brandenburgo le toma prestados el pórtico hexástilo, con su doble fila de columnas dóricas, y los pabellones que lo flanquean.

Detalle de la basa del orden, Puerta de Brandenburgo
Una diferencia significativa entre los detalles de ambos edificios es el uso del orden dórico en la Puerta de Brandenburago. Esto le da a la entrada una sensación de ligereza y delicadez mayor que la de su predecesora griega.

Detalle de la basa del orden, Propileo
La ausencia de basa en el orden dórico griego da un aire de gran solemnidad y permanencia, y, debido a ello, era particularmente deseable para la entrada a un lugar sagrado.

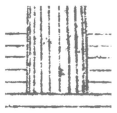

Propileo, Atenas
El Propileo –fuente de la Puerta de Brandenburgo– era más que una simple mampara de columnas: detrás del pórtico, el visitante habría entrado en un ancho pasaje flanqueado por habitaciones a ambos lados, antes de emerger en la Acrópolis.

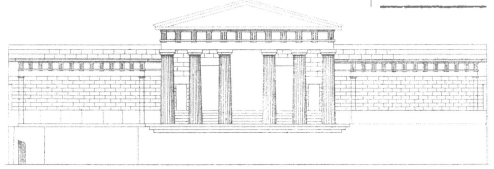

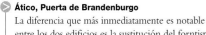

Ático, Puerta de Brandenburgo

La diferencia que más inmediatamente es notable
entre los dos edificios es la sustitución del forntispicio
del Propileo por un ático coronado con una quadriga:
grupo escultural de carrroza tirada por cuatro caballos
a menudo usada sobre fachadas o arcos memoriales.
La figura alada representa la Victoria.

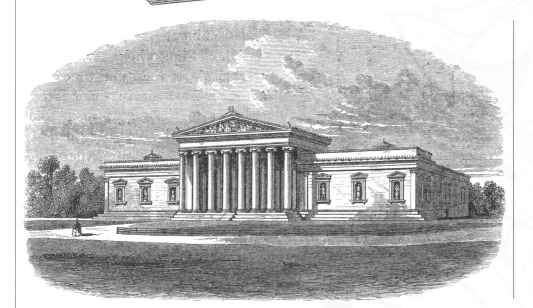

Fachada, Glyptothek, Munich (1816–30)

Glyptothek es una
palabra griega para galería
escultórica. La atracción
principal de este alzado
es un pórtico octástilo (ocho
columnas) con capiteles
jónicos basados en el orden
del Erecteíón, Atenas, aunque
las columnas no están
estriadas. Las proyectadas alas
son reminiscencia de la
arquitectura renacentista
italiana.

Fachada, Ruhmes-Halle, Munich (1843–54)

Construido para honrar
bávaros importantes, el Salón
de la Fama tiene un alzado
que consiste en una
columnata continua de
cuarenta y ocho columnas
dóricas griegas, colocadas
en forma de U, y alzadas
sobre una plataforma que
superpone a los ocupantes
respecto a los espectadores. La
escultura representa los logros
culturales y políticos bávaros.

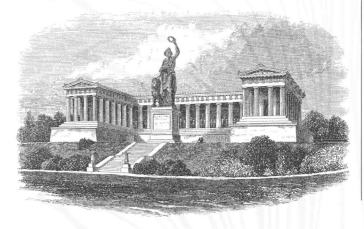

Neoclásico

Neoclasicismo alemán: Karl Schinkel

Uno de los arquitectos alemanes más famosos, Karl Friederich Schinkel (1781-1841), se convirtió en líder del proyecto para establecer una identidad nacional. Influenciado por el movimiento romántico, viajó a Italia y admiró el gótico tanto como la arquietectura clásica, creyendo que compartían cualidades de pureza estructural que se habían perdido durante el renacimiento y el barroco. Pero sostenía que esa arquitectura podía jugar un papel mayor –podía resumir creencias políticas y expresar las aspiraciones de una nación. El Nuevo Teatro y el Nuevo Museo de Schinkel fueron contruidos en Berlín, una ciudad que empezaba a dominar la escena política alemana, y fueron proyectados para ahondar en el creciente conocimiento cultural de las regiones.

Frontispicio, Nuevo Teatro
Éste es el frontispicio más bajo de la fachada, tallado con escenas de tragedias griegas. Contrasta el uso de este forntispicio, sobre una entrada, con el frontispicio superior, que no es estructuralmente necesario.

Detalle de acroterion, Nuevo Teatro
La acroterion de este frontispicio de la entrada tiene forma de musa sujetando una máscara –una alusión al teatro griego. Éste es un ejemplo de un arquitecto combinando dos motivos clásicos para crear un nuevo efecto.

Fachada, Nuevo Teatro, Berlín (1818–26)
Esto muestra el masivo bloque del Nuevo Teatro, con el ventanaje cuadriculado que llegó a ser característico del estilo de Schinkel. Las tres áreas principales del edificio están definidas externamente: el auditorio central, flanqueado por la sala de conciertos y por las salas de ensayo y los vestuarios.

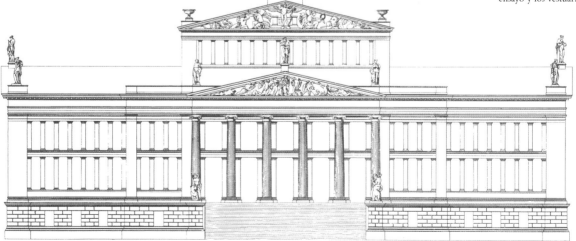

Planta, Nuevo Teatro

La planta del piso bajo del Nuevo Teatro muestra las tres partes del edificio que estaban articuladas por la fachada. La disposición de las habitaciones se planeó de acuerdo a las necesidades, con numerosos vestuarios a un lado, equilibrados por la sala de conciertos al otro.

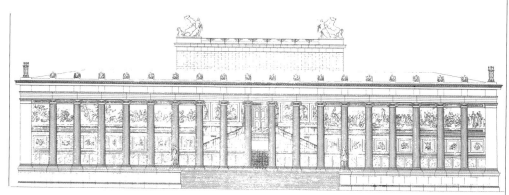

Alzado, Nuevo Museo, Berlín (empezado en 1823)

La fila de dieciocho columnas que forman la fachada del edificio es verdaderamente monumental en tamaño. Cada columna tiene 12 m (40 pies) de alto, y la fachada completa tiene 81 m (266 pies) de largo. Recordando a una columnata griega, la fachada no tiene énfasis central, y la cúpula se disimula detrás de un ático.

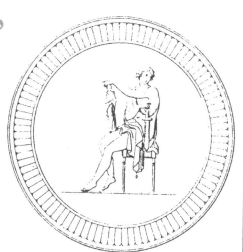

Roel, Nuevo Museo

El decorativo medallón con una figura griega era parte del amplio esquema para articular los muros. Schinkel lo acotó en un patrón cuadriculado de decoración aplicada.

Rotonda, Nuevo Museo

Rodeado por una columnata corintia, esta habitación es el centro de atención del museo. Diseñada para la exhibición de escultura, su forma circular y su techo artesonado recuerdan al Panteón de Roma.

Planta, Nuevo Museo

Esta planta contrasta con la del teatro (arriba), ya que se consiguió la perfecta simetría en planta. Esto es posible porque las galerías pudieron diseñarse de igual tamaño: la simetría de la planta es la misma en cada una, aunque la disposición exacta de las habitaciones varía.

Pintoresco
finales del siglo XVIII–principios del XIX

Fundamentos

El movimiento arquitectónico pintoresco desciende del Romanticismo del siglo XVIII y, a veces, se conoce como gregoriano tardío, o estilo regencia. El término fue inicialmente usado para describir cualquier edificio o paisaje que tuviera parecido con las composiciones de los pintores del siglo XVII, como Claude Lorraine, Nicolas Poussin y Salvator Rosa. Después, alrededor de 1795, fue definido como categoría estética por el teórico de jardinería paisajística Uvedale Price y el caballero y estudioso Richard Payne Knight. El Castillo de Downton (comenzado en 1772 por Knight), con su irregularidad, variedad, contrastes y colocación asimétrica de formas, exterior acastillado y su actual interior neoclásico, presagió el comienzo del movimiento pintoresco en la arquitectura. Para crear un efecto pintoresco, estas características se aceptaron con cualquier estilo concebible y, a menudo, había una disposición ecléctica de dos o más estilos. El pintoresco tiene muchos aspectos, y el arquitecto John Nash los adoptó todos —desde grandes casas de campo en paisajes informales como arquitectura de casitas de campo e ingeniosas planificaciones de pueblos.

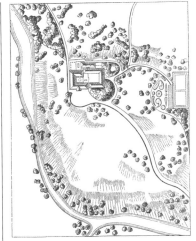

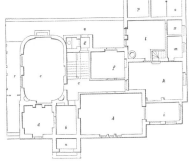

Irregularidad y variedad

Como se muestra en esta planta, la irregularidad a menudo se expresaba a través (pero no exclusivamente mediante) la colocación de las habitaciones. La variedad la proporciona el tamaño de las habitaciones, y ambas cualidades se reflejan en el exterior del edificio, cuando se ve como una silueta contra la línea del horizonte.

La villa

Una villa es una casa independiente, a menudo con edificios exteriores dispuestos pictóricamente en el interior de un paisaje informal. La villa y sus alrededores estaban pensados para formar un conjunto coherente, o una visión pintoresca. Era clásica una aproximación dramática, como también lo era colocar árboles alrededor de la casa para crear una escena bucólica.

Estilo gótico

La arquitectura del periodo gótico se utilizó muchas veces para intensificar el efecto pintoresco o romántico de la silueta del edificio. Los detalles góticos incluían ventanas lanceoladas o con marquesina.

Estilo acastillado
El estilo acastillado, caracterizado por las almenas, torres y una irregular masa de formas, fue uno de los estilos más populares para expresar el movimiento pintoresco en la arquitectura.

Estilo italiano
Muchos edificios pintorescos eran de estilo italiano, a menudo caracterizados por una torre (cuadrada en este ejemplo, pero generalmente redonda y con tejado cónico), alas en ángulo recto con la torre, galerías, balaustradas y ventanas en arco.

El pintoresco de ciudad
Las cualidades del pintoresco se expresan en una ciudad mediante efectos escenográficos. Los edificios se colocan inteligentemente, de tal modo que, juntos, puedan cambiar la dirección de una calle; unos cuantos edificios en una terraza se colocan retranqueados, mientras que otros no; se usan arcadas escénicas para unir las terrazas; y, como se muestra aquí, se usan árboles y arbustos para suavizar las disposiciones arquitectónicas.

El falso castillo
Tanto el Castillo de Culzean, Ayrshire (abajo, derecha), como el Castillo Seton, East Lothian (abajo), fueron diseñados por Robert Adam h. 1779 y construidos en Escocia. La prominente masa de formas geométricas, una situación dramática, el sentido de movimiento y una apariencia romántica caracterizan a estos edificios, a veces conocidos como "falsos castillos". Aunque no siempre se asocian con cualidades pintorescas, éstas características representan una visión —una fantasía— que es en sí misma una parte esencial del pintoresco.

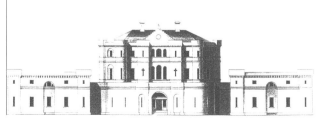

Pintoresco

Arquitectura de cabañas

La deliberada y ecléctica irregularidad de los motivos utilizados en los primeros edificios pintorescos de finales del siglo XVIII, son distintos de los de la arquitectura de cabañas de principios del siglo XIX. Entre 1790 y 1810 aparecieron montones de publicaciones de arquitectura de cabañas. Esta locura puede explicarse, en parte, por la noción de "mejora" que prevalecía en ese tiempo; se creía que los propietarios saldrían beneficiados si sus jornaleros tenían un alojamiento confortable. La remodelación de las cabañas también acentuaría el paisaje y el efecto pintoresco de sus propias haciendas. Una fuente significativa de la arquitectura pintoresca de cabañas fue la idea neoclásica de "sombrero primitivo", apoyada por el teórico Marc-Antoine Laugier en su *Essai sur l'architecture* de 1753, en el cual defendía volver a los principios fundamentales, o raíces naturales, liberando la arquitectura de detalles superfluos, convirtiéndola de nuevo en una sencilla estructura de cuatro pilares de troncos de árbol, dinteles de troncos aserrados y ménsulas que crearan el tejado básico, formando, de ese modo, un "sombrero primitivo".

Cottage orné

Los *Cottages* ornés son pequeñas casas, generalmente situadas en el campo o en un parque. Son de carácter muy rústico, y exhiben muchas características pintorescas: tejados de paja, ventanas reforzadas con plomo, tableros, chimeneas ornamentales y porches. John Nash fue el responsable de producir una aldea completa de semejantes joyas en San Blaise, cerca de Bristol, rondando 1811.

Tablero

Un tablero es una plancha de madera que se proyecta desde el hastial del edificio. Cubre la madera horizontal del tejado, y está a menudo decorado.

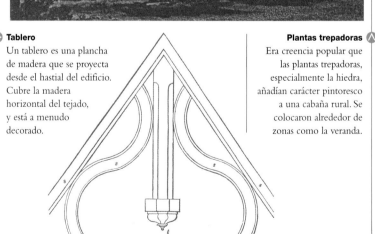

Plantas trepadoras

Era creencia popular que las plantas trepadoras, especialmente la hiedra, añadían carácter pintoresco a una cabaña rural. Se colocaron alrededor de zonas como la veranda.

Buhardilla

Una buhardilla es una estructura colocada en un tejado inclinado. Tiene un tejado propio, inclinado o plano, lados y una ventana en el frente. Como se muestra aquí, una buhardilla suele tener un pequeño alero sobre la ventana.

Tejado de paja

Los tejados de paja llevan una gruesa capa de cañas, juncos o paja, y se usan fundamentalmente en edificios vernáculos. Son una característica esencial de cualquier cabaña pintoresca, y eran esenciales para crear un encanto rústico.

Cabañas medio entibadas y trabajo en piedra ciclópeo

La madera se utilizaba frecuentemente en las partes superiores del edificio, o, a veces, sólo en parte de ellas, mientras que los pisos inferiores se construían de piedra o ladrillo. Los pisos inferiores, a menudo se recubrían de trabajo en piedra ciclópeo: irregulares hiladas de piedra, de textura variada. Estas toscas piezas de piedra, casi en estado natural, proporcionan una referencia de la noción de "sombrero primitivo" y retorno a las raíces naturales.

Porche

Un porche es una entrada cubierta al edificio. En las cabañas pintorescas, los porches a menudo se hacían de madera y, como en este ejemplo, eran bastante decorativos. Un porche se suponía que añadía interés y variedad al exterior de la cabaña, ya que acentuaba la regularidad de un alzado de otro modo sencillo.

Veranda

Una veranda es una galería abierta o balcón, con un tejado soportado por ligeros postes de metal o, a veces, por columnas salomónicas de madera (de nuevo en referencia a las raíces naturales). La veranda se convirtió en uno de los elementos característicos del pintoresco, y se cree que se originó basándose en modelos de la India.

Pintoresco

Jardín y edificios de la hacienda

En una exitosa pero corta sociedad,
Humphry Repton, el diseñador de
paisajes, y John Nash remodelaron y
mejoraron muchas haciendas a finales
del siglo XVIII y principios del XIX:
Repton perfeccionaba los jardines,
mientras que Nash construía los
edificios de la hacienda. El diseño de
jardines era una profesión nueva en ese
tiempo, y su sociedad abastecía a los
terratenientes adinerados, tanto a los ya
establecidos como a los nuevos. La
romántica localización de los edificios
ornamentales, al lado de lagos o en
bosques, puede verse en el trabajo de
generaciones anteriores, como en
Rousham, Oxfordshire, en un trabajo
de William Kent de alrededor de 1730.
Sin embargo, Repton y Nash, como
productos del pintoresco, producían
paisajes en los que la situación pictórica
de la casa era de la máxima
importancia, y la suave artificialidad de
los paisajes de Lancelot Brown fueron
sustituidos por un mayor respeto por la
fuerza salvaje de la naturaleza,
incrementando el efecto pintoresco y la
apariencia romántica del paisaje.

Refugio

Un refugio es un pequeño edificio residencial en el
interior de una hacienda. Generalmente está bien
planificado, con una conveniente disposición de
habitaciones. El carácter pintoresco del edificio deriva
del alzado, al cual (como se muestra aquí) se le da variedad
e interés con la diversa colocación de sus componentes
externos: el porche, las chimeneas y las ventanas.

Lechería

La lechería era esencialmente
un edificio funcional donde
se ordeñaba a las vacas y se
almacenaba la maquinaria para
ordeñar. Estaba ricamente
adornada con ornamentos
pintorescos, incluso en el
propósito funcional, claramente
expresado en esta planta con
cuatro compartimientos, que
incluye un pasadizo con plantas
aromáticas y una habitación de
servicio, para la limpieza del
equipo de ordeñar.

Establos

Los establos se construían para
acomodar a los caballos de la
familia, por lo que eran acordes
a la casa principal en términos de
construcción, estilo y ornamento.

Casa del guarda

Una casa del guarda es, esencialmente, un refugio que incorpora parte de la puerta. Ilustrada aquí en estilo acastillado, combina simetría y variedad para crear una placentera composición arquitectónica y pintoresca.

Fuentes

En semejantes paisajes se usaban estas estructuras ornamentales de agua para acentuar el efecto pintoresco.

Puente ornamental

Éste es un puente que proporciona un efecto decorativo, de modo que puede usarse para realzar la cualidad pintoresca de la escena. Proporciona variedad y una referencia visual en el paisaje, y representa una oportunidad para usar distintos estilos. Aquí, por ejemplo, hay un templo chino en el centro del puente.

Conservatorio

Un conservatorio es una versión ornamentada de un invernadero, construido de hierro y cristal, con ventanas muy grandes. Puede ser tanto un edificio independiente, como estar adosado a la casa principal.

Mirador (belvedere) y treillage

Un mirador es una casa de jardín, a menudo ornamental, que generalmente se coloca en un punto ventajoso del paisaje, con las ventanas o aberturas a las grandes vistas. Los laterales son, a menudo, de *treillage*, una forma decorativa de forja, combinada con una galería, creando un panel ligero como alternativa a una partición sólida.

Elementos de la Arquitectura

Cúpulas

Una cúpula (domo) es, esencialmente, una bóveda construida sobre planta circular, poligonal o elíptica, con perfiles variados. La forma probablemente deriva de cabañas construidas con árboles jóvenes, curvados y unidos en un centro, y cubiertos posteriormente con paja, que representaban la bóveda del cielo y denotaban autoridad. El desarrollo del hormigón romano permitió la construcción de grandes cúpulas hemisféricas, y la cúpula se convirtió en una de las principales características del estilo bizantino, en el que se mezclaron las influencias clásicas y orientales. Mientras que los romanos sólo usaron cúpulas sobre espacios circulares o poligonales, los constructores bizantinos fueron capaces de colocarlas sobre compartimientos cuadrados o rectangulares mediante el uso de pechinas (ver pág. 175), un resultado también conseguido en la arquitectura islámica (ver págs. 175 y 179).

Falsa cúpula o cúpula por aproximación de hiladas
Con cerca de 15 m (49 pies) de diámetro, el *tholos* (cámara mortuoria principal) del micénico Tesoro de Atreo (h. 1220) está coronado con una falsa cúpula apuntada, que simula un antiguo panal. Esta técnica, usada no sólo en Grecia, sino también en la India y en Sudamérica, implica hiladas de piedra proyectándose ligeramente sobre la hilada inferior.

Cúpula romana
La cúpula, de hormigón, del Panteón, Roma (126 d.C.), que mide 44 m (144 pies) de diámetro, es típicamente romana. Internamente, la cúpula es una semiesfera, y su peso se reduce mediante artesonado y un vértice abierto. Externamente, se proporciona estabilidad mediante una fila extra y mediante escalones, creando una cúpula en forma de platillo.

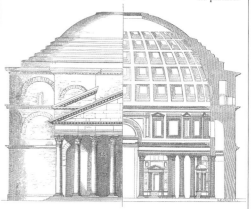

Cúpula apuntada
La arquitectura islámica se caracteriza por el uso de cúpulas. Una forma particularmente común es la cúpula apuntada, que tiene una punta muy pronunciada. Aquí, en la Tumba de Oljeitu, Sultaniya, Irán (h. 1310), la cúpula se erige sobre un tambor octagonal, y está ornamentada con tejas vitrificadas.

Cúpula compuesta
El término cúpula compuesta se aplica a un grupo de varias cúpulas y bóvedas, una característica común en la arquitectura bizantina. En Hagia Sofía, Constantinopla (532–37 d.C.), la cúpula principal se soporta mediante cuatro grandes arcos reforzados por semicúpulas. Las pechinas permiten apoyar la cúpula circular sobre una planta cuadrada.

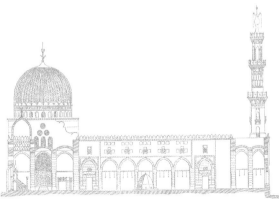

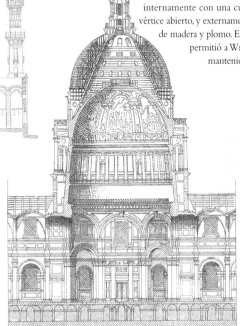

Cúpula de armazón triple

La cúpula que Christopher Wren diseñó para la Catedral de San Pablo, Londres (1675-1710), comprende tres armazones: el cono de ladrillo que soporta la linterna se disimula internamente con una cúpula poco profunda y con un vértice abierto, y externamente con una prominente cúpula de madera y plomo. Este innovador sistema estructural permitió a Wren crear un hito exteriormente, manteniendo un interior proporcionado.

Elementos de una cúpula

La iglesia parisina de Les Invalides (1680-1707) se compone de tres elementos principales: tambor, cúpula y linterna. El tambor es un muro vertical que soporta la cúpula, y, a menudo, tiene ventanas o está decorado con columnas. Añade altura a la cúpula, proporcionando visibilidad y prominencia. La cúpula, en sí misma, está coronada por una estructura conocida como linterna. Cuando ésta tiene forma de cúpula, se llama cupulino.

Cúpula sobre pilotes

El concepto "sobre pilotes" se usa más comúnmente en los arcos, pero también puede referirse a cúpulas. Una cúpula sobre pilotes es aquella en la que la curva comienza en las impostas (área sobre la que descansa la cúpula, y de la que parece brotar); los laterales continúan un tramo verticalmente, antes de curvarse hacia un punto.

Cúpula de doble armazón

Diseñada por Miguel Ángel, la cúpula de San Pedro, Roma (1585-90), se parece a la Catedral de Florencia, de Brunelleschi, en que tiene una doble coraza de ladrillo. La cúpula tiene nervios ligados mediante cadenas horizontales de hierro, y aunque internamente es semiesférica, externamente es ligeramente apuntada. El pesado cupulino de albañilería mantiene los nervios en su sitio, e impide que se abran hacia el exterior.

Cúpula en bulbo

Otra forma común en las cúpulas de la arquitectura islámica es la que se muestra aquí, en el Taj Mahal, Agra, India (1632-54). Esta es una cúpula apuntada, pero también en bulbo, ya que sus lados se curvan para presentar un perfil redondeado. Una forma relacionada es la cúpula en forma de cebolla, muy usada en Rusia y el este de Europa, pero la última no es, estructuralmente hablando, una verdadera cúpula (no está abovedada).

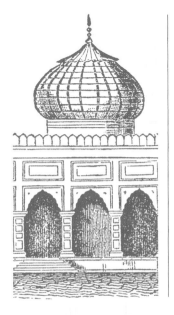

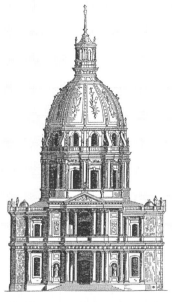

Columnas

Una columnas es un soporte vertical que consta de basa, fuste y capitel. En el vocabulario de la arquitectura clásica, los griegos aparearon la columna con una entabladura, los cuales, combinados, soportaban el tejado de sus edificios. Sin embargo, los romanos utilizaron las columnas más decorativamente que estructuralmente, prefiriendo un sistema arqueado (arcos) al sistema de vigas griego. El resultado fue un buen número de variantes, como las columnas pareadas, las medias columnas y las pilastras. Las columnas pueden estar pareadas (romanas), agrupadas (normandas) o ser independientes (como el lath indio). El fuste puede ser simple, como el sencillo orden toscano (derecha) o estar altamente decorado; el capitel abarca desde el sencillo medieval hasta el ornamentado egipcio.

1   2   3   4   5

Los cinco órdenes

Los cinco órdenes son sistemas estructurales para la organización, proporción y decoración de las partes de una columna con capitel, basa, y entabladura horizontal. El dórico (2), el jónico (3), y el corintio (5) se desarrollaron en Grecia, y el toscano (1) y compuesto (4) en Roma. Después de un desuso de cerca de mil años, en el renacimiento, los órdenes revivieron y fueron estandarizados por arquitectos como Sebastiano Serlio, Andrea Palladio y Sir William Chambers.

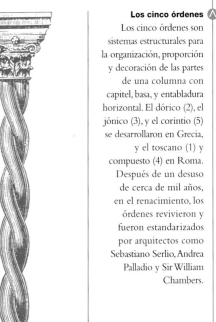

Columnas salomónicas

Durante el periodo románico, y siempre que era posible, los constructores continuaron usando e imitando las antiguas columnas romanas. Lo nuevo era el énfasis en la elegancia y belleza, ilustradas en esta columna salomónica. Éstas estaban, a menudo, decoradas con mosaicos.

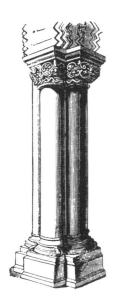

Pilar compuesto

Un pilar tiene una capacidad portante mucho mayor que una columna, y es, generalmente, más grande y robusto. En la arquitectura románica y gótica, las caras de los pilares tenían, a menudo, medias columnas o fustes, bien adosadas o separadas, creando un único elemento arquitectónico. Estos pilares se conocen como compuestos o agrupados.

Las columnas chinas estaban hechas de madera y, en lugar de capitel, solían tener ménsulas. Éstas soportaban el tejado. Curiosamente, los chinos enmarcaban el tejado y la superestructura del edificio antes de levantar las columnas, que están frecuentemente pintadas de rojo.

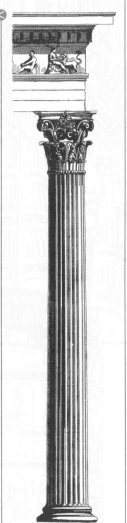

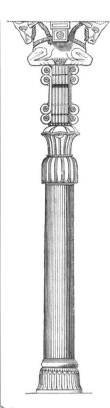

Persas

Los orígenes estilísticos de las columnas persas residen en su construcción en madera. En cualquier caso, esta columna de la Sala de las 100 columnas, Persépolis (siglo V a.C.), está elegantemente tallada en piedra, con un fuste estriado, coronado con volutas y un capitel de dobles cabezas de toro.

Egipcias

Las columnas egipcias a menudo se asemejan a la flora local: las columnas pueden parecer hojas de papiro; y los capiteles, hojas de loto. Este ejemplo, del Templo de Hator en Alto Egipto (110 a.C. – 68 d.C.), está decorado con jeroglíficos y está coronado con un capitel hatórico, mostrando a la diosa Hator en cada lado.

Indias

Esta columna, de un templo dravidiano, imita a una de madera de la arquitectura india anterior. Toda la superficie está altamente decorada. Eran comunes los pilares individuales y aislados, conocidos como *laths*, de uso ceremonial.

Divisiones de una columna

Una columna, independientemente de su procedencia en tiempo y lugar, está dividida en basa, fuste y capitel. En este ejemplo el fuste está estriado y el capitel es corintio.

Torres

Las torres, distinguibles por su altura, son comunes a la arquitectura de una amplia gama de países y periodos. Muchas de sus formas —como los campanile italianos, los minaretes islámicos y las *sikharas* indias— están asociadas a edificios religiosos, aunque pueden no estar físicamente adosadas a éstos. Las campanas del piso superior (campanario) de una torre, llaman a la gente para la oración, mientras que la torre, en sí misma, sirve como prominente señalización de un lugar sagrado. Las torres góticas son particularmente ricas y están, generalmente, en el centro (crucero) o en el extremo oeste de las iglesias. A menudo, las torres están coronadas con un chapitel, que es una terminación extremadamente apuntada construida en gran variedad de formas. En el inestable clima medieval las torres se convirtieron en una importante medida de defensa, incorporándose en las fortificaciones de castillos, fortaleciendo las murallas. En Escocia, Irlanda y el norte de Inglaterra se construyeron residencias compactas y de fácil defensa conocidas como *casas torre*.

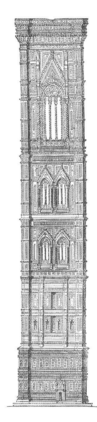

Aguja
Esta iglesia de las cercanías de Northampton, Inglaterra, porta una aguja, un chapitel alargado y delgado, que se eleva por detrás de un parapeto

Campanile
Las torres de campanario italianas —generalmente independientes— se conocen como *campanili* (de campana). Como en este ejemplo del siglo XIV, suelen tener un diseño sencillo y una planta cuadrada o circular.

Torre de campanario
Las torres de campanario proporcionaban un foco para la vida religiosa y civil, y servían como torres de observación. El piso superior de una torre contiene las campanas, y se conoce como campanario, aunque esta palabra se aplica, a veces, a la torre en su conjunto.

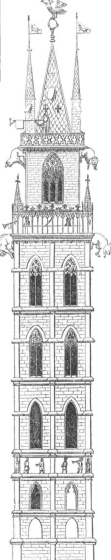

Torre defensiva
La más grande e impenetrable torre de un castillo se conoce como torre del homenaje, o de custodia. A menudo está separada de las defensas exteriores, y se usaba como refugio final. Ésta, la torre del homenaje de mediados del siglo XV del Castillo Tattershall, Lincolnshire, Inglaterra, tiene las almenas, el matacán y el petril típicos.

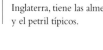

Torre redonda

Las torres sencillas y sin ornamentar construidas con planta circular y adosadas a un edificio son particularmente comunes en las iglesias normandas del este de Bretaña, Inglaterra.

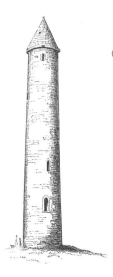

Torre redonda irlandesa

En Irlanda existe una serie de distintivas torres redondas construidas, entre los siglos X y XII, en lugares monásticos. Son independientes, se estrechan ligeramente a medida que ascienden y portan tejados cónicos de piedra. Las entradas de las torres redondas se abrían muy por encima del nivel del suelo, y se alcanzaban mediante escalas, reflejando su uso como refugio en tiempos de peligro.

Chapitel de base cuadrada

Esta torre de iglesia alemana está coronada con un chapitel de base cuadrada, una forma octagonal en la mayor parte de su alzado, pero cuadrada en su base. Las cuatro caras principales se abren en sus bases para formar aleros.

Sikhara

Las torres de los templos indios se conocen como *sikharas* (norte de la India) o *vimanas* (sur de la India), y están colocadas directamente sobre el centro sagrado del edificio.

Minarete

Las torres de la arquitectura islámica, generalmente conectadas con mezquitas, se conocen como minaretes, y son de forma muy estilizada. Tienen balcones proyectados desde los que los musulmanes son llamados a la oración.

Torre inclinada

Este excepcional y archifamoso ejemplo de una torre es el campanile circular de Pisa, Italia (comenzado en 1173). Diseñado para ser vertical, comenzó a inclinarse durante su construcción, y ahora tiene una inclinación sur de unos cinco grados y medio.

Torre de pisos en disminución

Los niveles de las torres se conocen como pisos, más que como plantas. Los pisos de algunas torres disminuyen en tamaño a medida que el edificio crece en altura, produciendo, como en este ejemplo del renacimiento italiano, un efecto telescópico.

Arcos y arcadas

Un arco es una construcción que abre un vano. La parte superior, o cabecero, es generalmente curva, pero puede ser desde horizontal y chato, pasando por semicircular y semielíptico, hasta abruptamente apuntado. Un arco curvo consiste en bloques en forma de cuña, o dovelas, dispuestas para soportarse unas a otras y capaces de soportar una carga. En la arquitectura clásica occidental, la última piedra, que se coloca en el centro del arco, es la clave. En los arcos góticos, apuntados, no hay clave, ya que las tensiones se propagan hacia el exterior y luego hacia abajo, con el arco soportado en los laterales y extremos. Los arcos pueden usarse también en amplios vanos de muros y cimientos. Una arcada es una serie de arcos, soportados sobre columnas o pilares, que forman una entrada abierta o un paseo cubierto, abierto a un lado. Una "arcada ciega" es una serie de arcos aplicados en la superficie de un muro, y eran una forma común de decoración en las iglesias medievales.

Arco persa
El gran arco de Tak Kesra, Ctesiphan (550 d.C.) formaba la abertura al vestíbulo abovedado de un palacio. El arco no es ni apuntado ni semicircular, sino más bien semielíptico. Los muros que lo flanquean están articulados con arcadas ciegas: series de arcos de medio punto y apuntados.

Arcadas superpuestas
Las arcadas de la fachada del Coliseo, Roma (comenzado en 70 d. C.), están colocadas en filas conocidas como arcadas superpuestas. Las columnas se colocaban una sobre la otra, en el orden convencional: dórico, jónico y corintio. Los arcos son típicamente romanos, ya que son redondeados.

Arco ojival
Una característica común en el estilo gótico, el arco ojival es una forma apuntada compuesta por dos dobles curvas en las que una parte es convexa y la otra cóncava, uniéndose en la punta.

Terminología del arco clásico

Este boceto muestra los términos utilizados para los componentes estructurales y las características de un arco clásico. La imposta es el bloque o banda sobre el que descansa el arco, y el intradós es la curva interna, o parte inferior, del arco, también conocido como sofito.

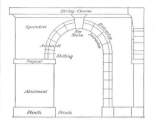

Arco de herradura

Las curvas del cabecero siguen curvándose por debajo de la imposta del arco. Es una característica común en la arquitectura islámica. También podemos encontrar arcos de herradura semicirculares y apuntados, siendo estos últimos más comunes en Egipto, Siria y Arabia.

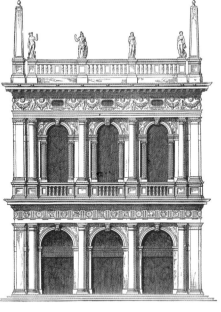

Arco tudor

Esta forma de arco, poco profundo y de doble curva, fue muy usada en el periodo tudor, de ahí su nombre. En forma es conopial (cuatro centros), lo que significa que las curvas o arcos más bajos se dibujan desde dos centros en la línea de arranque (donde el arco empieza a curvarse), mientras que los superiores se forman con centros por debajo de la línea de arranque.

Arco apuntado

Un arco apuntado gótico del periodo inglés temprano (h. 1230), en la nave de la Catedral de Lincoln, muestra cómo la simplicidad de la forma podía ser enriquecida con molduras y perforaciones decoradas —el origen de la tracería de ventanas.

Arco renacentista

Estos arcos, en la Antigua Biblioteca de San Marcos, Venecia (comenzada en 1537), siguen el modelo romano, con cabeceros semicirculares, claves, enjutas, friso y cornisa unos sobre otros dentro del marco de los órdenes clásicos.

Arcos de medio punto

Estos arcos franceses, del siglo XII, son de medio punto, con molduras "billet" en el arco exterior. Las columnas parecen soportar la carga, pero en realidad la soportan los pilares de piedra.

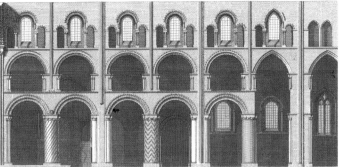

Arcada en nave normanda

Estos arcos de triforio del siglo XII, en el lado sur de la nave de la iglesia de la Abadía de Waltham, Essex, tienen la misma luz, y se alzan como los arcos de la nave que está debajo, pero descansan en columnas más cortas. El arco normando estándar era semicircular, o de medio punto, pero había variantes, incluyendo el arco de herradura, el segmentado y el apuntado (mostrados en los dos vanos del extremo).

Entradas

Las entradas constituyen uno de los aspectos más significativos de la arquitectura de exteriores. Generalmente ocupan la posición central del alzado, y definen el carácter y función del edificio —tanto público como privado. Las entradas también son el foco arquitectónico del exterior, y la ornamentación del jambaje a menudo determina el estilo de toda la fachada. En algunos casos, las entradas se amplían a un portal que incluye la galería de encima, o a una sección vertical completa del alzado. Las entradas representan el paso del exterior al interior, y la temática y propósito del interior generalmente se introduce en el exterior mediante la articulación y la decoración escultórica del jambaje. Siendo la parte más vulnerable del alzado, las entradas están a menudo protegidas, tanto de forma práctica, mediante molduras, cornisas, tejados y pórticos para desviar la lluvia, como simbólica, mediante el uso de pesada albañilería defensiva o esculturas haciendo guardia.

Jambas

El jambaje, o marco que rodea la abertura de la entrada, está compuesto por jambas, o miembros laterales verticales. En su forma más básica, las jambas son molduras arquitectónicas simples que ofrecen la oportunidad de aplicar decoración escultórica. Incluso los primeros jambajes trapezoidales de las estructuras griegas, como el Erecteión de Atenas, estaban elaboradamente talladas.

Guarda de la entrada

En un buen número de civilizaciones, incluyendo la asiria, las entradas y puertas importantes están simbólicamente protegidas por esculturas en piedra de bestias míticas, esfinges, leones e, incluso, figuras humanas. Éstas pueden estar integradas en el jambaje (como en los ejemplos asirios) o pueden ser esculturas independientes a cada lado de la entrada.

Entrada defensiva

Características de la arquitectura normanda, las entradas en forma de arco con pesada albañilería vestían el alzado con la monumentalidad de una fortaleza. Semejantes entradas, cuyas características decorativas principales eran las pesadas impostas proyectadas sobre piedras monolíticas verticales, son representativas del ampliamente defensivo y protector papel de los edificios normandos.

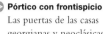
Pórtico con frontispicio
Las puertas de las casas georgianas y neoclásicas están protegidas por pórticos con frontón. Éstos a menudo se convertían en el foco de la ornamentación clásica, presentando columnas, entabladuras y frontispicios.

Portales de catedral
Las entradas de las catedrales románicas son altos y anchos portales que ocupan un tercio, o más, del frente oeste, mientas que el verdadero acceso a la catedral es un pequeño panel engoznado en el portal.

Entrada morisca
La entrada de los edificios moriscos e islámicos está, a menudo, insertada en un panel decorado que incluye celosías, mosaicos, azulejos, estuco, piedra, mármol y una banda de dovelas blancas y negras formando el arco.

Cariátides y atlantes
El periodo barroco produjo entradas pesadamente decoradas, particularmente en Francia y Europa central, que incluían musculosos atlantes y cariátides soportando ornamentados balcones sobre la entrada.

Entrada isabelina
Las entradas isabelinas a menudo exhibían los conocimientos arquitectónicos de sus patrocinadores —los entrelazos, las hermas y los detalles clasicistas se inspiraban en los libros de modelos flamencos e italianos.

Cerramientos con bloques
Los cerramientos con bloques, con piedras proyectantes que interrumpen la moldura del arquitrabe, se usaban a principios del siglo XVIII para enfatizar la entrada de un sobrio frente clásico.

Puerta neoclásica
Los interiores neoclásicos típicos tenían puertas de doble panel con exquisita decoración clásica, que incluía imitaciones de los medallones romanos, bustos de escayola o gráciles cariátides.

Ventanas

Las primeras ventanas eran aberturas sin acristalar en los muros que dejaban entrar la luz y ventilaban los espacios interiores. Las ventanas vidriadas las introdujeron los romanos hacia el año 65 d. C., pero el vidrio no se usó extensivamente hasta el siglo XIII en las iglesias, y hasta el siglo XVI en las casas. La importante contribución estética se refleja en la cantidad de estilos que se desarrollaron. A través de la historia, el diseño de ventanas vitrificadas ha sido dictado por los avances en la producción de cristal. Las primeras ventanas, con pequeños vidrios sujetos mediante plomo, fueron sustituidas, en los siglos XVII y XVIII, por ventanas con marcos de madera conocidos como bastidores. Para los años 1840, el desarrollo tecnológico permitió que el vidrio plano (más fino, más barato y más grande que su predecesor) se empleara para permitir vistas —no interrumpidas por baquetillas— tanto en el interior como en el exterior de los edificios.

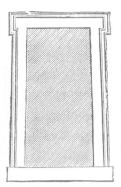

Ventana del delineante
En la mayoría de los dibujos y grabados del siglo XVIII, las aberturas de ventanas se delineaban como oscuros vacíos, sin articulación o indicación del patrón de vidriado. La moldura alrededor de la puerta es un arquitrabe.

Ventana circular

Los rosetones, u ojos de buey, son elaboradas confecciones diseñadas para semejar los pétalos de una flor o los radios de una rueda.

Lanceolada
Una alta y estrecha ventana en forma de arco, característica de la arquitectura gótica y bizantina, la ventana lanceolada, es predominantemente apuntada, aunque también hay versiones de cabecero redondeado, a menudo en parejas o grupos de tres.

Emplomado
El tamaño de las hojas de vidrio en las ventanas emplomadas se rige por la fuerza de las tiras de plomo que sujetan el vidrio en su sitio. Las primeras ventanas tenían un emplomado diagonal en forma de celosía que, en el siglo XVII, dio paso a rectángulos de vidrio plano.

Ventana gótica
Caracterizada por su arco apuntado, la decorativa tracería y el vidrio coloreado, la ventana gótica prevaleció del siglo XII hasta principios del siglo XVI. Fue revivida en una consciente forma anticuada a finales del XVIII y fue muy utilizada por los arquitectos victorianos.

Ventana ojival
La ventana ojival, o apuntada, una combinación de líneas cóncavas y convexas, se originó en la arquitectura islámica. La forma también se encuentra en la arquitectura gótica, y fue favorecida en el siglo XVIII como expresión decorativa reminiscencia de Oriente y la antigüedad.

Ventana batiente

Ésta es una ventana abisagrada lateralmente, fijada para abrirse tanto hacia dentro como hacia fuera. Las ventanas batientes eran la forma más común de ventana doméstica antes de la introducción del bastidor, y generalmente contenía cristales emplomados (hojas de vidrio).

Ventana francesa

Ésta es una variación de la ventana batiente, con ventanas francesas que se extendían hasta la altura de una puerta y llegaban hasta el suelo. Las ventanas francesas se abrían hacia dentro o hacia fuera.

Ventana bastidor

Una ventana bastidor es una ventana con un marco de madera que se desliza arriba y abajo sobre poleas. Utilizada durante los siglos XVIII y XIX, las ventanas bastidor se asocian especialmente con la arquitectura georgiana. Hay muchas variantes regionales, como el bastidor yorkshire, que se desliza horizontalmente.

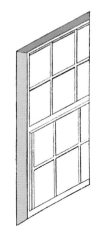

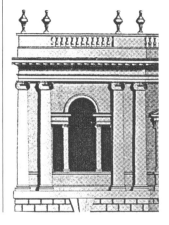

Ventana proyectada

Los miradores y tribunas proyectados desde el alzado de los edificios, a menudo altamente decorativos, dejaban entrar más luz que las ventanas alineadas con el muro. Los miradores siempre se sitúan en los pisos superiores, mientras que las tribunas de tipo cuadrado y sesgado (anguladas), mostradas aquí, ocurren en todos los niveles.

Ventana veneciana

Es una ventana tripartita que tiene una abertura central arqueada y dos, más estrechas, con cabecero plano. También se conoce como ventana palladiana o serliana, ya que fueron estos dos arquitectos italianos quienes popularizaron su uso: Andrea Palladio y Sebastiano Serlio.

Ventana diocleciana (o termal)

Ésta es una ventana semicircular dividida en tres luces mediante dos piezas verticales conocidas como maineles (o parteluces). Particularmente asociadas con la arquitectura palladiana, estas ventanas se basaban en un modelo encontrado en los Baños Dioclecianos, en Roma.

Frontones y Frontispicios

Los frontispicios —características distintivas de mucha de la arquitectura clásica y de inspiración clásica— son los extremos de un hastial de pequeña inclinación, generalmente colocados sobre un pórtico. A menudo se decoran con escultura de altorrelieve, cuyo significado puede añadir un significado específico al edificio. Los frontispicios también se usan como motivos ornamentales en los marcos de puertas y ventanas, así como en tumbas y monumentos. Los frontones se forman con la parte superior de un muro, al final de un tejado inclinado, y en su forma más simple son de forma triangular y borde recto, aunque también pueden ser curvos, en forma de campana o escalonados. La decoración de frontones era un elemento particularmente importante en la Europa del norte de los siglos XVI y XVII, cuando proliferaron tratamientos muy ornamentados y originales.

Frontispicio de portal

Las formas arquitectónicas clásicas fueron frecuentemente empleadas, durante el renacimiento, como elementos de la decoración exterior e interior. Las puertas y ventanas se realzaban con columnas, pilastras y frontispicios. Este ornamentado portal español del siglo XVI tiene un frontispicio triangular, muy inclinado, enmarcado por molduras de huevo y dardo (ver pág. 100).

Tipos de frontispicios

La forma de un frontispicio puede ser desde triangular hasta segmentario y curvo. Los frontispicios partidos tienen su línea interrumpida en su cenit o en su base. La arquitectura barroca es especialmente rica en originales formas de frontispicio, como ejemplifica este frontispicio partido en el cenit y coronado con una urna.

Frontispicio de un templo

En un templo clásico, el frontispicio se forma continuando la cornisa horizontal del orden a lo largo de los extremos del alero. El tímpano formado de ese modo proporciona un lugar ideal para una escultura atrevida, y esta decorativa posibilidad fue explotada en muchos templos clásicos.

Tablero

Los tableros de madera se colocan a lo largo de los bordes inclinados de un hastial, a veces para enmascarar los tejados de madera. Varían desde sencillos a elaboradamente decorados, como en este ejemplo tallado.

Acroteria

La acroteria son estrictamente los plintos sobre los que se alzan las estatuas en el extremo o cenit de un frontispicio clásico, pero, ahora, el término también se utiliza para las estatuas mismas.

Decoración de frontones

Una de las principales características de los edificios seculares holandeses y del norte de Europa de los siglos XVI y XVII, la decoración de los frontones, se hizo muy expresiva y ornamentada. Los motivos arquitectónicos se tomaban tanto del gótico como del renacimiento, logrando crear gran variedad de perfiles y riqueza decorativa.

Hastial escalonado

Un frontón con lados escalonados se conoce como frontón escalonado, o hastial escalonado. Como en mucha de la decoración de frontones, el verdadero perfil del extremo del tejado se enmascara con la forma del frontón que lo precede.

Frontones isabelinos

Parece que la decoración de frontones llegó a Inglaterra durante el siglo XVI, y se adoptó con cierto entusiasmo, especialmente el de tipo curvado. El frontón decorado también aparece en la arquitectura jacobina de principios del siglo XVII.

Tejados

Un tejado es la cubierta de un edificio que sirve para proteger, del clima, a los habitantes y la fábrica interior. Los tejados están, a menudo, construidos de madera y revestidos de tejas —mármol o terracota en los ejemplos clásicos— pero muchos pueden estar cubiertos con paja, pizarra, piedra, madera, plomo, cobre u otro material. Las formas varían en función del país, la región, el periodo y el estilo, pero las formas más básica son los tejados inclinados o planos. El soporte de la estructura también se llama tejado (propiamente el armazón del tejado), y puede verse, a menudo, desde el interior del edificio. En los primeros tiempos, los armazones eran de diseño muy simple, pero gradualmente se hicieron más complejos, culminando en la arquitectura inglesa de finales del periodo medieval. El rígido y triangular esqueleto de maderos abarcando un edificio y dividiéndolo en unidades o compartimientos se llama cercha, y en su forma más básica se compone de pares y una viga tirante —el miembro transversal principal.

Tejado a dos vertientes

La forma más común de tejado se conoce como a dos vertientes, o a dos aguas. Los tejados de este tipo tienen dos pendientes que se encuentran en un caballete central, y tiene hastiales en ambos extremos.

Tejado cónico

Algunos edificios, como esta iglesia en Suecia, portan tejados de forma cónica, conocidos como tejado giratorio.

Tejado a cuatro aguas

Este ejemplo de Nurstead, en Kent, Inglaterra, tiene un tejado de cuatro pendientes ascendentes. Semejante construcción tiene cuatro caballetes (ángulos externos formados por el encuentro de dos superficies inclinadas) y es por esto que se llama tejado a cuatro aguas.

Cubierta de pabellón

Las dos torres principales de esta iglesia gótica están coronadas por cubiertas de pabellón, cada una compuesta por cuatro caras inclinadas que se alzan desde los hastiales. Las torres más pequeñas portan tejados piramidales.

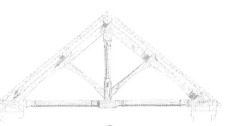

Cercha de péndola ⋁

Es otra forma básica de tejado. Éste tiene dos miembros verticales, conocidos como péndolas, colocadas simétricamente sobre una viga tirante y, generalmente, conectados por un puente de encabiado horizontal.

Cercha de pendolón ⋀

La característica distintiva de este tejado común es el pendolón, un madero vertical que se alza para encontrar el caballete central, que corre a lo largo de la cresta del tejado, y descansa centralmente sobre una viga tirante transversal. Los miembros inclinados (puntales inclinados) se colocan generalmente a ambos lados.

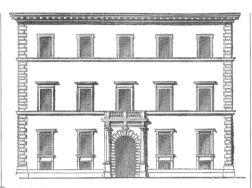

⋀ **Tejado plano**

En muchos edificios del renacimiento italiano los tejados eran planos o de baja inclinación. Su estructura era, normalmente, escondida detrás de una balaustrada, grandes cornisas o parapetos (pequeños muros colocados sobre la línea de tejado, a menudo decorados).

⋁ **Cubierta mansarda**

Una cubierta mansarda —nombrada después del arquitecto francés François Mansart— tiene una doble pendiente en cada uno de sus cuatro lados, siendo la parte inferior más abrupta y larga que la superior. La pendiente inferior se puntúa con ventanas abuhardilladas.

Tejado en cañón

Los tejados en cañón, vagón o cuna tienen juegos de pares muy juntos, soportados por refuerzos curvos, y pueden ser techados, panelados o abiertos. Vistos desde el interior, los tejados parecen un vagón.

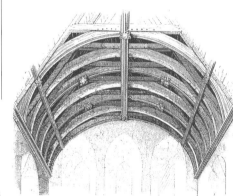

⋁ **Cercha gótica**

Esta forma de tejado se usó en Inglaterra desde el siglo XIV, y fue exhibida con mayor éxito en Westimnster Hall, Londres (1399). Está soportado por pequeñas ménsulas horizontales que se proyectan hacia el interior y, a menudo, están decorativamente talladas.

Cercha en corona ◁

Una cercha en corona, como ésta de Charney Bassett, en Oxfordshire, Inglaterra, tiene un poste vertical en el centro de una viga tirante. Al contrario que el pendolón, este no alcanza el caballete del tejado, sino que se detiene para soportar un cabio longitudinal.

Abovedado

Los tejados arqueados de piedra, o bóvedas, han sido un elemento clave de la arquitectura desde los tiempos prerromanos. En su forma más simple, se construyen en dos muros paralelos, los cuales, mediante la forma en que se modelan y colocan las piedras, se inclinan gradualmente la una hacia la otra a medida que se elevan, encontrándose y uniéndose, eventualmente, mediante una clave central. Para que una bóveda se soporte cuando se construye desde el suelo, su peso (que genera tensiones tanto exteriores como hacia abajo) tiene que estar transferido al suelo mediante una estructura de muros y, si es necesario, mediante contrafuertes. El abovedado era esencial para crear los grandes espacios basilicales de la arquitectura clásica, y alcanzó su cenit y su mayor variedad en las catedrales de la Edad Media, las cuales parecían desafiar a la gravedad.

Bóveda de cañón
Ésta es una bóveda cóncava (también conocida como bóveda en túnel) que es uniforme en toda su longitud. Es el primer y más básico tipo, con ejemplos que datan del siglo IX a. C.

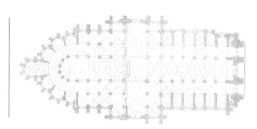

Abovedado de catedrales
La vasta área de una catedral gótica se cubre con una complicada red de bóvedas, en contraste con las bóvedas de cañón individuales de las basílicas.

Construcción de la bóveda de cañón
Una bóveda de cañón se construye sobre un esqueleto de madera que se desmantela una vez que ha sido creado un arco completo, el cual se soporta por sí mismo.

Uso de contrafuertes
El contrafuerte se desarrolló para transferir la carga de la bóveda al suelo, sin necesidad de masivamente gruesos muros. En la arquitectura gótica, su más refinada forma, podían estar incluso separados del edificio, de tal modo que las ligeras paredes de vidrieras no tuvieran impedimentos. Estos arbotantes pueden verse en esta ilustración de la Catedral de Colonia, Alemania.

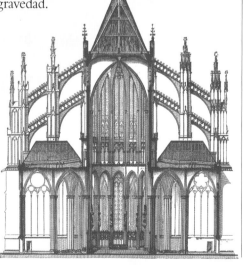

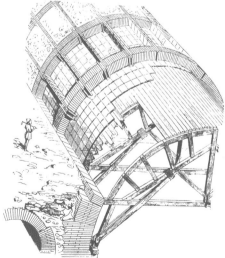

En arista

Donde dos bóvedas de cañón se cruzan en ángulo recto crean crestas, o aristas, como se muestra en esta iglesia sueca del siglo XI. Cuando estas aristas se construyen intencionadamente en piedra, no en madera que se retirará después, el resultado es una bóveda en arista.

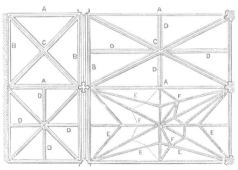

Patrones de bóvedas de crucería

Éstos varían desde simples cruces o aristas (arriba a la izquierda) hasta complicados sistemas de nervios elementales, o de aristón, secundarios, o terceletes, y terciarios (abajo derecha).

Bóveda de nervios secundarios

Una de las más sofisticadas bóvedas góticas se encuentra en la Abadía de Melrose, Escocia. Los nervios secundarios —principalmente nervios decorativos— se emplean en adición a los nervios estructurales para crear un patrón en forma de red a través de la bóveda.

Bóveda pinjante

Una de las tendencias del abovedado gótico fue la bóveda pinjante, en la que el pinjante (P), aparece sin soporte, es en realidad una extensión de la clave.

Florones

Estas piedras proyectadas, a menudo talladas ornamentalmente, se emplean en la intersección de los nervios de una bóveda, particularmente cuando esto ocurre en el centro de una unidad abovedada.

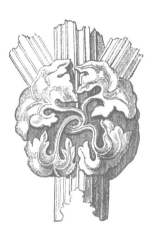

Decoración de los nervios

Los nervios de piedra se introdujeron para soportar la albañilería entre ellos y proporcionar un medio de crear decoración escultural sobre la superficie de la bóveda.

Escaleras

Existen múltiples combinaciones para conseguir el característico papel de una escalera como medio indispensable para unir dos niveles o plantas. Las plantas de escalera circulares, en forma de L, en forma de U e incluso rectas, con un variado número de tramos y descansos, se adaptan, generalmente, al espacio cilíndrico o cúbico disponible para la ascensión. Los escalones, compuestos de huellas (superficie superior) y contrahuellas (parte vertical de en medio) están, a veces, pintados o tallados, pero la decoración de las escaleras depende de barandillas ornamentales, barrotes de barandilla (soporte vertical de la barandilla) y balaustradas. Las escaleras también pueden usarse simbólica y procesionalmente para marcar la importancia de la subida, confiando en la anchura, la pendiente y la altura para obtener su efecto. El diseño de jardines y terrazas depende, a menudo, de las vistas y las oportunidades espaciales ofrecidas por los secuenciales tramos de escalera.

▽ Estilóbato

Los templos antiguos se alzaban, característicamente, sobre plataformas, o estilóbatos, total o parcialmente compuestos de tramos de escaleras. Las columnas del templo descansaban, generalmente, directamente sobre el escalón superior.

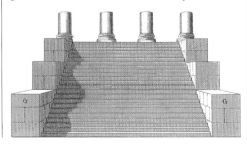

▲ Escalera en columna

Una escalera en columna (escalera espiral o de caracol) es un tramo de escaleras construido sobre una planta circular, y soportado por una columna central o poste. Es especialmente adecuada para torres y chapiteles.

▲ Escalera maya

Las escaleras (a menudo talladas con jeroglíficos) eran la característica más importante de las pirámides maya. Escalarlas constituía el clímax de la vida ritual.

▽ Bóveda rampante

Las escaleras abovedadas en cañón requieren una ingeniería cuidadosa para asegurar la correcta distribución del peso de la bóveda.

▽ Escalera de tribuna

La escalera interior de la tribuna de los ábsides orientales de las iglesias son una forma heredada de las antiguas basílicas romanas, donde los magistrados se sentaban en altas sillas. La silla del orador, o altar, de las basílicas posteriores y las iglesias, está simbólicamente elevada sobre las masas mediante un tramo de escaleras, que, a menudo, se extendían alrededor de todo el ábside.

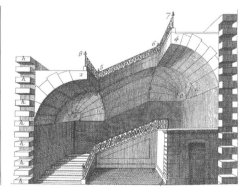

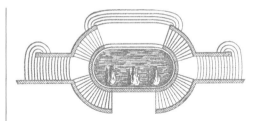

Escaleras de jardín

Los tramos de escaleras constituían un marco para el diseño de los jardines clásicos. Los tramos se construían con patrones simétricos (a menudo circulares), con varios descansos para admirar las vistas y descansar en la ascensión.

Escalera en columna abierta

Una escalera en columna abierta se construye alrededor de un "pozo", permitiendo ver el núcleo del edificio, y, a veces, se soportan sobre columnas. Este diseño ofrece la oportunidad de poner elaboradas balaustradas, y disfrutar de interesantes perspectivas.

Zancas abiertas

El tablero inclinado que soporta el extremo de las huellas y contrahuellas de una escalera se conoce como zanca. En una zanca abierta, como la que se muestra, el borde superior de la zanca sigue el perfil de los escalones. En una zanca cerrada, las contrahuellas y las huellas de la escalera quedan ocultas.

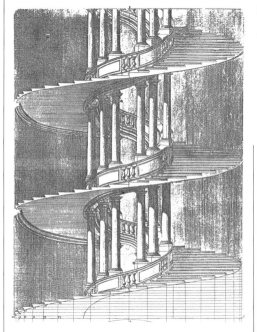

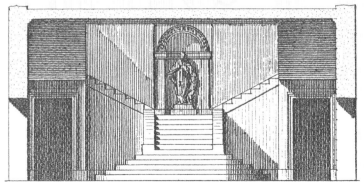

Balaustrada

La clásica balaustrada de piedra fue popular del renacimiento en adelante. Sus balaustres eran cortos troncos con un ábaco (losa cuadrada), una basa y uno o dos bulbos con anillos, molduras intermedias —ovolo (convexa) y cavetto (cóncava).

Hueco de escalera

Un hueco de escalera es un espacio vertical en el que gira una escalera. Los huecos de escalera neoclásicos, en los cuales el primer tramo encara una pared y continúa en dos tramos curvos, a cada lado, eran, a menudo, el clímax del vestíbulo, y estaban dramáticamente iluminadas mediante aberturas en el techo.

Doble tramo de escalera

El doble tramo de escaleras que sube hasta un pórtico permite vistas variadas de la casa y los jardines. En las casas palladianas, estos tramos eran cortos, simétricos y cuidadosamente proporcionados con el resto del terreno.

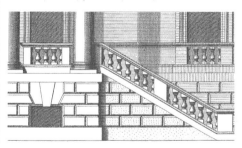

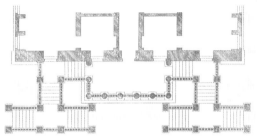

Glosario

ÁBACO En arquitectura clásica, losa plana y cuadrada que se coloca encima del capitel de una columna. En el dórico romano tiene alguna moldura.

ÁBSIDE La terminación en semicírculo o polígono de una parte del edificio, como las naves laterales o el coro de una iglesia.

ACANTO Planta cuyas hojas son la base de la decoración de los capiteles corintio y compuesto.

ACRÓPOLIS Ciudadela o fortaleza de una ciudad griega que contiene templos y otros edificios, como en Atenas.

ACROTERION (pl. **ACROTERIA**) Pedestal o base de un ornamento o estatua colocado en los ángulos o en el cenit de un tejado o de un frontispicio. También el ornamento o estatua en sí mismo.

ACUEDUCTO Canal artificial para llevar agua, bien por debajo del suelo o por encima, con un ligero gradiente para permitir el flujo del agua. Inventado por los romanos, era a menudo de ladrillo e incluía arcos.

ADHISTHANA En arq. india, alta plataforma o plinto sobre el que se construye un templo.

ADOBE Ladrillos de barro secados al sol, utilizados en España, África, Nuevo Méjico y Latinoamérica.

ADOSADA Se refiere a una columna que se proyecta desde una pared o pilar.

ADYTUM Espacio del templo griego en que se coloca la estatua de un dios. También se conoce como *naiskos* o *sekos*.

AEDICULE Santuario dentro de un templo que contiene una estatua y está enmarcado por dos columnas y un frontispicio. A veces se refiere a la marquetería con columnas de una abertura, como puertas o ventanas.

ÁGORA Espacio abierto usado como mercado o lugar de reunión en una ciudad griega. Equivalente al forum romano, generalmente se rodeaba con columnatas y edificios públicos.

AGUJA Chapitel fino, cuya base está en el tejado de una torre, y que está rodeado por un estrecho paseo con parapeto.

ALERO DE CAMPANILLAS Estructura de un tejado donde se cuelgan campanillas.

ALEROS Borde inferior de un tejado en pendiente.

ALMENA Parapeto o muro, a menudo alrededor de un castillo, con troneras a través de las cuales se defendían de los atacantes. Las secciones altas se conocen como almenas.

ALMENA Parte elevada de una almena.

ALMOHADÓN de capitel En las arquitecturas bizantina y románica, bloque o losa colocada en lo alto de un ábaco.

ALTAR Estructura elevada, a menudo una tabla o losa de piedra, en la que se realizan las ofrendas y rituales religiosos. Utilizado en muchas culturas antiguas para los sacrificios. En las iglesias cristianas puede estar adornado con esculturas y otra decoración.

ALZADO Parte lisa, o cara exterior, de un edificio. También un diseño proyectado en un plano vertical que muestra la cara de un edificio.

ALL'ANTICA Se refiere a características construidas a imitación de los estilos griego y romano.

AMBO Púlpito usado para leer los Evangelios y las Epístolas.

ANDA Cúpula hemisférica. Es la característica fundamental de una *stupa* budista.

ANFIPRÓSTILO Se refiere a un templo con columnas en los pórticos de delante y detrás, pero no a los lados.

ANFITEATRO Auditorio circular o elíptico rodeado por hiladas de asientos ascendentes. Común en el Imperio Romano, donde se usaban para las luchas de gladiadores y otros entretenimientos.

ANTA (pl. **ANTAE**) Un pilar o columna rectangular cuya basa y capitel son distintos de los asociados con el resto del edificio. Los *antae* se encuentran a menudo en los pórticos de templos.

ANTARALA Pequeño vestíbulo entre la *mandapa* y la *garbhagriha* de un templo indio.

ANTEFIXAE Bloques decorados que ocultan los finales de las tejas en el filo de un tejado.

ANTEMIYON Ornamentación basada en la flor de la madreselva, usada comúnmente en la arquitectura romana y griega.

ANTEPAGMENTA En arquitectura clásica griega, moldura con forma de arquitrabe, alrededor de una entrada.

APADANA En la antigua Persia, sala hipóstila usada como sala de audiencias. Una de las de Persépolis, siglo VI a. C., tenía 100 columnas.

APOPHYGE Curva cóncava en una columna, bien donde el fuste se une a la basa o bien donde el fuste se une al capitel.

APRON Panel elevado que se encuentra debajo del alféizar. A veces está decorado.

ARABESCO Intrincada decoración basada en patrones geométricos y tallos, guirnaldas y hojas de plantas y árboles. Adorna las superficies de edificios musulmanes, cuya religión prohíbe el uso de figuras animales. Es particularmente popular entre los árabes, los sarracenos y los moros de España.

ARBOTANTE Arco o medio arco que da soporte extra a la parte superior de un muro, transmitiendo las tensiones de una bóveda o tejado a un soporte exterior.

ARCADA ciega Una arcada adosada a la pared.

ARCADA SERLIANA Arcada de sillería, a menudo limitada a tres arcos, que es característica de las casas palladianas y ensalza la importancia del primer piso y del bloque central.

ARCADA Una serie de arcos soportados por columnas o pilares.

ARCO Construcción de piedra, ladrillo u otro material que expande una abertura y no usa dintel. Hay muchos tipos distintos.

ARCO DE DESCARGA Arco construido en el muro sobre un arco, puerta o ventana, para descargar el peso del muro de encima.

ARCO DE HERRADURA Arco en forma de herradura redondeada. A menudo es una característica de los edificios islámicos.

ARCO TRIUNFAL Arco monumental independiente o puerta conmemorando una gran victoria en batalla. El arco triunfal se originó en roma, durante el siglo II a.C.

ARCO TUDOR Arco cuyos lados comienzan en curva pero luego se enderezan para encontrarse en un punto del vértice. Era una característica común en la arquitectura inglesa, una forma del gótico perpendicular que se desarrolló entre los años 1485 y 1547, durante el reinado de Enrique VII y Enrique VIII.

ARQUEADO Se refiere a un edificio cuya estructura depende del empleo de arcos, como opuesto del adintelado.

ARQUITRABE Dintel que expande el espacio entre dos columnas o pilares. También puede ser una moldura que rodea una ventana, puerta u otra abertura.

ARQUIVOLTA Forma de arquitrabe alrededor de una abertura curva. También puede ser una moldura ornamental alrededor de la parte alta de un arco.

ARTESONADO Paneles hundidos que decoran un techo, una cúpula o una bóveda.

ASILO DE CARIDAD Hospicio para ancianos y pobres, financiado por caridad privada.

ASTRÁGALO Pequeña moldura semicircular usada en situaciones variadas, como alrededor de una columna.

ÁTICO Espacio o habitación en el tejado de una casa. También muro bajo o planta encima de la entabladura de una fachada clásica, como en los arcos triunfales romanos.

ATLANTES Soportes en forma de figura masculina colocados en lugar de columnas. Eran particularmente populares en la arquitectura germana del barroco.

ATRIO En arquitectura romana, patio interior, a veces totalmente cubierto, pero generalmente abierto a la mitad. En la arquitectura paleocristiana, patio abierto enfrente de una iglesia, rodeado por pórticos con columnas.

AZTECA Cultura que floreció en el Valle de Méjico desde el siglo XV hasta los años 1520, y en su apogeo abarcaba desde el Pacífico a la costa del Golfo. La arquitectura incluía muchas pirámides y templos.

BAJORRELIEVE Talla en relieve que sobresale ligeramente del fondo.

BALAUSTRADA CIEGA Balaustrada adosada a la pared.

BALAUSTRADA Una serie de cortos postes o pilares, llamados balaustres, que soportan un pasamanos.

BALCÓN Plataforma que se proyecta desde un muro del edificio. Tiene una balaustrada o barandilla alrededor de su borde exterior, y se accede a él, generalmente, a través de una puerta o ventana.

BALDAQUINO (BALDACCHINO) Un dosel sobre, por ejemplo, una puerta, altar o trono. Puede estar soportado por columnas, adosado a una pared o suspendido del techo.

BALLFLOWER Decoración utilizada en el siglo XIV, consistente en una flor de tres pétalos en una pequeña pelota.

BANCO DE IGLESIA Asiento largo, en forma de banco, de una iglesia.

BANDA O FAJA Cualquier moldura horizontal y plana, o ligeramente proyectada, en un muro exterior.

BAPTISTERIO Edificio o parte de edificio, como una iglesia, en la que se bautiza.

BARBACANA Torre que protege la puerta o puente levadizo de un castillo.

BARROCO Estilo de arquitectura que data del siglo XVII y principios del XVIII. Originado en Roma, es generalmente ornamentado y exuberante, con énfasis en el equilibrio de las partes para crear un conjunto perfecto.

BASÍLICA Antiguo edificio romano que servía como sala de justicia o mercado. Tenía una nave central y dos laterales, a menudo también tenía galerías. El término también se aplica a iglesias, como las paleocristianas, con nave principal y dos o más naves laterales.

BASTIÓN Parte proyectada de una fortificación que se usa como mirador.

BELVEDERE Pequeña torre mirador en el tejado de una casa. También puede ser una casa de verano con vistas a un parque o jardín.

BEMA Plataforma usada por el clero de las iglesias paleocristianas. También puede referirse a un púlpito elevado en una sinagoga.

BÍFORA Ventana en la que se separan dos aberturas arqueadas con una columna vertical.

BILLET Moldura románica en la que hay dos o más filas de bloques cuadrados o cilíndricos a intervalos iguales.

BIZANTINO Arquitectura del Imperio Bizantino desde 330 a 1453 d. C. La arquitectura que sobrevive es fundamentalmente eclesiástica e incluye numerosas basílicas.

BLOQUE IMPOSTA Bloque entre el capitel y el ábaco de una columna que tiene lados extendidos.

BÓVEDA DE CAÑÓN Una bóveda cóncava que es uniforme en toda su longitud. Es la más simple y temprana de las bóvedas, con ejemplos que datan del siglo IX a. C.

BÓVEDA DE CRUCERÍA También conocida como bóveda de aljibe o claustral, formada por dos bóvedas de cañón de idéntica longitud que se cruzan en ángulo recto.

BÓVEDA Un techo o tejado, de piedra o ladrillo, arqueado.

BUCRANIUM (pl. **BUCRANIA**) Cabezas de buey esculpidas, a menudo con guirnaldas, que aparecen en los edificios clásicos.

BUHARDILLA Ventana vertical en la pendiente del tejado. Tiene su propio tejado y frontón.

CABILDO La habitación del monasterio en la que se reúnen los monjes para escuchar la lectura de las Normas de su Orden, y para discutir los asuntos de negocios.

CAIHUA En arquitectura china, pintura policroma que se aplica a todas las paredes exteriores e interiores de madera.

CALADO Trabajo, a menudo decorativo, que contiene perforaciones.

CALDARIUM En los antiguos baños romanos, habitación para baños calientes.

CAMPANARIO DE UNA IGLESIA Generalmente el piso superior de una torre, en el cual hay una o más campanas.

CAMPANILE Torre campanario italiana, generalmente independiente.

CANEPHORAE Escultura de figura femenina con una cesta sobre su cabeza.

CAPILLA Lugar dentro —si bien a veces fuera— de una iglesia y con un altar separado, a menudo dedicada a un santo en particular. En las casas grandes o instituciones, como prisiones y hospitales, también es un lugar para orar.

CAPILLA, O CAMARÍN, DE LA VIRGEN Capilla dedicada a la Virgen María.

CAPILLAS RADIANTES Capillas que se proyectan, radialmente, desde un deambulatorio.

CAPITEL AEÓLICO En arquitectura clásica, capitel con un tope oblongo, debajo del cual hay dos volutas.

CAPITEL CUBIFORME Capitel cuya forma se produce mediante la interpenetración de un cubo y una semiesfera.

CAPITEL Parte superior de una columna. Su forma y decoración denotan el orden arquitectónico al que pertenece, como dórico o jónico.

CARIÁTIDE Estatua de figura femenina que se usa en lugar de una columna.

CAVETTO Moldura con una sección de cerca de un cuarto de círculo.

CEJIAO En arquitectura china, la ligera inclinación de las columnas hacia el centro del edificio.

CELLA Parte principal de un templo clásico que, a menudo, contiene una estatua del dios al que está dedicado el templo. También se llama *naos*.

CERCHA EN CORONA CROWN-POST ROOF Tejado de vértice coronado por un poste. Tejado con un poste vertical centrado en una viga de unión. En lugar de llegar al caballete, el poste soporta una correa longitudinal.

CERCHA GÓTICA Tejado en el que las cortas ménsulas horizontales se proyectan hacia el interior desde el muro, y soportan vigas verticales.

CHACMOOL Estatua de una figura humana recostada.

CHAFLÁN O BISEL Superficie creada cuando se corta un filo o esquina de un bloque de piedra o madera, generalmente con un ángulo de cuarenta y cinco grados. La superficie puede ser cóncava.

CHAÎNES Forma de decoración particularmente popular en la arquitectura doméstica del siglo XVII francés. Consiste en bandas verticales de mampostería rústica que dividen la fachada en paneles.

CHAPITEL Estructura alta y delgada que corona un vértice y se alza desde un tejado o torre.

Glosario

CHÂTEAU Casa de campo o señorial, o castillo, más comúnmente encontrado en Francia.

CHAULTRI Sala con pilares construida como parte de un templo indio.

CHENG En arquitectura china, muralla de ciudad o "amurallar una ciudad". También ciudad.

CHIGI Decoración en forma de tijeras en el tejado de un templo sintoísta japonés.

CHINOISERIE Imitación europea del estilo de arte y arquitectura chinos, que alcanzó su máxima popularidad en el siglo XVIII. Incluía numerosas pagodas.

CHIWEN En arquitectura china, un remate, al final de cada extremo del caballete del tejado, que sirve para cubrir la juntura de unión de las dos pendientes.

CHUANDOU En arquitectura china, estructura de columna y atadura en la que el peso del tejado del edificio se soporta directamente sobre las columnas, las cuales se alzan hacia el caballete recibiendo directamente las correas. Un juego de vigas horizontales y transversales penetran el cuerpo de las columnas, entretejiéndolas en un armazón.

CHULLPA En arquitectura precolombina, torre sepulcral construida para enterrar al fallecido con sus posesiones.

CIBORIUM Dosel sobre el altar de una iglesia. Generalmente consiste en una cúpula soportada por columnas.

CICLÓPEO En arquitectura griega preclásica, un término que se refiere a la albañilería construida con bloques muy grandes e irregulares de piedra. También se refiere a cualquier albañilería construida con grandes y toscos bloques de piedra.

CIRCO En arquitectura romana, edificio oblongo y sin cubierta con filas de asientos en ambos lados y en uno de los extremos redondeados. Se usaba, sobre todo, para carreras de caballos y carretas.

CLAUSTRO Recinto, generalmente cuadrangular, alrededor del cual hay un paseo techado y con una columnata o arcada en el interior. Conecta las partes domésticas del monasterio con la iglesia.

CLAVE Piedra central de un arco redondeado.

CLERESTORIO Parte superior de una iglesia, encima de la nave lateral, que consiste en ventanas.

COLUMNA adosada Columna adosada, o proyectante desde, un pilar o muro. También se conoce como columna pareada.

COLUMNA DE ESCALERA Pilar central de una escalera de caracol. También poste al final o al principio de la escalera, al que se une la barandilla.

COLUMNA EN BLOQUES Columna cuyo fuste incluye bloques rusticados cuadrados.

COLUMNA FAJADA Columna cuyo fuste consiste en cilindros de piedra (tambores) más grandes y más pequeños, más decorados y menos decorados.

COLUMNA Pilar redondo, vertical e independiente que consiste en basa, fuste y capitel. Generalmente es una forma de soporte, pero puede erigirse como monumento.

COLUMNATA Línea de columnas que portan arcos o una entabladura.

COLLARINO Moldura que consiste en un anillo alrededor del fuste de una columna. También se conoce como anillo.

CONCHA Nicho semicircular sobre el cual hay una media cúpula.

CONTRAFUERTE Masa de albañilería en piedra o ladrillo que construida contra o proyectándose desde el muro proporciona fuerza adicional. Hay muchos tipos distintos, incluyendo el arbotante.

CORNISA CON MODILLÓN Cornisa cuya protuberante parte superior descansa sobre series de pequeñas y pareadas ménsulas.

CORNISA En arquitectura clásica, parte superior de una entabladura. También es una moldura decorativa a lo largo de la parte superior de un edificio, o parte de él, como una pared, arco o pedestal.

CORO La parte de la iglesia, generalmente dentro del presbiterio, que usaban los cantores y el clero.

CORONA La parte vertical superior de una cornisa.

CORREA Viga horizontal que recorre el largo de un tejado y soporta los cabios sobre los que se coloca la cubierta.

COTTAGE ORNÉ Edificio rústico construido por sus cualidades pintorescas, como un tejado de paja y vigas de madera. Estos edificios fueron populares en la Inglaterra de finales del siglo XVIII y principios del XIX.

COUR D'HONNEUR El antepatio de un *hôtel* francés o villa urbana privada.

CREPIDOMA Plataforma de piedra de un templo griego, generalmente con tres escalones.

CRESTA Un caballete ornamental a lo largo de una pared o edificio.

CRESTERÍA Generalmente, un muro a lo largo del caballete de un tejado. En arquitectura maya clásica, una característica, en la cima de la pirámide, que consistía en dos muros inclinados el uno hacia el otro, teniendo éstos relieves esculpidos en estuco.

CRESTERÍA Ver *cresta de tejado*.

CRIPTA Área abovedada debajo del suelo principal de una iglesia. A menudo contiene tumbas o reliquias.

CROCKET En arquitectura gótica, un elemento ornamental consistente en piedras en forma de gancho que se proyectan a los lados de un hastial, pináculo o chapitel. También puede decorar el capitel de una columna.

CRUCERO Lugar de la iglesia en que se cruzan la nave, el presbiterio y el transepto.

CRUZ CUPULADA Aplicado a las iglesias construidas en forma de cruz, con una cúpula sobre su centro. Estas iglesias están asociadas a la arquitectura paleocristiana y bizantina.

CRUZ EN CUADRADO La planta de iglesia bizantina más extendida. Está compuesta por un compartimiento central rodeado de cuatro grandes compartimientos rectangulares, con cuatro más pequeños en los ángulos de la cruz. Los compartimientos pueden estar abovedados o cupulados.

CRUZ GRIEGA Cruz con cuatro brazos de igual longitud.

CUADRÁNGULO Patio rectangular, a menudo con edificios en los cuatro lados.

CUATRIFOLIO Ver *lóbulos*.

CUBIERTA CON FALDONES Tejado a cuatro aguas ascendentes. Se forman cuatro limas tesas al encontrarse dos superficies inclinadas.

CUBIERTA DE PABELLÓN Tejado a cuatro aguas, alzándose éstas desde frontones y uniéndose arriba.

CUBIERTA MANSARDA Tejado que recibe su nombre del arquitecto francés François Mansart —con doble pendiente en cada uno de sus cuatro lados. Las secciones inferiores son más abruptas y más largas que las superiores.

CUERPO AVANZADO Sección de edificio que se proyecta desde la parte principal.

CÚPULA Bóveda curvada sobre una base circular o cuadrada. En sección, puede ser semicircular, bulbosa o apuntada. Cuando la base es cuadrada, en las esquinas se insertan pechinas o trompas para cambiarlas a casi círculos.

CÚPULA DE CALABAZA Cúpula formada por secciones cóncavas con caballete. Se encuentran a menudo en la arquitectura islámica.

CÚPULA EN CEBOLLA Cúpula en forma de bulbo utilizada en lo alto de las iglesias y de las torres de iglesia, muy común en Rusia y el este de Europa.

CUPULINO Pequeña cúpula que corona una torreta, sobre un tambor coronado con una linterna.

CÚSPIDE Punto en el que se unen los lóbulos o arcos de tracería en una ventana gótica.

CYMATIUM En una entabladura clásica, la parte superior de una sección de moldura.

DAGABA Ver *stupa*.

DARGAH En arquitectura islámica, portal, entrada o puerta imponente.

DEAMBULATORIO Pasaje techado de un claustro o alrededor del ábside de una iglesia.

DECÁSTILO Se refiere a un pórtico con diez columnas cruzando el frente.

DECORACIÓN CONTRA-REFORMISTA Forma de decoración, basada en los principios del énfasis dramático, en la cual se combinan el estuco, la escultura y algunas características arquitectónicas fragmentadas para enmarcar grandes frescos.

DECORATED Segunda de las tres fases del gótico inglés que abarca de 1250 a 1340. Se caracterizaba por molduras ornamentadas, nervios múltiples, y molduras en forma de S en los arcos y en la tracería de las ventanas.

DENTIL O DENTÍCULO Pequeño bloque cuadrado usado en serie en la corona de una cornisa clásica.

DIACONÍA En arquitectura bizantina, habitación en, o adosada a, una iglesia.

DINTEL Viga de madera o piedra a través de la parte superior de una abertura, como una ventana o una puerta.

DÍPTERO Término que se refiere a un edificio con dos filas de columnas a cada lado.

DISCO SOLAR Un disco alado que representa al sol. Habitualmente se relaciona con la arquitectura egipcia antigua.

DISEÑO CLAVE Ejemplo de una greca, un patrón geométrico repetido, hecho de líneas rectas verticales y horizontales, usadas para decorar una banda.

DOSEL O BALDAQUÍN Cubierta en forma de tejado que cubre, por ejemplo, un altar, puerta, ventana, tumba, púlpito, nicho o estatua.

DOUGONG En arquitectura china, juego de ménsulas (dou "bloque portante", gong "brazo de ménsula").

DOVELA Piedra o ladrillo en forma de cuña que se usa para la construcción de un arco o bóveda.

EFIGIE Retrato, generalmente esculpido, de una persona.

EMPALIZADA Serie de fuertes y gruesos postes que forman una cerca de protección.

ENCEITE Área principal de una fortaleza. Está rodeada de una muralla o un foso.

ENJUTA Área, más o menos triangular, pegada a la curva de un arco, tanto a la derecha como a la izquierda, entre dos arcos o entre los nervios adyacentes de una bóveda. A menudo está decorada.

ENTABLADURA En arquitectura clásica, sección de un edificio que está soportada por columnas y consiste en arquitrabe, friso y cornisa.

ÉNTASIS Ligero ensanchamiento usado en las columnas clásicas para contrarrestar la ilusión óptica de concavidad de una columna totalmente recta.

ENTRELAZO Forma de ornamentación en la que se entrelazan un buen número de bandas.

EQUINO Moldura convexa entre el fuste y el ábaco de una columna dórica, o debajo de las volutas del capitel de una columna jónica.

ESFINGE En arquitectura egipcia antigua, figura con cuerpo de león y cabeza humana.

ESPAGNOLETTE Fijación larga, mediante bisagras, de las ventanas y puertas francesas dobles. Se usó por primera vez en el siglo XVII.

ESTADIO/STADIUM En arquitectura griega antigua, pista para correr. Generalmente, una cancha de deportes de forma oval.

ESTRIADO Canales cóncavos, poco profundos, que corren verticalmente a lo largo del fuste de una columna o una pilastra. Los canales pueden estar separados por filetes.

ESTUCO Un duradero enlucido a base de yeso, cal y arena, para uso externo. También enlucido refinado que se usa para la decoración interior.

ETRUSCO Civilización que floreció en Italia h. 780-100 a. C.

EXEDRAE Ábside amplio. También hueco, o nicho, semicircular o rectangular.

FACHADA Cara exterior de un edificio, generalmente el frente

FASCIAE Banda horizontal, generalmente en un arquitrabe. Puede estar en series de dos o tres, cada una de las cuales sobresale ligeramente más que la de encima.

FESTÓN Forma de decoración, frecuentemente usada en frisos y paneles, que consiste en una guirnalda de flores y fruta, o en un trozo de tela, quizás sujeta con cordones.

FILETE Banda, estrecha y ligeramente levantada, entre las estrías de una columna o alrededor de un arco. También parte superior de una cornisa.

FLAMBOYANTE, O FLAMÍGERO Estilo gótico francés tardío, de los siglos XV y XVI, caracterizado por tracería en forma de llamas y una elaborada talla.

FLORÓN Proyección ornamental usada en la intersección de nervios o vigas en un techo o bóveda.

FOLIOS O LÓBULOS Curvas, en forma de lóbulo, entre las cúspides o puntos proyectados de la tracería de las ventanas góticas. Un prefijo indica el número de lóbulos, como pentafolio (cinco folios o lóbulos).

FORO Espacio abierto usado como mercado o lugar de reunión en las ciudades romanas. El equivalente griego es el ágora, que estaba generalmente rodeado de columnatas y edificios públicos.

FRIGIDARIUM En los antiguos baños romanos, habitación para tomar baños fríos.

FRISO Banda horizontal que puede estar pintada o decorada con escultura o molduras. Puede estar en la parte superior de un muro, o formar la sección media de la entabladura, entre el arquitrabe y la cornisa.

FRONTISPICIO Frontón de baja inclinación en un edificio, generalmente sobre un pórtico. Es una característica distintiva de la arquitectura clásica y de inspiración clásica, a menudo decorada con escultura de altorrelieve.

FRONTÓN Característica triangular, a menudo en la parte superior de un muro, al final de un tejado inclinado. También puede usarse, como forma de decoración, sobre el pórtico de un edificio gótico. Generalmente los lados son rectos, pero pueden ser curvos, escalonados o de alguna otra forma.

FRONTÓN, o frontispicio, partido Frontón que tiene su línea interrumpida en el cenit o en su base.

FUSTE Parte vertical más importante de una columna, entre la basa y el capitel.

GALERÍA Piso superior en el muro interior de un edificio secular o iglesia, que se proyecta sobre una nave lateral. También habitación larga, en una casa grande o palacio, que se usa para recreo o para exhibir pinturas.

GALILEA Vestíbulo o, a veces, capilla en el extremo oeste de una iglesia.

GALÓN Moldura románica en forma de zigzag.

GARBHAGRIHA Parte más sagrada de un templo indio. Pequeña habitación oscura en la que se colocaba la deidad.

GÁRGOLA Un canalón de agua, en forma de figura grotesca, que se proyecta desde un tejado o un muro.

GEKU En la arquitectura sintoísta japonesa, santuario exterior para un dios local.

Glosario

GEORGIANO Estilo de la arquitectura inglesa, de entre principios del siglo XVIII y principios del siglo XIX, caracterizado por elementos clásicos.

GOPURAM Puerta monumental con torres en la entrada de un complejo indio de templos hindúes.

GÓTICO Término general para la arquitectura medieval cuyas características principales eran el arco apuntado, de piedra, bóvedas nervadas, arbotantes y ventanas con delicada tracería y vidrieras. Apareció por primera vez en Francia, a mediados del siglo XII, dominó la arquitectura europea los siguientes 350 años.

GRECAS Talla geométrica o trabajo de metal, decorativo, a veces con agujeros.

GROTESCO Decoración en pintura o bajorrelieve basada en la antigua decoración romana; consiste en motivos estilo arabesco con figuras humanas y animales. Se usó por primera vez en la Italia del siglo XVI, después de que se descubrieran algunos ejemplos en las ruinas subterráneas romanas conocidas como *grotte*.

GUIRNALDA Festón en forma de una extensión de tejido.

HEPTÁSTILO Referido a un pórtico con siete columnas a lo largo del frente.

HEXÁSTILO Referido a un pórtico con seis columnas a lo largo del frente.

HIPÓDROMO En arquitectura griega y romana antiguas, construcción, generalmente sin albañilería, donde se celebraban carreras de caballos y carrozas.

HIPÓSTILO Edificio, generalmente una gran sala, en el cual el tejado se soporta mediante varias filas de columnas.

HOJAS RÍGIDAS Una forma de follaje esculpido de los edificios medievales, generalmente sobre capiteles o florones.

HONDO En arquitectura japonesa, originalmente, sala de imágenes de un templo budista. Desde el siglo XII, templo para entrar y orar.

HÔTEL En Francia, villa urbana privada construida según un diseño establecido en el siglo XVI. El cuerpo principal de la casa y dos alas rodean un patio, separado de la calle mediante un muro o mediante el bloque de cocina y establos.

HUEVO-DARDO Moldura decorativa en la que se alternan formas ovales con puntas de flecha.

HYPAETHRAL Construcción con su parte central total o parcialmente abierta al cielo.

HYPOTRACHELIUM En columnas dóricas, acanaladura en la parte superior del fuste, bajo el capitel.

ICONOSTASIO En una iglesia bizantina, mampara con tres puertas colocada atravesando la nave, enfrente del altar. Desde el siglo XIV, evolucionó en un muro de piedra o madera con iconos.

IN ANTIS Término que se refiere a las columnas entre los *antae* (ver *anta*).

INCA Civilización sudamericana centrada en Cuzco, Perú, que data desde el siglo XIV a los años 1530. En su apogeo, el imperio Inca abarcaba 4.200 km (2.600 millas) hacia la costa oeste.

INGLÉS TEMPRANO La primera de las tres fases del gótico inglés, que comprende de finales del siglo XII a hacia 1250. Durante este periodo empezaron a construirse iglesias con arcos apuntados y bóvedas de crucería.

INTERCOLUMNIO Espacio entre dos columnas adyacentes. Su ancho es frecuentemente un múltiplo del diámetro de las columnas.

IWAN En arquitectura islámica, amplio salón abovedado abierto, por un lado, al patio.

JALI En arquitectura islámica, mampara perforada que rellena una ventana exterior.

JAMBA Parte lateral vertical del marco de una puerta o ventana. También cara interna vertical de una abertura en un muro, como en una arcada.

JIAN En arquitectura china, luz o espacio entre columnas.

JUANSHA En arquitectura china, el equivalente de éntasis.

JUEGO DE PELOTA En las civilizaciones mesoamericanas, un patio rodeado de altos muros, con asientos para espectadores, en el cual se jugaba el sagrado juego de pelota. Cada equipo trataba de pasar una dura pelota por uno de los dos grandes anillos esculpidos en piedra que estaban a los lados del patio.

JUNTURA EN MUESCA Y ESPIGA Una juntura que consiste en una hembra (muesca) en la cual se encaja una pieza proyectante (espiga).

KHANQAH Monasterio islámico.

KIOSCO Pabellón abierto o casa de verano generalmente soportada por pilares. Es más frecuente en Turquía e Irán. Una adaptación europea es el kiosco de música.

KUMBHA En arquitectura india, almohadón de capitel curvo.

LATH Ver *stambha*.

LESENA Columna rectangular sin basa o capitel que está construida en un muro y sólo sobresale ligeramente de ella. Puede ser tanto decorativa como estructural.

LINTERNA Pequeña estructura circular o poligonal que corona una cúpula. Generalmente tiene ventanas y una base abierta para permitir la entrada de luz.

LISTEL Ver *filete*.

LOGIA Galería o habitación que está abierta al menos en un lado. Puede ser parte de un edificio o estar aparte, y puede tener columnas o pilares.

LUNETA Ventana semicircular.

MADRASA Academia de teología islámica.

MAINELES Y MONTANTES Un mainel es un parteluz que divide un espacio, generalmente una ventana, verticalmente en dos o más secciones. Un montante es una barra horizontal a través de la ventana.

MANASTAMBHA En arquitectura india, la forma jainista de una *stambha* o columna que porta un pequeño pabellón en su capitel.

MANDALA En arquitectura india, diagrama geométrico que servía como planta de los templos jainistas e hindúes.

MANDAPA En arquitectura india, sala de asambleas, para los creyentes, en un complejo de templo hindú o jainista.

MASHARABIYYA Mamparas o rejas de madera frecuentes en las casas de los países islámicos.

MASTABA Tumba egipcia antigua que simula la planta de una residencia. Un túmulo con una base rectangular, lados en pendiente y parte superior plana, que cubre una amplia cámara mortuoria subterránea.

MATACÁN Construcción defensiva que se proyecta desde el muro o torre de un castillo y se soporta mediante ménsulas. Las aberturas en el suelo, entre las ménsulas, permitían tirar aceite hirviendo y proyectiles a los atacantes.

MAUSOLEO Tumba grande y majestuosa.

MAYA Civilización nativa americana, compuesta por ciudades-estado, que se desarrolló en Méjico y el norte de América Central desde aproximadamente 1500 a. C., y que floreció en el periodo del 300 al 800 d. C. Empezó a declinar en el siglo IX, y fueron finalmente conquistados por los españoles en el siglo XVI.

MEGARON Complejo central de un palacio micénico, y unidad doméstica principal. Era un largo y estrecho conjunto de habitaciones compuesto de un pórtico con columnas, una antecámara y el propio *megaron*.

MÉNSULA Soporte que puede ser de madera, metal, piedra u otro material, y que se proyecta desde un muro.

MESOAMÉRICA Término que se refiere a América Central y la parte de Méjico en la que florecieron civilizaciones desde aproximadamente 1000 a. C. hasta la conquista española en el siglo XVI.

METOPA En un friso dórico, área rectangular entre dos triglifos. Puede o no estar decorada.

MEZQUITA Lugar islámico para la oración, generalmente tienen uno o más minaretes.

MICÉNICA Civilización que floreció, en Grecia, aproximadamente entre 1600-1200 a. C.

MIHRAB Nicho en la pared orientada a la Meca de una mezquita.

MIMBAR Púlpito de una mezquita.

MINARETE Torre alta y generalmente delgada que tiene miradores proyectados. Está conectada con una mezquita. La utilizan los muecines para llamar a la plegaria.

MINOICA Civilización de la Edad de Bronce que floreció en Creta rondando 2000-1450 a. C.

MIRADOR Ventana que se proyecta desde un muro.

MODILLÓN Ménsula proyectada, generalmente de piedra, que soporta una viga y suele estar decorada.

MÓDULO Unidad de medida usada para determinar proporciones en el diseño de edificios. En arquitectura clásica era, comúnmente, la mitad del diámetro de una columna, justo encima de su base.

MOLDURA EN MÉNSULA Un tipo de moldura que data del gótico tardío, que consiste en dos S (o S invertidas), con las partes convexas tocándose entre sí.

MOLDURA NEBULOSA Forma de moldura, típica del estilo decorated, en la cual, las curvas convexas y cóncavas representan el romper de las olas.

MONASTERIO Grupo de edificios en los que una comunidad religiosa, generalmente monjes, viven aislados del mundo exterior.

MONOLÍTICO Creado de una sola piedra.

MONTANTE Ver *parteluz* y *montante*.

MOSAICO Un área de superficie decorada, tanto de un muro como del suelo, compuesto por pequeñas piezas de piedra, cristal o mármol colocadas en cemento, mortero (mezcla de cemento o caliza con agua) o masilla.

MOTIVOS GEOMÉTRICOS Decoración que consiste en pequeños patrones, como cuadrados, que se repiten hasta cubrir completamente una superficie.

MOUCHETTE Motivo curvo, en forma de lanceta con cabeza redondeada o apuntada, que se usa en la tracería del estilo *decorated*.

MOULDURA Banda esculpida con un perfil distintivo que se usa para decorar una amplia gama de superficies proyectadas, incluyendo basas de columna y capiteles, jambas de puertas y ventanas y los bordes de los paneles.

MUDÉJAR Estilo arquitectónico español que incluye elementos islámicos en diseños de iglesias cristianas. Los ejemplos más notables datan de los siglos XIII y XIV.

MUQARNAS En arquitectura islámica, decoración de techo que se asemeja a estalactitas.

MÚTULO En orden dórico, losa rectangular que se proyecta desde debajo de la corona de la entablatura.

NAIKU En arquitectura sintoísta japonesa, santuario para el dios ancestral de la familia imperial.

NAISKOS Ver *adytum*.

NAOS Recinto principal de un templo griego que contiene una estatua de un dios o diosa.

NARTHEX Porche cerrado enfrente de la entrada de algunas de las iglesias paleocristianas.

NAVE LATERAL En una iglesia, salón u otro edificio, la parte que sirve como corredor, generalmente con una arcada de columnas a cada lado.

NAVE PRINCIPAL Parte central, de una iglesia, que va desde la entrada principal hasta el transepto o ábside.

NEOCLASICISMO Última parte del clasicismo europeo. Data de finales del siglo XVIII. Presta una gran atención a las formas geométricas y a la decoración comedida.

NERVIO Delgada banda arqueada, que se proyecta sobre una bóveda o techo, que tiene propósito estructural o decorativo.

NETO En arquitectura clásica, porción de un pedestal o plinto entre la cornisa y la base.

NICHO Hueco cóncavo en un muro, generalmente arqueado y alojando una estatua, una urna u otra forma de decoración.

NINFEO Edificio romano, dedicado a las ninfas, que contiene columnas, estatuas y fuentes, donde la gente podía relajarse.

NORMANDO En arquitectura, estilo románico de la Inglaterra de la conquista normanda (1066 hasta h. 1180), cuando se construyeron los primeros edificios de estilo inglés temprano.

OBELISCO Alto fuste de piedra, generalmente granito, monolítico y ahusado, que era originalmente una característica de la arquitectura egipcia.

OCTÁSTILO Se refiere a un pórtico con ocho columnas a través del frontal.

ODEUM (pl. **ODEA**) En las antiguas Grecia y Roma, sala de música muy parecida a un teatro, pero más pequeña y total o parcialmente descubierta.

OEIL-DE-BOEUF Pequeña ventana redonda u oval.

OJIVA Doble curva en forma de S, a menudo utilizada en el diseño de molduras o de arcos apuntados del inglés temprano.

OJO DE BUEY Ver *oeil-de-boeuf*.

OLMECA Cultura mesoamericana que floreció aproximadamente entre 1200-300 a. C.

OPISTODOMOS Habitación de un templo griego que se encuentra situada detrás de la *naos*.

OPUS RETICULATUM En arquitectura romana, construcción que consiste en piedras de forma piramidal, colocadas diagonalmente, dentro de la cual se vierte el hormigón.

OPUS SECTILE Un recubrimiento de pared o suelo que se hace con tejas o losas de mármol, cortadas en patrones geométricos.

ORATORIO Pequeña capilla privada, en una iglesia o casa, que contiene un altar.

ORDEN COLOSAL Ver *orden gigante*.

ORDEN COMPUESTO El último y más elaborado de los órdenes de la arquitectura clásica. Fue creado por los romanos, y combina elementos de los órdenes jónico y corintio.

ORDEN CORINTIO Orden de la arquitectura clásica inventado por los atenienses en el siglo V a. C., y desarrollado después por los romanos. Se distingue del jónico, principalmente, por el capitel de su columna, que incluye filas de hojas de acanto.

ORDEN DÓRICO Orden de arquitectura clásica que se divide en dórico griego y dórico romano. La columna del dórico griego era estriada, sin basa y con un capitel con moldura simple y ábaco. La columna del dórico romano era más esbelta, no estriada, con una basa baja y con un capitel más pequeño.

ORDEN GIGANTE Orden cuyas columnas tienen varios pisos de altura. También se llama orden colosal.

ORDEN JÓNICO Orden de arquitectura clásica que se originó en Asia Menor a mediados del siglo VI a. C. Se caracterizaba por volutas en el capitel, dentículos en la cornisa y un friso que podía llevar decoración continua en bajorrelieve.

Glosario

ORDEN TOSCANO La forma más simple de orden romano. Es el más cercano al dórico griego, y una de sus características más notables es el friso sin adornar.

ORDEN Un estilo de columna y entabladura de la arquitectura clásica. Hay cinco órdenes: dórico, jónico y corintio, desarrollados en Grecia, y toscano y compuesto, desarrollado por los romanos. También puede referirse a cualquier disposición de las columnas y la entabladura, como en el orden gigante.

PAGODA Torre de varios pisos de altura, a menudo asociada al budismo, y más común en China, Japón y Nepal. Cada planta puede ser ligeramente más pequeña que la de debajo y tener su propio tejado y balcón.

PALAESTRA Escuela privada griega de lucha, similar a un *gymnasium*.

PALAZZO Palacio italiano o cualquier edificio impresionante, bien público, bien privado.

PALLADIANISMO Estilo de edificación basado en las publicaciones del arquitecto italiano del siglo XVI Andrea Palladio, y particularmente popular en la Inglaterra del siglo XVIII. Se basaba en el romano clásico.

PANEL Porción de superficie plana que está hundida o elevada respecto al área circundante, y puede estar perfilada con una moldura.

PAR Cada uno de las numerosas vigas inclinadas que forman el armazón de un tejado.

PARAKKLESION Capilla bizantina que puede o no estar adosada a otro edificio.

PARAPETO Muro bajo que corre a lo largo de cualquier característica, como balcones, terrazas o puentes, debajo del cual hay una caída. También puede ser un muro defensivo, quizás con almenas.

PASTOPHORY En las iglesias del inglés temprano o bizantino, cámara lateral que flanquea al ábside.

PATERAE En arquitectura clásica, pieza de decoración pequeña, plana y circular u oval, que a menudo exhibe hojas de acanto.

PAVELLÓN Cenador o edificio decorativo en un jardín o parque. También puede ser un aditamento a un gran edificio, en cuyo caso, tendrá una característica distintiva, como un tejado cupulado. En Bretaña puede ser un edificio en una cancha de deportes, donde los jugadores pueden cambiarse.

PECHINA Pieza de albañilería cóncava en forma de triángulo invertido que ayuda a soportar una cúpula circular sobre una base cuadrada o poligonal.

PEDESTAL Soporte debajo de una columna, estatua, urna u otra característica. En arquitectura clásica consiste en un plinto o base sobre la cual hay un estrecho pero alto neto coronado con una cornisa.

PÉNDOLA Tejado con dos miembros verticales, conocidos como péndolas, que se colocan simétricamente sobre un tirante transversal y se conectan mediante un puente de encabiado horizontal.

PENTAFOLIO Ver *lóbulo*.

PERÍPTERO Termino que se refiere a un edificio rodeado por una única fila de columnas.

PERISTILO Columnata alrededor de un patio o del exterior de un edificio.

PERPENDICULAR Tercera de las tres fases del gótico inglés. Data de entre aproximadamente 1340 a 1530. Presta gran atención a las líneas rectas, verticales y horizontales, con ventanas y muros a menudo divididos, mediante tracería, en numerosas filas de paneles rectangulares con nervios verticales.

PERRON Plataforma o terraza a la que se abre la puerta de una casa, iglesia u otro edificio. También puede ser una escalinata que lleva a una terraza o entrada.

PIANO NOBILE Planta principal de un palacio italiano, donde está la sala de recepciones.

PIEDRA ANGULAR Gran piedra embellecida en las esquinas de un edificio, usada tanto como refuerzo como decoración. Las piedras angulares se colocan, a menudo, una sobre otra, de tal modo que alternan las caras largas y cortas.

PILAR COMPUESTO Un pilar con varios fustes. También llamado pilar fasciculado.

PILAR Sólido soporte vertical, a menudo rectangular, que a veces tiene basa y capitel.

PILASTRA Pilar poco profundo que sobresale ligeramente de un muro, y, en edificios clásicos, tiene las características de uno de los órdenes.

PÍLONO En arquitectura egipcia antigua, estructura consistente en una especie de torre inclinada a cada lado de la entrada de un templo.

PINÁCULO Pequeña construcción en forma de torre, generalmente ornamental, que corona un chapitel, contrafuerte u otra parte de un edificio.

PINJANTE Florón alargado que cuelga de un tejado o techo abovedado.

PINTORESCO Término aplicado, en la Inglaterra de los siglos XVIII y XIX, a los paisajes y edificios que impactaban en la imaginación con la fuerza de una pintura. Los ejemplos incluyen el *cottage orné* y las góticas casas encastilladas del tipo diseñado por John Nash.

PIRÁMIDE En arquitectura antigua, gran estructura de piedra de base cuadrada con cuatro lados inclinados que se unen en un punto.

PISCINA Tazón de piedra poco profundo, generalmente dentro de un nicho. También piscina o tazón en los baños romanos.

PISHTAQ En arquitectura islámica, entrada grande.

PLACE ROYALE Construcción francesa, más frecuentemente del siglo XVII, con alojamiento para la nobleza.

PLATERESCO Literalmente "en forma de orfebrería", es un estilo de arquitectura altamente decorativo asociado a la España del siglo XVI.

PLAZA Espacio abierto.

plinto Bloque, generalmente cuadrado, que forma la parte más baja de la basa de una columna. También se refiere a la parte baja y proyectada de un muro.

PODIO Plataforma grande. Más específicamente, puede ser la plataforma sobre la que se construía un edificio antiguo, o una plataforma circundando la arena en un anfiteatro o teatro.

PORCHE Estructura baja, generalmente techada, en la entrada de un edificio.

PORTADA Fachada principal de un edificio. También frontón sobre una puerta o ventana.

PORTAL Espectacular puerta o entrada, a menudo decorada.

PÓRTICO Espacio abierto, con un tejado soportado por columnas, en la entrada de un edificio, como una casa, templo o iglesia.

PRAKARA Patio que rodea un templo hindú y contiene santuarios y otras estructuras.

PRASTARA Entabladura de un edificio indio.

PRESBITERIO Área de una iglesia que está situada al este del coro y contiene el altar mayor.

PRESBITERIO Extremo este de una iglesia, detrás del crucero, que contiene el altar principal y los sitiales del coro. A veces el término se refiere sólo al área alrededor del altar.

PRIORATO Casa religiosa gobernada por un prior o priora.

PRONAOS Pórtico en el frontal de una cella o *naos* de un templo clásico. Está formado por la proyección de los muros laterales de la cella. Tiene una fila de columnas a lo largo del frontal.

PROPILEO En arquitectura antigua, puerta monumental.

PROPORCIONES ARMÓNICAS Sistema utilizado primero por los romanos y adquirido después por los arquitectos del renacimiento italiano, y por tanto por Andrea Palladio, según el cual las proporciones de un edificio estaban relacionadas con la música.

PROPYLAEUM (pl. **PROPYLAEA**) Puerta monumental, generalmente da acceso a un área alrededor de un templo clásico.

PRÓSTILO Término que indica que un pórtico sólo tiene columnas en el frontal.

PROTHESIS Habitación, en una iglesia bizantina, para almacenar el pan y el vino usado durante la misa.

PSEUDODÍPTERO Término que indica que un templo tiene una fila de columnas rodeándolo.

PTEROMA Pasaje entre el muro y las columnas de un templo griego.

PTERON Columnata externa. Puede estar aislada o usarse como decoración en las paredes de un edificio, p. ej. iglesias.

PULPITO Plataforma elevada de una iglesia en la que se coloca el lector o predicador.

PULPITUM Mampara de una iglesia que separa la nave del coro.

PUNTAL Madero secundario que ayuda a proporcionar soporte a un miembro principal del tejado.

QIBLA En el islam, dirección de la Meca a la que todos deben girarse para rezar. El muro *qibla* de una mezquita contiene el *mihrab*.

QUADRIGA En arquitectura clásica, escultura de una carroza tirada por cuatro caballos.

QUBBA Cúpula de una mezquita o sobre una tumba musulmana.

RADIANTE Estilo gótico francés de los siglos XIII y XIV caracterizado por tracería de líneas radiales.

RATH/RATHA Templo indio tallado en un bloque de granito. Los ejemplos más notables datan del siglo VII.

RECINTO Área de contorno delimitado, generalmente, por un muro.

RELICARIO Receptáculo o edificio en el que se han depositado reliquias sagradas. También lugar asociado a una persona sagrada, que puede contener la tumba de la persona, y un lugar para rendir culto.

RELLENO Material usado para rellenar una cavidad o hueco en algo, como una fila de edificios.

REMATE Ornamento, a menudo en forma de protuberancia y con un patrón frondoso, en lo alto de un pináculo, frontispicio, chapitel o dosel.

RENACIMIENTO Periodo de la historia y cultura europeas, entre los siglos XIV y XVI, donde hubo impresionantes avances en las artes y el aprendizaje. Esto fue el resultado "renacer" del conocimiento sobre los estilos de la Roma y la Grecia antiguas.

REPISA Una capa de piedras o ladrillos soportadas por una línea de ménsulas, creando un parapeto.

RESPIRADERO Abertura en el tejado de una estancia para dejar salir el humo de un hogar central. También una de una serie de tablillas imbricadas paralelamente en puertas o ventanas, inclinadas hacia el exterior, que dejan entrar el aire y protegen de la lluvia.

RESURGIMIENTO GRIEGO (NEOCLÁSICO) Moda en Europa y EE. UU., entre los años 1780 y 1830, que imita los elementos de la arquitectura griega antigua.

REVESTIMIENTO Cobertura, generalmente de piedra, que está pensada para resultar más atractiva o duradera que el muro que cubre.

RIWAQ Sala en una mezquita, con una columnata o arcada.

ROCALLA Ornamentación asociada con el estilo rococó del siglo XVIII, que está basado en las formas de rocas y conchas horadadas por el agua.

ROCOCÓ Esa última fase del estilo barroco, que se originó en Francia a mediados del siglo XVIII. Se caracteriza por una rica decoración —con un repertorio infinito de motivos distintos— e interiores ligeros y llenos de color.

ROEL Pequeños paneles o ventanas circulares, ornamentales.

ROMÁNICO Estilo arquitectónico que evolucionó, en el siglo VI, debido al interés en la cultura imperial Romana. Se caracteriza por el uso de arcos de medio punto y de plantas basilicales.

ROSETA Pequeña y plana pieza decorativa, en forma circular u oval, que tiene un motivo floral. Puede ser de madera o de piedra y, a menudo, están adosadas a la pared.

ROSETÓN Gran ventana circular con tracería en forma de radios de una rueda. Era común en los edificios góticos.

ROTONDA Edificio o estancia circular, generalmente cupulada.

RUSTICADO/RUSTICACIÓN (SILLERÍA) Se refiere a la albañilería de grandes bloques de piedra labrada, cortada refinadamente o toscamente.

SACRISTÍA Habitación de una iglesia donde se guardan las vasijas del altar y la vestimenta de los curas.

SALAS CHAITYA Sala del budismo temprano que sirve como templo y era excavada en la roca. El espacio principal se divide en nave principal y naves laterales mediante dos filas de columnas.

SALOMÓNICA Columna estriada en espiral.

SANCTUM Lugar más sagrado de un templo. También un lugar especialmente privado.

SANGHARAMA Patio residencial de un *vihara* o monasterio budista.

SANTUARIO Área de la iglesia alrededor del altar mayor.

SARCÓFAGO Ataúd de piedra a menudo elaboradamente decorado con escultura e inscripciones.

SCAGLIOLA Material que imita al mármol, y se usa para cubrir la superficie de las columnas, pilastras y otras características interiores.

SCOTIA Moldura cóncava, como la de la base de una columna clásica.

SCREEN Mampara, generalmente de piedra o madera, que divide una parte de un edificio o habitación, de otra.

SEDILIA Asientos para el clero (generalmente tres) construidos dentro del muro del presbiterio, al sur del altar.

SEGMENTADO Se refiere a un arco u otra característica curva cuya forma sea menor que un semicírculo.

SEKOS Ver *adytum*.

SEMICÚPULA Cúpula que cubre un área semicircular, como un ábside.

SEPULCRO Bóveda mortuoria o tumba.

SHENGQI En arquitectura china, incremento gradual de la longitud de las columnas, desde el centro, a ambos lados del edificio.

SHOJI Mampara corredera que separa el vestíbulo, de una casa japonesa, de las habitaciones interiores.

SIKHARA Torre, en forma de colmena, de un templo del norte de la India.

SOFITO Parte inferior de una característica arquitectónica, como un arco, un balcón o una bóveda.

SOLAR Habitación en el piso superior de una casa medieval.

SOLEA Paseo elevado, en las iglesias del inglés temprano o del bizantino, que corre entre *ambo* y *bema*.

Glosario

STAMBHA En arquitectura india, columna monumental independiente, construida cerca de una *stupa* o enfrente de un templo. También se llama *lath*.

STELA Losa de piedra vertical, decorada con una inscripción, y, posiblemente, con una figura, que marcan a menudo una sepultura.

STEREOBATE Base, construida de sólida albañilería, de un edificio, particularmente el que incluye una fila de columnas.

STOA Edificio largo y estrecho con columnata abierta en lugar de uno, o dos, de los largos muros.

STOMION Entrada profunda, con puerta, de un *tholo*, o tumba micénica.

STUPA Santuario budista en forma de cúpula semiesférica (*anda*) construida para conmemorar las enseñanzas de buda o para honrar un lugar o evento sagrado.

STUPIKA Una *stupa* diminuta que a veces corona una puerta (*gopuram*) de acceso a un complejo de templos indio.

STYLOBATE Escalón superior de los tres que forman el *crepidoma*. Más generalmente, plataforma continua, de albañilería, que soporta la columnata.

SYNTHRONON Asiento, en las iglesias bizantinas y paleocristianas, reservado para el clero. Generalmente está en el ábside.

TABERNÁCULO Nicho, con dosel, cuya función es contener una estatua. También, pequeña caja decorada, en el altar de una iglesia, que contiene el sacramento de la eucaristía.

TABLERO Plancha de madera que se coloca a lo largo de los extremos en pendiente de un frontispicio, a veces para enmascarar las terminaciones de los tejados de madera. Puede estar decorado o sin decorar.

TABLERO Una tabla que esconde el extremo de un tejado horizontal de madera. Puede estar decorado.

TABLINIUM Habitación, de una casa romana, que marca la división entre las partes públicas y privadas, y está entre el atrio y el peristilo.

TAILIANG En arquitectura china, una estructura de columna-viga-puntal en la que la columna se alza hasta un techo soportado por vigas colocadas verticalmente una sobre otra, y separadas por puntales.

TALA Cada una de una serie de las filas escalonadas de la torre de un *rath*.

TALUD-TABLERO En arquitectura mesoamericana, característica asociada con las pirámides, en las cuales la sección exterior inclinada (talud) soporta un panel vertical rectangular (panel) que se trata como un friso.

TALLA EN RELIEVE Talla que sobresale de un fondo plano.

TAMAGAKI En arquitectura sintoísta japonesa, valla de madera de planchas horizontales y postes verticales.

TAMBOR Pared vertical en la que se asienta una cúpula o linterna. También cada uno de los bloques cilíndricos que forman el fuste de una columna.

TARJETA Panel oval típico de la arquitectura barroca, con bordes crestados o en volutas, usado como marco en las fachadas, pero también como elemento puramente decorativo.

TATAMI Estera de paja en una casa japonesa. Tiene una medida estándar y se usa como unidad de área en la medida y planteamiento del tamaño de las habitaciones.

TEATRO Edificio para ver dramas y otros tipos de interpretaciones. En las antiguas Grecia y Roma era totalmente al aire libre.

TEE Remate, a menudo en forma de paraguas, en lo alto de una *stupa* o pagoda.

TEJADO A DOS AGUAS El tipo más común de tejado, que consta de dos vertientes que se encuentran en un caballete central, y tienen hastiales en ambos extremos.

TEJADO CON PENDOLÓN Tejado en el que el madero vertical, conocido como pendolón, se eleva desde el centro de una viga transversal para encontrar una viga cumbrera que corre a lo largo del caballete.

TEMENOS Recinto sagrado de un templo griego.

TEPIDARIUM Habitación caliente de los baños romanos.

TERRAZA Plataforma enfrente de un edificio, o explanación de un terraplén. También fila de edificios que están adosados en ambos lados.

TESSERAE Pequeña pieza de cristal o mármol usada en la construcción de un mosaico.

TETRÁSTILO Indica que un pórtico tiene cuatro columnas en su frente.

THERMAE En la Roma antigua, baños públicos.

THOLOS Tumba en forma de columna que data del periodo micénico. También cualquier otro edificio en forma de colmena.

TÍMPANO Espacio triangular entre las molduras de un frontispicio. También espacio declinado, a menudo semicircular, entre el dintel de una puerta y el arco situado encima.

TIRANTE Travesaño principal de un tejado.

TOLTECA Civilización americana antigua que dominó Méjico central desde 900 hasta 1200. Entre las características principales de la arquitectura tolteca hay filas múltiples de columnas y paneles narrativos en relieve.

TOPE Ver *stupa*.

TORANA En arquitectura india, puerta, particularmente si está en el área de una *stupa* budista.

TORII En arquitectura japonesa, puerta de un relicario sintoísta.

TORRE DE AGUJA Torre con un chapitel en su cima, como en una iglesia.

TORRE DE CAMPANA Torre, aislada o adosada, en la que se cuelgan una o más campanas.

TORRE DEL CRUCERO Torre construida sobre el crucero de una iglesia.

TORRETA Pequeña torre que, a menudo, se proyecta desde la esquina de un edificio o muro.

TORUS Moldura convexa que generalmente forma la parte inferior de una basa de columna.

TOURELLE Una torreta.

TRACERÍA DE BARRAS Forma de tracería originada en Reims, Francia, y usada previamente en Britania alrededor de 1240, en la que los parteluces se extienden hacia arriba, formando un diseño decorativo en la parte alta.

TRACERÍA Trabajo en piedra, ornamental, que se intersecta en las ventanas, paneles y mamparas góticas, y sobre la superficie de las bóvedas góticas.

TRANSEPTO Brazo que cruza, en ángulo recto, la nave de una iglesia para producir una planta en forma de cruz.

TRANSICIONAL Se refiere al periodo de transición entre el románico o normando y el gótico.

TRAPEZOIDAL Se refiere a un cuadrilátero en el que dos lados paralelos son de distinta longitud.

TRAVERTINA Una variedad de piedra caliza.

TRIBUNA En arquitectura clásica, plataforma elevada. También, ábside de una basílica.

TRIFORIO Pasaje de muro arqueado que corre paralelo a la nave de una iglesia medieval. En un edificio de tres plantas, está entre el piso bajo y el clerestorio. En un edificio de cuatro plantas está entre la galería y el clerestorio.

TRIFORIO Ver *lóbulos*.

TRIGLIFO Forma de decoración, de un friso dórico, que consiste en tres bloques separados por glifos en forma de V.

TROFEO Composición escultórica, de armas y armaduras, que conmemora una victoria.

TROMPA Pequeño arco, o, a veces, dintel, posicionado a través del ángulo de un cuadrado o estructura poligonal para hacerla más redondeada.

TSUI-TATE En Japón, mampara independiente de pequeña altura.

TUMBA EN COLMENA Estructura circular que tiene una cúpula y se construye de piedra tosca. Los primeros ejemplos son prehistóricos. Ver *tholos*.

TUMULUS Túmulo construido sobre una cámara mortuoria o sepulcro.

UPASTHANASALA En arquitectura india, sala de reuniones en un monasterio budista o jainista.

URUSRINGA En arquitectura india, pequeña representación de una *sikhara* o torre de templo, usada para decorar la *sikhara* en cuestión.

USHNU En arquitectura inca, tabla sagrada.

VANO División vertical de un edificio que no se denota por una pared, sino por ejemplo mediante ventanas, columnas o contrafuertes.

VEDIKA Una barandilla que delimita un paseo pavimentado alrededor de una *stupa*.

VENTANA BATIENTE Parte de la ventana que se fija al marco superior de la misma mediante bisagras.

VENTANA CIEGA Elemento decorativo en un muro, que se hace como una ventana, pero sin aberturas. Se usó por primera vez en el periodo medieval.

VENTANA DIOCLECIANA Ver *ventana termal*.

VENTANA LANCEOLADA Ventana alta y delgada con un arco apuntado. Es típica de la arquitectura gótica.

VENTANA TERMAL Ventana semicircular que está dividida en tres luces por parteluces que corren desde la curva exterior hasta la recta base. También se conoce como ventana diocleciana.

VENTANA VENECIANA Gran ventana dividida, mediante columnas o pilares, en tres luces. La central es más grande que las dos laterales, y, a menudo, está arqueada. También se llama ventana palladiana o serliana.

VERANDA Porche o balcón cubierto que se extiende a lo largo de uno o más muros de un edificio, y que está abierta al lado exterior.

VESTÍBULO Antesala o área de entrada.

VIEIRA ORNAMENTAL Pieza de decoración en forma de concha.

VIERTEAGUAS Moldura que se proyecta encima de una puerta, ventana o arco para protegerlo contra la lluvia.

VIHARA En arquitectura india, monasterio budista o indio.

VILLA En la arquitectura romana y renacentista, casa en un estado rural.

VIMANA Torre piramidal de varias plantas. Está en un templo dravidiano.

VOLUTA Papiro enrollado, la característica principal de la columna jónica.

XIAOSHOU En arquitectura china, acroteria, cada una de las formas de animal fantástico.

XOANON En arquitectura griega antigua, tosca estatua de madera que representa una deidad y está alojado en una cabaña.

YASTI Varal encima de un *tee*, en el pináculo de una *stupa* budista india.

ZIGURAT Forma de edificio religioso construido en Sumeria, Babilonia y otras civilizaciones del este, entre los años 3000 y 600 a. C. Tenía base rectangular o cuadrada, y estaba construida como una pirámide escalonada. Una serie de rampas llevaba a la capilla de la cumbre.

Bibliografía

ATIGUO EGIPTO

ALDRED, C., *Egyptian Art*, Londres, 1988

BADAWY, A., *A History of Egyptian Architecture*, Giza, 1954–68, 3 vols.

EDWARDS, I. E. S., *The Pyramids of Egypt*, Harmondsworth, 1985

GORRINGE, H. H., *Egyptian Obelisks*, Nueva York, 1882

MEHLING, M. (ED.), *Egypt*, Oxford, 1990

PETRIE, W. M. FLINDERS, *Egyptian Architecture*, Londres, 1938

SETON-WILLIAMS, V., *Egypt*, Londres, 1993 (3ª ed.)

SMITH, W. STEVENSON, *The Art and Architecture of Ancient Egypt*, Harmondsworth, 1958 (ed. revisada en 1981)

UPHILL, E. P., *The Temples of Per Ramesses*, Warminster, 1984

WILKINSON, SIR JOHN GARDNER, *The Architecture of Ancient Egypt*, Londres, 1850

BABILONIA, ASIRIA, PERSIA

FERGUSSON, J., *The Palaces of Nineveh and Persepolis Restored*, Londres, 1851

FRANKFORT, H., *The Art and Architecture of the Ancient Orient*, Harmondsworth, 1954 (ed. revisada en 1970)

LAYARD, A. H., *Monuments of Nineveh*, Londres, 1849, 2 vols

LAYARD, A. H., *Nineveh and Its Palaces*, Londres, 1849, 2 vols

LEICK, G., *A Dictionary of Ancient Near Eastern Architecture*, Londres, 1988

MALLOWAN, M. E. L., *Nimrud and Its Remains*, Londres, 1966, 2 vols

O'KANE, B., *Studies in Persian Art and Architecture*, Cairo, 1995

POPE, A. U., *Persian Architecture*, Londres, 1965

POPE, A. U. y ACKERMAN, P., *A Survey of Persian Art*, Oxford, 1939

INDIA TEMPRANA Y CLÁSICA

ALLEN, MARGARET PROSSER, *Ornament in Indian Architecture*, Londres, Newark y Toronto, 1991

BROWN, PERCY, *Indian Architecture: Buddhist and Hindu Periods*, Bombay, 1971 (6ª ed.)

BURGESS, JAMES, *The Ancient Monuments, Temples and Sculptures of India*, Londres, 1911

FERGUSSON, J., *History of Indian and Eastern Architecture*, Londres, 1910 (ed. revisada), 2 vols.

HARLE, J. C., *The Art and Architecture of the Indian Subcontinent*, Londres y New Haven, 1994

HAVELL, E. B., *The Ancient and Medieval Architecture of India: A Study of Indo-Aryan Civilization*, Londres, 1915

MEISTER, MICHAEL W. (ED.), *Encylopaedia of Indian Temple Architecture: Foundations of North Indian Style c. 250 bc–ad 1100*, Delhi, 1988

MEISTER, MICHAEL W. (ED.), *Encyclopaedia of Indian Temple Architecture: North India, Period of Early Maturity c. ad 700–900*, Delhi, 1991, 2 vols

MEISTER, MICHAEL W. (ED.), *Encylopaedia of Indian Temple Architecture: South India, Lower Dravidadosa 200 bc–ad 1324*, Delhi, 1983

MICHELL, GEORGE, *The Penguin Guide to the Monuments of India, Volume One: Buddhist, Jain, Hindu*, Londres, 1990

MURTY, K. SATYA, *Handbook of Indian Architecture*, Nueva Delhi, 1991

CHINA TEMPRANA Y CHINA DINÁSTICA

BOYD, ANDREW, *Chinese Architecture and Town Planning, 1500 bc–ad 1911*, Londres, 1962

KESWICK, MAGGIE, *The Chinese Garden: History, Art and Architecture*, Nueva York, 1986 (2ª ed.)

LIANG SSU-CH'ENG, *A Pictorial History of Chinese Architecture: A Study of the Development of Its Structural System and the Evolution of Its Types*, ed. Wilma Fairbank, Cambridge, MA, 1984

LIU DUNZHEN (ED.), *Zhongguo Gudai Jianzhu Shi (A History of Ancient Chinese Architecture)*, Beijing, 1980

LIU DUNZHEN, *Suzhou Gudian Yuanlin (Classical Gardens of Suzhou)*, Beijing, 1979

MORRIS, EDWIN T., *The Gardens of China: History, Art and Meanings*, Nueva York, 1983

SICKMAN, LAURENCE AND SOPER, ALEXANDER, *The Art and Architecture of China*, Harmondsworth, 1971 (3rd edn)

STEINHARDT, NANCY SHATZMAN, *Chinese Imperial City Planning*, Honolulu, 1990

STEINHARDT, NANCY SHATZMAN (ED.), *Chinese Traditional Architecture*, Nueva York, 1984

TITLEY, NORAH AND WOOD, FRANCES, *Oriental Gardens*, Londres, 1991

XU YINONG, *The Chinese City in Space and Time: The Development of Urban Form in Suzhou*, Honolulu, 2000

ZHANG YUHUAN (ED.), *Zhongguo Gudai Jianzhu Jishu Shi (A History of Ancient Chinese Architectural Technology)*, Beijing, 1985

JAPÓN CLÁSICO

BALTZER, FRANZ, *Die Architektur Der Kultbauten Japans*, Berlin, 1907

DRESSER, CHRISTOPHER, *Japan: Its Architecture, Art and Art Manufactures*, Londres, 1882

FUJIOKA, M., *Shiro to Shoin*, 1973

INAGAKI, E., *Jinja to Reibyo*, Tokyo, 1968

KAWAKAMI, M. y NAKAMURA, M., *Katsura Rikyu to Shashitsu*, 1967

MASUDA, T., *Living Architecture: Japanese*, Londres, 1971

MORSE, EDWARD S., *Japanese Homes and Their Surroundings*, Londres, 1888

NAKANO, G., *Byodoin Hoodo (The Pavilion of the Phoenix at Byodoin)*, Tokyo, 1978

OTA, H., *Japanese Architecture and Gardens*, Tokyo, 1966

PAINE, R. y SOPER, A., *The Art and Architecture of Japan*, Harmondsworth, 1974

SANSOM, G. B., *A Short History of Japanese Architecture*, Rutland, VT, 1957

STANLEY-BAKER, JOAN, *Japanese Art*, Londres, 1984 y 2000

PRECOLOMBINOS

COE, MICHAEL D., *The Maya*, Londres, 1995 (5th edn)

COE, MICHAEL D., *Mexico from the Olmecs to the Aztecs*, Londres, 1995

HEYDEN, DORIS y GENDROP, PAUL, *Pre-Columbian Architecture of Mesoamerica*, Londres, 1988

HYSLOP, JOHN, *Inka Settlement Planning*, Austin, 1990

KOWALSKI, JEFF KARL (ED.), *Mesoamerican Architecture as a Cultural Symbol*, Oxford y Nueva York, 1999

KUBLER, GEORGE, *The Art and Architecture of Ancient America*, Londres y New Haven, 1993

MILLER, MARY ELLEN, *The Art of Mesoamerica from Olmec to Aztec*, Londres, 1986

PASZATORY, ESTHER, *Pre-Columbian Art*, Londres, 1998

RUTH, KAREN, *Kingdom of the Sun, the Inca: Empire Builders of the Americas*, Nueva York, 1975

STIERLIN, HENRI, *The Maya, Palaces and Pyramids of the Rainforest*, Cologne, 2001

PRECLÁSICO

BOËTHIUS, AXEL, *Etruscan and Early Roman Architecture*, Harmondsworth, 1978

HAYNES, SYBILLE, *Etruscan Civilisation*, Londres, 2000

LAWRENCE, A. W., *Greek Architecture*, Londres y New Haven, 1996 (5ª ed.)

MARTIN, ROLAND, *Greek Architecture: Architecture of Crete, Greece, and the Greek World*, Londres, 1980

MATZ, FRIEDRICH, *Crete and Early Greece: The Prelude to Greek Art*, Londres, 1962

MYLONAS, GEORGE E., *Mycenae and the Mycenaean Age*, Princeton, 1966

STIERLIN, HENRI, *Greece: From Mycenae to the Parthenon*, Londres y Cologne, 2001

TAYLOUR, LORD WILLIAM, *The Mycenaeans*, Londres, 1964

GRECIA ANTIGUA

LAWRENCE, A. W., *Greek Architecture*, Londres y New Haven, 1996 (5ª ed.)

MARTIN, ROLAND, *Greek Architecture: Architecture of Crete, Greece, and the Greek World*, Londres, 1980

SCRANTON, ROBERT L., *Greek Architecture*, Londres, 1962

STIERLIN, HENRI, *Greece: From Mycenae to the Parthenon*, Londres y Cologne, 2001

TAYLOR, WILLIAM, *Greek Architecture*, Londres, 1971

TOMLINSON, R. A., *Greek Architecture*, Bristol, 1989

ANTIGUA ROMA

BOËTHIUS, A., *Etruscan and Early Roman Architecture*, New Haven y Londres, 1994

BROWN, F. E., *Roman Architecture*, Nueva York, 1961

MACDONALD, W. L., *The Architecture of the Roman Empire*, New Haven, 1965–86 (ed. revisada en 1982), 2 vols.

MACKAY, A. G., *Houses, Villas and Palaces in the Roman World*, Londres, 1975

NASH, E., *Pictorial Dictionary of Ancient Rome*, Londres, 1961–2 (2ª ed. 1968), 2 vols.

PLATNER, A. B. y ASHBY, T., *A Topographical Dictionary of Ancient Rome*, Londres, 1929

SEAR, F. B., *Roman Architecture*, Londres, 1982

SUMMERSON, J., *The Classical Language of Architecture*, Londres, 1980

VITRUVIUS, *On Architecture*, Londres y Nueva York, 1931–34

WARD-PERKINS, J. B., *Roman Imperial Architecture*, Londres y New Haven, 1994

WHEELER, M., *Roman Art & Architecture*, Londres, 1964

PALEOCRISTIANISMO Y BIZANTINISMO

KRAUTHEIMER, RICHARD, *Early Christian and Byzantine Architecture*, Harmondsworth, 1981

LASSUS, JEAN, *The Early Christian and Byzantine World*, Londres, 1967

MAINSTONE, ROWLAND J., *Hagia Sophia: Architecture, Structure and Liturgy of Justinian's Great Church*, Londres, 1988

MANGO, CYRIL, *Byzantine Architecture*, Nueva York, 1976

MATHEWS, THOMAS F., *The Byzantine Churches of Istanbul: A Photographic Survey*, Pennsylvania, 1976

MILBURN, ROBERT, *Early Christian Art and Architecture*, Aldershot, 1988

RODLEY, LYN, *Byzantine Art and Architecture: An Introduction*, Cambridge, 1994

WHARTON, ANNABEL JANE, *Art of Empire: Painting and Architecture of the Byzantine Periphery, A Comparative Study of Four Provinces*, Pennsylvania, 1988

ISLÁMICO

BLAIR, S. S. AND BLOOM, J. M., *The Architecture of Islam 1250–1800*, Londres y New Haven, 1994

BLOOM, J. M., *Minaret: Symbol of Islam*, Oxford, 1994

COSTA, P. M., *Studies in Arabian Architecture*, Aldershot, 1994

CRESWELL, K. A. C., *A Bibliography of the Architecture, Arts and Crafts of Islam*, Cairo, 1962 y 1973

DAVIES, PHILIP, *The Penguin Guide to the Monuments of India, Volume Two: Islamic, Rajput and European*, Londres, 1989

ETTINGHAUSEN, R. AND GRABAR, O., *The Art and Architecture of Islam 650–1250*, Londres y New Haven, 1987

FRISHMAN, M. y KAHN, H. U. (EDS.), *The Mosque: History, Architectural Development and Regional Diversity*, Londres, 1994

GRABAR, O., *The Great Mosque of Isfahan*, Londres, 1987

HARLE, J. C., *The Art and Architecture of the Indian Subcontinent*, Londres y New Haven, 1994

HILL, D. y GRABAR, O., *Islamic Architecture and its Decoration*, Londres, 1964

HILLENBRAND, R., *Islamic Architecture*, Edinburgh, 1994

HOAG, JOHN D, *Islamic Architecture*, Nueva York, 1997

KUHNEL, E., *Islamic Art and Architecture*, Londres, 1966

MAYER, L. A., *Islamic Architects and Their Works*, Geneva, 1956

MICHELL, GEORGE (ED.), *Architecture of the Islamic World: Its History and Social Meaning*, Londres, 1978 (ed. 2000)

ROMÁNICO

ARCHER, L., *Architecture in Britain & Ireland: 600–1500*, Londres, 1999

BROOKE, C. N. L., *The Twelfth Century Renaissancce*, Londres, 1969

BUSCH, H. y LOHSE, B. (EDS.), *Romanesque Europe*, Londres, 1960

CONANT, KENNETH J., *Carolingian and Romanesque Architecture 800 to 1200*, Harmondsworth, 1973

DUBY, G., *The Europe of the Cathedrals, 1140–1280*, Geneva, 1966

EVANS, J. (ED.), *The Flowering of the Middle Ages*, Londres, 1966

FERNIE, ERIC, *The Architecture of Norman England*, Oxford, 2000

HOOKER, D. (ED.), *Art of the Western World*, Londres, 1989

KUBACH, HANS ERICH, *Romanesque Architecture*, Londres, 1988

SWARZENSKI, H., *Monuments of Romanesque Art*, Londres, 1974

OURSEL, R., *Living Architecture: Romanesque*, Londres, 1967

WATKIN, D., *A History of Western Architecture*, Londres, 1986

GÓTICO

ARCHER, L., *Architecture in Britain & Ireland: 600–1500*, Londres, 1999

ARSLAN, E., *Gothic Architecture in Venice*, Nueva York, 1971

BONY, J., *French Gothic Architecture Twelfth to Thirteenth Century*, Londres y Berkeley, 1983

BRANNER, R., *St Louis and the Court Style in Gothic Architecture*, Londres, 1964

FRANKL, P., *Gothic Architecture*, Harmondsworth, 1962

GRODECKI, LOUIS, *Gothic Architecture*, Londres, 1986

HARVEY, J. H., *The Gothic World 1100–1600*, Londres, 1950

HENDERSON, G., *Gothic*, Harmondsworth, 1967

PUGIN, A. y A. W., *Examples of Gothic Architecture*, Londres, 1838–40, 3 vols.

WHITE, JOHN, *Art and Architecture in Italy 1250 to 1400*, Harmondsworth, 1966

WOOD, MARGARET, *The English Mediaeval House*, Londres, 1965

RENACIMIENTO

ACKERMAN, J. S., *The Villa: Form and Ideology of Country Houses*, Londres, 1995

ALBERTI, LEON BATTISTA, *On the Art of Building in Ten Books*, traducido por J. R. Rykwert et al., Cambridge, MA, 1988

BLUNT, ANTHONY, *Art and Architecture in France 1500–1700*, Londres y New Haven, 1999 (5ª ed.)

BLUNT, ANTHONY, *Artistic Theory in Italy 1450–1600*, Oxford y Nueva York, 1978

Bibliografía

HEYDENREICH, L. H. (revisada por P. Davies), *Architecture in Italy 1400–1500*, Londres y New Haven, 1996

LOTZ, W. (revisada por D. Howard), *Architecture in Italy 1500–1600*, Londres y New Haven, 1995

MILLON, H. y LAMPUGNANI, V. M. (EDS.), *The Renaissance from Brunelleschi to Michelangelo: The Representation of Architecture*, Milan, 1994

MURRAY, PETER, *Architecture of the Renaissance*, Nueva York, 1971

PALLADIO, ANDREA, *Four Books of Architecture*, Traducción inglesa, Nueva York, 1965

SUMMERSON, JOHN, *Architecture in Britain, 1530–1830*, Londres y New Haven, 1993

THOMSON, D., *Renaissance Architecture: Critics, Patrons, Luxury*, Manchester, 1993

WATKIN, D., *English Architecture*, Londres, 1979 (reimpresión 1990)

WITTKOWER, R., *Architectural Principles in the Age of Humanism*, Londres y Nueva York, 1988

BARROCO Y ROCOCÓ

BLUNT, ANTHONY, *Art and Architecture in France 1500–1700*, Londres y New Haven, 1999 (5th edn)

BLUNT, ANTHONY, *Baroque and Rococo, Architecture and Decoration*, Londres, 1978

BOTTINEAU, YVES, *Iberian–American Baroque*, ed. Henri Stierlin, Cologne, 1995

DOWNES, KERRY, *English Baroque Architecture*, Londres, 1966

HEMPEL, EBERHARD, *Baroque Art and Architecture in Central Europe*, Harmondsworth, 1965

MARTIN, JOHN RUPERT, *Baroque*, Londres, 1989

MILLON, HENRY A. (ED.), *The Triumph of the Baroque, Architecture in Europe 1600–1750*, Londres, 1999

MINOR, VERNON HYDE, *Baroque and Rococo, Art and Culture*, Londres, 1999

NORBERG-SCHULZ, CHRISTIAN, *Baroque Architecture*, Londres, 1986

NORBERG-SCHULZ, CHRISTIAN, *Late Baroque and Rococo Architecture*, Londres, 1986

SUMMERSON, JOHN, *Architecture in Britain, 1530–1830*, Londres y New Haven, 1993

VARRIANO, JOHN, *Italian Baroque and Rococo Architecture*, Oxford y Nueva York, 1986

WITTKOWER, RUDOLF, *Art and Architecture in Italy 1600–1750*, Londres y New Haven, 1999 (6ª ed.)

PALLADIANISMO

BARNARD, TOBY y CLARK, JANE (EDS.), *Lord Burlington, Architecture, Art and Life*, Londres, 1995

BOLD, JOHN, con REEVES, JOHN, *Wilton House and English Palladianism*, Londres, 1988

CAMPBELL, COLEN, *Vitruvius Britannicus*, Londres, vol. I 1715, vol. II 1717, vol. III 1725

HARRIS, JOHN, *The Palladian Revival, Lord Burlington, His Villa and Garden at Chiswick*, Londres y New Haven, 1994

HARRIS, JOHN, *The Palladians*, Londres, 1981

PARISSIEN, STEVEN, *Palladian Style*, Londres, 1994

SUMMERSON, JOHN, *Architecture in Britain, 1530–1830*, Londres y New Haven, 1993

SUMMERSON, JOHN, *Inigo Jones*, Londres y New Haven, 2000

TAVERNOR, ROBERT, *Palladio and Palladianism*, Londres, 1991

WITTKOWER, RUDOLF, *Palladio and English Palladianism*, Londres, 1983

WORSLEY, GILES, *Classical Architecture in England, The Heroic Age*, Londres y New Haven, 1995

NEOCLÁSICO

ADAM, ROBERT Y JAMES, *Works in Architecture*, Londres, 1778

The Age of Neo-Classicism, Arts Council catálogo de la exibición, Londres, 1972

CROOK, J. M., *The Greek Revival*, Londres, 1972

HAMILTON, G. H., *The Art and Architecture of Russia*, Harmondsworth, 1983

HONOUR, HUGH, *Greek Revival Architecture in America*, Oxford, 1944

KALNEIN, W. G. y LEVEY, M., *Art and Architecture of the Eighteenth Century in France*, Harmondsworth, 1972

MIDDLETON, R. D. y WATKIN, D., *Neo-Classical and Nineteenth-Century Architecture*, Londres, 1977

PIERSON, W. H., *American Buildings and Their Architects: The Colonial and Neo-classical Styles*, Nueva York, 1970

STILLMAN, D., *English Neo-classical Architecture*, Londres, 1988

SUMMERSON, JOHN, *Architecture in Britain, 1530–1830*, Londres y New Haven, 1993

WATKIN, D. y MELLINGHOFF, T., *German Architecture and the Classical Ideal, 1740–1840*, Londres, 1986

WIEBENSON, DORA, *Sources of Greek Revival Architecture*, Londres, 1969

WORSLEY, GILES, *Classical Architecture in Britain, The Heroic Age*, Londres y New Haven, 1995

PINTORESCO

ARNOLD, D. (ED.), *The Georgian Villa*, Stroud, 1996

BALLANTYNE, A., *Architecture, Landscape and Liberty: Richard Payne Knight and the Picturesque*, Cambridge, 1977

DANIELS, S., *Humphry Repton: Landscape Gardening and the Geography of Georgian England*, Londres y New Haven, 1999

HARRIS, J., *The Architect and the British Country House*, Washington, 1985

HUSSEY, CHRISTOPHER, *The Picturesque: Studies in a Point of View*, Londres, 1983

LINDSTRUM, D. (ED.), *The Wyatt Family, RIBA catalogue*, Farnborough, 1974

LOUDON, J. C., *The Encyclopedia of Cottage, Farm and Villa Architecture*, Londres, 1833

LOUDON, J. C., *The Landscape Gardening and Landscape Architecture of the Late Humphry Repton*, Londres, 1840

MACDOUGALL, E. (ED.), *John Claudius Loudon and the Early Nineteenth Century in Great Britain*, Dumbarton, 1980

MANSBRIDGE, M., *John Nash: A Complete Catalogue*, Londres y Nueva York, 1991

ROWAN, A., *Robert and James Adam: Designs for Castles and Country Villas*, Oxford, 1985

STAMP, G., *The Great Perspectivists*, Londres, 1982

SUMMERSON, JOHN, *Architecture in Britain, 1530–1830*, Londres y New Haven, 1993

TEMPLE, N., *John Nash and the Village Picturesque*, Gloucester, 1979

WATKIN, D., *The Buildings of Britain: Regency*, Londres, 1982

WATKIN, D., *The English Vision: The Picturesque in Architecture, Landscape and Garden Design*, Londres, 1982

Índice

Índice

Índice

Índice

Índice

AGRADECIMIENTOS

La Editorial querría agradecer al
Steve Parissien y Neil Burton su
ayuda y sus consejos.